Spanish
today **2**

Spanish
today 2

Nancy A. Humbach
Mario Iglesias
Geraldine Antoine
Sue Carol McKnight

HOUGHTON MIFFLIN COMPANY Boston
Atlanta Dallas Geneva, Illinois
Hopewell, New Jersey Palo Alto Toronto

About the Authors

Nancy A. Humbach teaches Spanish at Finney-town High School in Cincinnati, Ohio, and is the editor of the quarterly newsletter *¡Albricias!* She has been president of the Ohio Modern Language Teacher's Association (OMLTA) and has served on the executive councils of OMLTA, the American Association of Teachers of Spanish and Portuguese (AATSP), and the *Sociedad Honoraria Hispánica*.

Mario Iglesias, a native of Cuba, is currently Associate Professor of Spanish and Director of Elementary Instruction in Spanish at the Ohio State University. He received his doctorate in pedagogy from the *Universidad de La Habana* and has taught Spanish to elementary, high school, and college students in the United States and Cuba. He has co-authored several college Spanish textbooks.

Geraldine Antoine teaches Spanish at Northside Christian School in Westerville, Ohio. Prior to that, she taught Spanish at Lincoln High School in Gahanna, Ohio, where she served as department head for four years. She has given many methodology courses and workshops on foreign language teaching and testing. She has also been president of OMLTA and served on the executive councils of OMLTA and AATSP.

Sue Carol McKnight has taught Spanish at various levels in high school and college. Most recently she was Spanish teacher at Finneytown High School in Cincinnati, Ohio. She has also taught Spanish to adults and participated in summer institutes at Rice University and the *Universidad Autónoma de México*.

ANNOTATIONS

Dorothy Gonsalves is former chairperson of Foreign Languages at Sehome High School, Bellingham, Washington, where she also taught Spanish for twelve years. She is an active member of the Washington Association of Foreign Language Teachers and of the American Council on the Teaching of Foreign Languages. She has participated in several NDEA Institutes and has traveled extensively in Central and South America.

LISTENING COMPREHENSION EXERCISES

José Blanco is a native of Barranquilla, Colombia. He was a journalist for two years with *El Heraldo* and studied at the University of Barcelona. He received his BA in Spanish Literature from the University of California at Santa Cruz and his MA in Hispanic Studies from Brown University in 1982.

WORKBOOK

Sue Carol McKnight

CHAPTER TESTS

Carol E. Klein has taught Spanish and French since 1969 in Worcester, Massachusetts, where she is currently Coordinator of Foreign Languages. She has served as a reader for the Advanced Placement Spanish examination for Educational Testing Service. She received her Ph.D. in Spanish from the University of Illinois.

The authors wish to express their gratitude to the following authors and publishers for permission to reproduce the following selections:

"La golondrina." © Copyright: Edward B. Marks Music Corporation. Used by permission.

"El primer encuentro," by Álvaro Menen Desleal. Reprinted by permission of the author.

Greguerías (selections), by Ramón Gómez de la Serna, Madrid: Espasa-Calpe, S. A., 1968. Reprinted by permission of the publisher.

1985 Impression

Printed in U.S.A.
Student's Edition ISBN: 0-395-29296-4
Teacher's Edition ISBN: 0-395-29511-4

Contents

Atlas **viii**

A nuestro alrededor

CAPÍTULO 1   Río Piedras y Ponce, Puerto Rico

Es septiembre otra vez 6
Tanto tiempo sin verte 7
Carta a una amiga 8
¡Qué vida tan apurada! 10
Estudio de palabras 12 • Pronunciación 15
Gramática 16 • Repaso 23 • Vocabulario 25

CAPÍTULO 2   Monterrey, México

¡De viaje! 26
¡Buen viaje! 27
¡Qué lío! 28
¡A estudiar! 30
Estudio de palabras 31 • Pronunciación 34
Gramática 35 • Repaso 46 • Vocabulario 49

Algo más 50

En contacto

CAPÍTULO 3   Buenos Aires, Argentina

Aventura y misterio 60
Luces, cámara, acción 61
Para capturar al ladrón 63
Estudio de palabras 65 • Pronunciación 66 • Gramática 68
Lectura 76 • En resumen 77 • Repaso 79 • Vocabulario 81

CAPÍTULO 4   San Juan, Puerto Rico

Aventuras en la cocina 82
El hombre moderno cocina 83
Una receta para arroz con pollo 85
Estudio de palabras 87 • Pronunciación 88 • Gramática 90
Lectura 96 • En resumen 97 • Repaso 99 • Vocabulario 102

CAPÍTULO 5   Puebla, México

¡A celebrar! 103
Una llamada por teléfono 104
¡A bailar! 105
Estudio de palabras 107 • Pronunciación 109 • Gramática 110
Lectura 116 • En resumen 117 • Repaso 119 • Vocabulario 121

4

CAPÍTULO 6   Medellín, Colombia

¡Manos a la obra! 122

Periódico estudiantil 123

Responsabilidad 124

Estudio de palabras 125 • Pronunciación 126 • Gramática 127

Lectura 134 • En resumen 135 • Repaso 136 • Vocabulario 138

Algo más 139

5

Nuevos horizontes

CAPÍTULO 7   San José, Costa Rica

¡A votar! 148

¡Así son los dos candidatos! 149

Encuesta política 152

Estudio de palabras 154 • Pronunciación 156 • Gramática 159

Lectura 166 • En resumen 168 • Repaso 169 • Vocabulario 172

CAPÍTULO 8   Quito, Ecuador

En marcha 173

El examen de manejar 174

Las señales camineras 176

Estudio de palabras 178 • Pronunciación 179 • Gramática 180

Lectura 188 • En resumen 190 • Repaso 192 • Vocabulario 195

CAPÍTULO 9   Madrid, España

¡Adiós al colegio! 196

Una carta de negocios 197

Este verano voy a viajar 199

Estudio de palabras 201 • Pronunciación 202 • Gramática 203

Lectura 212 • En resumen 214 • Repaso 216 • Vocabulario 218

CAPÍTULO 10   Bogotá, Colombia

Una mirada al futuro 219

Ofertas de trabajo 220

Encuesta personal 222

Estudio de palabras 225 • Pronunciación 226 • Gramática 228

Lectura 234 • En resumen 237 • Repaso 238 • Vocabulario 241

Algo más 242

6

El alma hispánica

CAPÍTULO 11   Panamá, Panamá

¡Hoy hay fiesta! 252

Carnaval en Panamá 253
Baile de disfraces 255
Estudio de palabras 258 • Enriquece tu vocabulario 259
Gramática 260 • En resumen 267 • Repaso 268 • Vocabulario 271

CAPÍTULO 12   Caracas, Venezuela

La vida deportiva 272

El último juego 273
Página deportiva 275
Estudio de palabras 278 • Enriquece tu vocabulario 280
Gramática 281 • En resumen 286 • Repaso 288 • Vocabulario 291

CAPÍTULO 13   México, D.F., México

Arte popular 292

Una visita al mercado 293
¡Al museo! 295
Estudio de palabras 297 • Enriquece tu vocabulario 298
Gramática 299 • En resumen 306 • Repaso 307 • Vocabulario 309

CAPÍTULO 14

Festival cultural 310

¡Al festival! 311
¡Enhorabuena! 312
Versos sencillos 314
Estudio de palabras 316 • Enriquece tu vocabulario 317
Gramática 318 • En resumen 321 • Repaso 322 • Vocabulario 324

CAPÍTULO 15

Mundos desconocidos 325

Primer encuentro **327**
Estudio de palabras 335 • Enriquece tu vocabulario 336
Gramática 338 • Vocabulario 346

Algo más 347

Appendixes 352
Spanish-English Vocabulary 368
English-Spanish Vocabulary 385
Index 393

MAR CANTÁBRICO

FRANCIA

ATLÁNTICO

OCÉANO

Santander

La Coruña

Santiago
de Compostela

Bilbao

San
Sebastián

ANDORRA

León

Pamplona

PIRINEOS

Burgos

Río   Duero

Río

Ebro

Barcelona

Salamanca

Segovia

SIERRA DE GUADARRAMA

Ávila

Madrid

PORTUGAL

SIERRA DE GREDOS

ISLAS
BALEARES

Menorca

Río   Tajo

Toledo

Mallorca

Río

Guadiana

Valencia

Ibiza

Guadalquivir

Alicante

MAR MEDITERRÁNEO

Río

Córdoba

Sevilla

Granada

Málaga

SIERRA NEVADA

Cádiz

Estrecho de Gibraltar

ÁFRICA

| 0 | 100 | 200 km |
| 0 | 50 | 100 | 150 mi |

ISLAS CANARIAS

Lanzarote

La Palma

Tenerife

Fuerte-
ventura

Gomera

OCÉANO
ATLÁNTICO

ESPAÑA

Hierro

Gran Canaria

ISLAS
CANARIAS

MARRUECOS

ÁFRICA

ÁFRICA

ESPAÑA

Isla de
Margarita

Barranquilla
Cartagena
Maracaibo
Caracas

Río Orinoco

GUYANA

GUAYANA
FRANCESA

VENEZUELA

Medellín
Bogotá
COLOMBIA
Cali

SURINAM

Río Negro

ECUADOR

ECUADOR

Quito

Río

Amazonas

Guayaquil

PERÚ

BRASIL

CORDILLERA

Lima
Callao

Machu
Picchu
Cuzco

DE

La Paz

Brasilia

Lago Titicaca

BOLIVIA

Sucre
Potosí

LOS

Río Paraná

São Paulo

PARAGUAY

TRÓPICO DE
CAPRICORNIO

OCÉANO

PACÍFICO

CHILE

Asunción

Río de Janeiro

San Miguel
de Tucumán

ANDES

ARGENTINA

Córdoba

Santa Fe

Aconcagua

Valparaíso
Santiago

URUGUAY

OCÉANO

Buenos Aires
La Plata

Montevideo

ATLÁNTICO

Río de la Plata

Concepción

PAMPAS

Río Colorado

San Carlos
de Bariloche

0   400   800 km

0   200   400   600 mi

PATAGONIA

Punta Arenas

TIERRA DEL FUEGO

Estrecho de Magallanes

CABO DE HORNOS

AMÉRICA DEL SUR

ix

Tijuana
Mexicali

ESTADOS   UNIDOS

GOLFO
DE
CALIFORNIA

BAJA CALIFORNIA

Ciudad Juárez

Río   Bravo

Hermosillo

Chihuahua

Nuevo Laredo

SIERRA   MADRE   OCCIDENTAL

Torreón

Monterrey

SIERRA MADRE ORIENTAL

Mazatlán

San Luis Potosí

Tampico

GOLFO DE MÉXICO

Guanajuato

BAHÍA DE
CAMPECHE

Mérida

YUCATÁN

Guadalajara

México, D.F.

Toluca

Puebla

Cuernavaca

Veracruz

Taxco

SIERRA MADRE DEL SUR

Oaxaca

BEL

OCÉANO PACÍFICO

Acapulco

Lago
Izabal

GOLFO DE
TEHUANTEPEC

Guatemala

La
Ilop

Lago
Atitlán

Antigua

GUATEMALA

San Salva

EL SALVA

0   200   400 km

0   100   200   300 mi

MÉXICO, AMÉRICA CENTRAL Y LAS ANTILLAS

OCÉANO ATLÁNTICO

LAS

BAHAMAS

La Habana

CUBA

Guantánamo

Santiago de Cuba

REPÚBLICA
DOMINICANA

HAITÍ

Santo Domingo

San Juan

Mayagüez • • Río Piedras
• Ponce

PUERTO RICO

JAMAICA

MAR CARIBE

NDURAS

ucigalpa

NICARAGUA

Managua

Lago de Nicaragua

Canal de Panamá

Limón

Colón

San José

COSTA RICA

• Panamá

PANAMÁ

VENEZUELA

COLOMBIA

3

A nuestro alrededor

1

¡**Nuevos amigos!** Así es el comienzo del año escolar. Página anterior: dos jóvenes mexicanos charlan y se pasean. Arriba: Un laboratorio de química y una joven maestra de Barcelona, España. Abajo: Compañeros de clase en la ciudad de México.

¡A divertirse! Después de las clases a todo el mundo le gusta jugar, divertirse y charlar. Arriba: Un equipo colombiano de básquetbol, una excursión al Museo de Antropología de México y un paseo por la Puerta del Sol, Madrid, España. Abajo: Una joven mexicana se ríe mientras dos chicos patinan.

4

capítulo 1

Es septiembre otra vez

Baseball is the national sport of Puerto Rico. Many children and adults enjoy playing the game as well as following the performance of their favorite team on television, radio, or in the newspaper. There are professional, amateur, and little league teams on the island. Because of Puerto Rico's tropical climate, outdoor sports can be enjoyed year round.

6

¡Tanto tiempo sin verte!

Es septiembre otra vez y es el primer día de clases en la Escuela Superior Berwind en Río Piedras, Puerto Rico. Andrés invita a Pablo a jugar al béisbol.

ANDRÉS   ¡Hola, Pablo! ¿Cómo estás? ¡Tanto tiempo sin verte!

PABLO   ¡Andrés! ¡Qué bueno, tú por aquí otra vez!

ANDRÉS   ¡Claro! Dime, ¿qué vas a hacer esta tarde?

PABLO   Nada. ¿Por qué?

ANDRÉS   Porque mis amigos y yo vamos a jugar al béisbol y necesitamos un buen jugador. ¿Quieres venir con nosotros?

PABLO   ¡Cómo no! ¿A qué hora?

ANDRÉS   A eso de las cuatro o cuatro y media.

PABLO   Bueno, hasta luego.

ANDRÉS   Adiós, hasta luego.

comprensión

1. ¿Qué va a hacer Pablo esta tarde?
2. ¿A qué van a jugar Andrés y Pablo esta tarde?
3. ¿Qué necesitan Andrés y sus amigos?
4. ¿Quiere ir a jugar al béisbol Pablo?
5. ¿A qué hora van a jugar los amigos?

extensión

A. You have just returned to school after your summer vacation. Respond to your classmate's greetings with a logical reply.

    ¡Hola!   Hola, ¿cómo estás?

                 ¡Qué bueno, tú por aquí!°

                 ¡Tanto tiempo sin verte!

B. React with surprise or with pleasure when you hear the following news. Choose the expressions that reflect how you feel.

    ¡No me digas!   ¡Magnífico!

    ¡No es posible!°   ¿Hablas en serio?°

1. Hay un problema en la cafetería. No pueden servir el almuerzo hasta la una.
2. Hay un problema con tu horario. No puedes tomar el curso que prefieres.
3. Las clases van a ser más largas este año.
4. Tu mejor amigo/amiga va a otra escuela.
5. La clase de español va a España en primavera.
6. Linda Morales está en el hospital.
7. Sólo hay dos días de fiesta este año.

Because of Puerto Rico's close ties to the United States, some aspects of the island's public educational system are similar to public education in the United States. For example, Puerto Rico has public secondary schools and vocational schools, and students graduate from them with a high school diploma rather than with a **bachillerato**. But unlike public schools in the United States, most of Puerto Rico's schools require their students to wear uniforms. Incentives such as free lunches, discounted or free transportation to and from school, and cash subsidies enable some students to stay in school.

Carta a una amiga

Buen Hogar es una revista mensual que venden en muchos países hispanos. Algunos jóvenes escriben a Buen Hogar para solicitar intercambio de correspondencia. Aquí tienen ustedes una carta de una joven puertorriqueña, Nuria Hernández.

Querido Buen Hogar:

Tengo quince años y soy de Ponce, Puerto Rico. Deseo tener correspondencia con jóvenes de todos los países de habla española.

Estudio en un colegio privado cerca de mi casa y voy a graduarme en tres años. Después quiero asistir a la Universidad de Puerto Rico en Río Piedras. Quiero estudiar medicina.

Soy coleccionista de sellos de países extranjeros. También soy muy aficionada al béisbol y me gusta nadar.

Somos cinco en mi familia: mis padres, dos hermanos y yo. Vivimos en un apartamento pequeño, pero cómodo y alegre. Soy alta, delgada y morena.

Quiero saber más de otros países y de otras costumbres.

Espero ansiosamente una respuesta.

Nuria Hernández
Calle 6
Ponce, Puerto Rico 00731

comprensión

Supply the information requested, based on information in Nuria's letter.

1. Nombre completo . . .
2. Edad . . .
3. País . . .
4. Lugar donde estudia . . .
5. Planes futuros . . .
6. Actividades que le gustan . . .

extensión

A. A new friend asks you about your daily activities. Respond appropriately, using the following verbs.

■ Quiero saber más de ti.

    Paso el día en la escuela.
    Hago . . .
    Leo . . .
    Miro . . .
    Juego . . .

B. Tell a new friend about yourself, your family, and your friends. Use some of the following phrases and adjectives.

Me gusta mi amigo/amiga porque es . . .   guapo/a
Mi hermano/hermana es . . .   alto/a
Soy . . .   inteligente
    bajo/a
    simpático/a

Well over a hundred thousand students attend a college or university in Puerto Rico. The University of Puerto Rico, located in Río Piedras and in Old San Juan, is the largest university in Puerto Rico. It offers a wide range of programs, including medicine, dentistry, law, engineering, and agriculture.

¡Qué vida tan apurada!

~ SEPTIEMBRE ~						
LUNES	MARTES	MIÉRCOLES	JUEVES	VIERNES	SÁBADO	DOMINGO
	1 *primer día de clases* 4:00 *clase de guitarra*	2 6:00 *practicar guitarra* 7:00 *salir con Delia*	3 5:00 *salir con Teresa*	4 5:00 *biblioteca* 6:00 *salir con María*	5 1:00 *ir al cine con Pablo*	6 9:00 *misa*
7 4:00 *clase de guitarra*	8 7:00 *practicar guitarra*	9 5:00 *biblioteca*	10 5:00 *biblioteca*	11 4:30 *dentista*	12 1:00 *ir al cine con Delia*	13 9:00 *misa* 12:00 *paseo a San Juan*

Clara siempre está ocupada. Su calendario está lleno y tiene muchas cosas que hacer.

DELIA	¡Hola, Clara! ¿Adónde vas tan apurada?
CLARA	¡Ay, hija! Voy a la clase de guitarra. Ya son las cuatro menos diez . . .
DELIA	Bueno, vamos. Te acompaño.
CLARA	Y tú, ¿adónde vas?
DELIA	Ahora voy a la biblioteca. Tengo que preparar un trabajo para la clase de historia.
CLARA	Yo también tengo que preparar un trabajo. Quiero terminar todo antes del sábado.
DELIA	¿Por qué?
CLARA	Es que quiero ver la nueva película mexicana. ¿Quieres venir conmigo?
DELIA	¡Magnífica idea!

comprensión

Complete the following sentences based on the information supplied in the conversation between Clara and Delia.

1. Clara está tan apurada porque . . .
2. Delia va a . . .
3. Delia tiene que . . .
4. El trabajo es para . . .
5. Clara quiere terminar . . .
6. Clara quiere . . . el sábado.
7. Delia también quiere . . .

extensión

A. After saying hello to a friend, you may wish to ask a question in order to start a conversation. Here are some suggestions.

¿Adónde vas tan
  apurado/a?
¿Qué te pasa?°
¿Qué me cuentas?°
¿Qué haces?

Voy [al cine].
Estoy [muy ocupado/a].
Pues, muy poco.
Tengo que terminar [un trabajo].

B. Sometimes you have to make an excuse for not being able to do something. What excuse do you typically use when you are asked or invited to do the following?

¿Quieres ir a la fiesta de
  [Dolores]?
¿Por qué no haces [el
  trabajo] ahora?
¿Puedes tocar [la guitarra]
  en la fiesta?

Lo siento, tengo que [estudiar].
Magnífica idea, pero no puedo.
Es que no tengo tiempo.

¡vamos a hablar!

Interview a new student in your Spanish class. Find out her/his country of origin, name, address, age, future plans, hobbies, and what courses he/she is taking. Also ask what sports he/she participates in.

¿Cómo te llamas?
—Me llamo Luis Sánchez.

Spanish speakers often use exclamations that convey either surprise, affection, or distress when speaking to a friend. For example, during a conversation a Spanish-speaking person may spontaneously say ¡Ay, hija!, ¡Hombre!, or ¡Mujer!

Estudio de palabras

Deportes

CALENDARIO DEPORTIVO

julio, agosto, septiembre, octubre

fútbol   fútbol americano   ciclismo

noviembre, diciembre, enero, febrero

vólibol   básquetbol   esquí

marzo, abril, mayo, junio

natación béisbol equitación tenis golf pista y campo

A   Jorge is a new student from Argentina. Use the sports calendar to tell him what sport is played in your school in various months.

    ■⫿   octubre   *En octubre hay fútbol.*

1. enero
2. marzo
3. septiembre
4. junio

5. febrero
6. diciembre
7. mayo
8. abril

B   Describe the following sports, selecting appropriate adjectives from the ones listed.

Deportes	Adjetivos
1. fútbol	caro / barato
2. básquetbol	interesante / aburrido
3. esquí	difícil / fácil
4. béisbol	rápido / lento

■⫼   *El fútbol es un deporte rápido.*

C   Interview a classmate about her/his interest in sports.

1.   ¿Qué deporte te gusta más? ¿Por qué?
2.   ¿Qué deporte(s) practicas?
3.   ¿Prefieres asistir a un partido de béisbol o de fútbol?
4.   ¿Prefieres mirar un partido de béisbol o de fútbol en la televisión?
5.   ¿Quién es tu jugadora favorita? ¿Y tu jugador favorito? ¿Qué juegan ellos?

Adjetivos descriptivos

Elena es **alta.**

Tomás es **bajo.**

Juan es **simpático.**

Carmen es **antipática.**

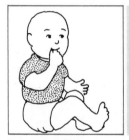

Ramón es **joven.**

Tía Ana es **vieja.**

El carro es **grande.**

El carro es **pequeño.**

La casa es **fea.**

La casa es **bonita.**

Teresa es **buena.**

Juanita es **mala.**

D   Describe the following people or things, selecting appropriate adjectives from the ones above. Also use adjectives like *interesante,* *aburrido,* and *rápido.*

▮▥   una película de terror   *Una película de terror es interesante.*

1. mis clases
2. mis libros
3. mi mejor amigo/amiga
4. mi libro de álgebra
5. mi cuarto
6. la comida de la cafetería
7. un partido de béisbol
8. mi profesor/profesora de español

Pronunciación y ortografía

palabras claves

[a]	casa	*va*
[e]	mes	*tres*
[i]	sí	*sin*
[o]	poco	*con*
[u]	mucho	*su*

The five basic vowel sounds in Spanish are [a], [e], [i], [o], and [u]. The vowel sounds are always pronounced clearly and sharply.

A Repeat the following words after your teacher. Be sure that each vowel sound is clear and distinct.

[a]	[e]	[i]	[o]	[u]
amiga	menos	silla	como	lunes
niña	lentes	listo	comida	usted
nota	serio	dice	todo	tus

B Read the following sentences aloud.

1. Mi mejor amiga está en casa.
2. Roberto recibe muchas cartas de su padre.
3. Los alumnos están en la universidad.
4. Mis libros están en la biblioteca.

Lo barato es caro.

In Spanish speech, the final vowel or consonant of a word may be linked to the initial vowel of the following word. Two identical vowels or two identical consonants combine into one sound.

Trabajo en una tienda.   ¿Es usted argentina?
¿Dónde estás?   Tienen mis sombreros.

The letter **h** is not pronounced in Spanish, so linking occurs with the vowel that follows **h: Estudio un libro de historia.**

C   Read the following sentences aloud. Pay special attention to linking.

1. Ella odia la idea de los señores Padilla.
2. Sus amigos están en el centro.
3. ¿Dónde está usted?
4. Mi hermano busca empleo.
5. Me llamo Oscar Álvarez.

Gramática

Present tense of regular verbs

	-AR	-ER	-IR
yo	tomo	bebo	abro
tú	tomas	bebes	abres
él, ella, usted	toma	bebe	abre
nosotros, nosotras	tomamos	bebemos	abrimos
ellos, ellas, ustedes	toman	beben	abren

The present tense of regular **-ar, -er,** and **-ir** verbs is formed by adding the appropriate present-tense endings to the infinitive stem. Verb endings and subjects must agree whether or not the subject is expressed.

Tomo un refresco.   *I'm having* a cool drink.
¿No **bebes** leche?   *Don't you drink* milk?
Abren la tienda a las ocho.   *They open* the store at eight.

In Spanish, the present tense is used to express actions that take place in the present or that take place in general. Note that the Spanish present tense has several English equivalents, including verb forms with *-ing* or the auxiliaries *do/does.*

Te **llamo** esta noche.		*I'll call* you tonight.	
Nos **vemos** más tarde.		*We'll see* each other later.	

The present tense may also be used to express actions that are planned for the near future. Often the verb is followed by a time expression.

Cantamos bien.		*We sing* well.	
Él **canta** muy bien.		*He sings* very well.	

Subject pronouns are usually omitted. When emphasis or clarification is needed, subject pronouns are often used.

Common regular **-ar, -er,** and **-ir** verbs:

ayudar	llamar	trabajar	abrir
buscar	llegar	viajar	asistir
caminar	llevar	beber	decidir
comprar	mirar	comer	discutir
estudiar	pasar	correr	escribir
ganar	practicar	deber	insistir
hablar	preguntar	prometer	recibir
invitar	preparar	romper	subir
lavar	tomar	vender	vivir

A   Learn more about your classmates by asking them questions using the following verbal expressions.

■⫶⫶   estudiar biología

Tú: *¿Estudias biología?*
Amigo/a: *Sí, estudio biología.*
(No, no estudio biología.)

1. vivir cerca de aquí
2. hablar inglés
3. tocar el piano
4. correr todos los días
5. trabajar después de clases
6. asistir a los conciertos de guitarra

B   Include yourself in everything your family and friends do.

■⫶⫶   Mi papá practica inglés.   *Mi papá y yo practicamos inglés.*

1. Mi hermana come en la cafetería.
2. José lava el coche.
3. Mi hermano vende nuestro carro.
4. Carmen trabaja por la tarde.
5. Mamá escribe muchas cartas.
6. Mi primo prepara café.
7. Alberto asiste al concierto.

C   Report what the following people are doing or normally do.

■|| Sara y Roberto / cantar ahora   *Roberto y Sara cantan ahora.*

1. Clara y Linda / practicar francés ahora
2. David y José / escribir el trabajo
3. yo / leer el ejercicio
4. mis padres / vender el carro
5. Luis / tocar la guitarra
6. tú / correr todos los días
7. Tomás / aprender la lección
8. yo / subir la montaña

Present tense of ir

IR		
yo	**voy**	**Voy** al cine.
tú	**vas**	**Vas** a estudiar.
él, ella, usted	**va**	Tomás **va** a la biblioteca.
nosotros, nosotras	**vamos**	**Vamos** al banco.
ellos, ellas, ustedes	**van**	Ustedes **van** a leer.

Ir *(to go)* is irregular in the present tense. A form of **ir a** plus an infinitive is used to indicate a future action.

D   Report what the following people are going to do this weekend.

■|| tú / jugar al tenis   *Tú vas a jugar al tenis.*

1. Carolina y Daniel / mirar televisión
2. el profesor Rodríguez / leer un libro
3. ella / practicar el piano
4. tú y yo / preparar una paella
5. Rafael y Carlos / esquiar
6. mi prima / viajar a Puerto Rico
7. tú / nadar
8. nosotros / trabajar
9. Elena y Raúl / estudiar

¡vamos a hablar!   You are a fortune teller who uses a crystal ball to see into the future. Tell what the future holds for your classmates.

Veo que Daniel va a [asistir a la universidad].
Veo que vamos a tener [un examen de español] el viernes.

Gender and number of nouns

	SINGULAR	PLURAL
Masculine	el chico alto el joven alto	los chicos altos los jóvenes altos
Feminine	la chica alta la clase buena	las chicas altas las clases buenas

Spanish nouns are either masculine or feminine. Nouns ending in **-o** are usually masculine. Nouns ending in **-a** are normally feminine. The gender of nouns ending in **-e** or in a consonant must be learned. Articles and adjectives agree in number and gender with the nouns they modify.

E You are babysitting for Pablo and must locate his parents. Phone the restaurant and describe them to the hostess.

bonito	**bajo**	**moreno**	**viejo**	**rojo**
alto	**amarillo**	**rubio**	**joven**	**negro**

1. La señora es . . .
2. Ella lleva un vestido . . .
3. El señor es . . .
4. Él lleva un traje . . .
5. Los dos son . . .

Present tense of **tener**

	TENER	
yo	tengo	**Tengo** muchos compañeros.
tú	tienes	**Tienes** una buena idea.
él, ella, usted	tiene	Teresa **tiene** un perro.
nosotros, nosotras	tenemos	**Tenemos** quince dólares.
ellos, ellas, ustedes	tienen	**Tienen** muchos discos.

Tener *(to have)* is irregular in the present tense.

F Confirm that the following people have certain objects.

■ tú / bicicleta *Tú tienes una bicicleta.*

1. yo / perro
2. Anita y Ramón / dinero
3. nosotros / un carro
4. ella / una pulsera de oro
5. ustedes / cuaderno
6. Víctor / quince discos
7. mis hermanos / calculadora
8. mis padres / cámara

Other uses of tener

Health, physical condition	Tengo fiebre.	I have a fever.
Obligation	Tenemos que practicar.	We have to practice.
Age	Teresa tiene ocho años.	Teresa is eight.

The verb **tener** is used in expressions of health, or physical condition, obligation, and age.

G   The flu is going around your school during exam period. Tell how you and various other people feel.

> ■⫶   yo / mucho frío   *Tengo mucho frío.*

1. todos / dolor de cabeza
2. yo / fiebre
3. Tomás / sueño
4. el profesor / mucha sed
5. nosotros / dolor de garganta
6. Francisco y Ana / dolor de estómago

H   Express your disbelief that the following people are sixteen years old.

> ■⫶   Marta   Compañero/a: *Marta tiene dieciséis años, ¿verdad?*
> Tú: *No, no es verdad. Marta no tiene dieciséis años.*

1. tú
2. Marcos y Raúl
3. Alejandro
4. ustedes
5. Teresa
6. ellos
7. Pablo
8. Mercedes

I Advise your friends and family what they should do to prepare for your party.

▪ⅲ tú / comprar el postre *Tienes que comprar el postre.*

1. Ramón y Roberto / preparar la comida
2. Elena / comprar los discos
3. tía Delia / escribir las invitaciones
4. Alberto / practicar la guitarra
5. Laura / pintar la sala

Present tense of ser and estar

	SER	ESTAR
yo	soy	estoy
tú	eres	estás
él, ella, usted	es	está
nosotros, nosotras	somos	estamos
ellos, ellas, ustedes	son	están

Ser and **estar** both mean *to be*, but they cannot be used interchangeably. **Ser** is irregular in each form of the present tense. **Estar** is irregular in the **yo-**form and has a written accent except in the **yo-** and **nosotros-**forms.

Uses of ser

Physical traits	**Soy** rubia.	*I'm* blonde.
Personality traits	Ella **es** creadora.	*She's* creative.
Occupation	Raúl **es** mecánico.	*Raúl is* a mechanic.
Nationality	**Eres** mexicano.	*You're* Mexican.
Telling time	**Son** las nueve.	*It's* nine o'clock.
Origin	**Somos** de Puerto Rico.	*We're* from Puerto Rico.
Possession	La casa **es** de mi tía.	The house *is* my aunt's.

J Disagree with the information that a friend gives you.

▪ⅲ Lola es morena. *No, Lola no es morena.*

1. Paco es bajo.
2. Alicia es una pintora creadora.
3. Mario es piloto.
4. Tu cuñado es caraqueño.
5. Son las ocho de la noche.

Uses of estar

Moods or feelings	Estoy triste hoy.	I'm sad today.
Physical condition	Dolores está enferma.	Dolores is sick.
Location	Estamos en casa.	We're at home.

K   Explain why certain classmates are absent from class.

▪◫   María / California   *María está en California.*

1. Pepe / enfermo
2. Luis / en otra clase
3. Adela / en la clase de biología

4. Mateo y Miguel / cafetería
5. Antonio / biblioteca
6. Ricardo / hospital

L   Draw conclusions about the following people. Base your responses on the information supplied below. Use either *ser* or *estar,* as appropriate.

▪◫   No soy bajo.   *Entonces eres alto.*

1. No están enfermos.
2. Esta fiesta no es interesante.
3. Nueva York no es una ciudad pequeña.
4. Mi amigo no es feo.
5. Roberto no está triste hoy.
6. Mis tíos no son jóvenes.

M   Contradict the following information.

▪◫   Ramón es colombiano.   *No, Ramón no es colombiano.*

1. Este pintor es muy creador.
2. Nuestra bicicleta está en la calle.
3. Los jóvenes están enfermos hoy.
4. La profesora es española.
5. Esteban y Lucía son de Venezuela.
6. Tus hermanos son guapos.

N   Comment on the following people or things. Use *ser* or *estar,* as appropriate.

▪◫   Anita / bien   *Anita está bien.*

1. Roberto y Antonio / inteligentes
2. Elena / morena
3. el lago / grande
4. los chicos / contentos

5. tu novela / aburrida
6. el Sr. Sánchez / dentista
7. nosotros / de Puerto Rico
8. Tomás / enfermo
9. David / profesor

Repaso

A   Saturday is a busy day for most families. Describe the activities of the Hernández family.

▪ⅲ   Adela y Roberto / ayudar   *Roberto y Adela ayudan*
     a sus abuelos   *a sus abuelos.*

1. Pepe e Inés / pintar la casa
2. la madre / trabajar en el jardín
3. el padre y su hermano / pescar en el lago
4. Francisco / practicar el piano
5. los tíos / escribir unas cartas
6. la familia / comer tarde

B   Describe the scene below. Answer the following questions.

1. ¿Cómo se llama el profesor?
2. ¿Dónde están los libros?
3. ¿Cuántas mesas hay?
4. ¿Hay un cassette?
5. ¿Cuál es la fecha?
6. ¿Cómo se llama el chico?
7. ¿Cómo se llama la chica?
8. ¿Cómo es la chica?

C   Write eight sentences about five real or imaginary events that will take place tomorrow or next week. Use a form of *ir a* plus an infinitive.

■||| *Mañana vamos a jugar al béisbol con José y María.*
■||| *El domingo voy a practicar la guitarra.*

D   Describe the following people or objects. Select adjectives from the list below.

bonito	pequeño	rápido	malo
grande	interesante	fácil	simpático
inteligente	difícil	bueno	alto

■||| esta ciudad   *Esta ciudad es bonita.*

1. mi bicicleta
2. mi casa
3. la clase de historia
4. el libro de matemáticas
5. la comida de la cafetería
6. mi mejor amigo/amiga
7. el béisbol
8. este colegio
9. el fútbol

E   Complete the meaning of the following sentences with the correct form of the verb *tener.*

1. Nosotros _____ que estudiar mucho.
2. Mi amigo _____ diecisiete años.
3. María _____ muchas amigas.
4. Yo _____ dolor de cabeza.
5. Tú _____ que practicar el piano.
6. Roberto y Héctor _____ muchos amigos.
7. Mis primos _____ fiebre.
8. La profesora _____ que salir mañana.

F   You are a volunteer at your local hospital. Make friends with a Spanish-speaking girl in your ward.

1. Ask her where she is from.
2. Ask her how she feels.
3. Tell her your name.
4. Tell her how old you are.
5. Tell her what subjects you're studying.
6. Ask her where she lives now.
7. Tell her where you live.
8. Say good-by to her and tell her that you will see her tomorrow.

Vocabulario

SUSTANTIVOS

el calendario calendar
el ciclismo bicycling
el coleccionista, la coleccionista collector
el equipo team
la equitación horseback riding
el golf golf
el jugador, la jugadora player
el sello stamp

VERBO

solicitar to request

OTRAS PALABRAS

apurado, -a hurried, in a hurry
delgado, -a thin
extranjero, -a foreign
hispano, -a Spanish, Hispanic
privado, -a private

EXPRESIONES

a eso de [las tres] at around [three o'clock]
aficionado, -a al béisbol baseball fan
¡ay, hija! oh, my dear
de habla española Spanish-speaking
dime tell me
es que the fact of the matter is
¿hablas en serio? are you serious?
no es posible it's not possible
pista y campo track and field
¡qué bueno, tú por aquí! how wonderful to see you here!
¿qué me cuentas? what's new?
¿qué te pasa? what's wrong?
tanto tiempo sin verte it's been a long time since I've seen you

capítulo 2

¡De viaje!

Mexican teenagers normally participate in recreational activities with other family members. Most families go on a Sunday day-trip or picnic. Chapultepec Park and Toluca are favorite picnic and recreational spots for residents of Mexico City. For longer summer vacations, many families go to Acapulco, Puebla, or Cuernavaca.

¡Buen viaje!

¡Vacaciones al alcance de todos los bolsillos, incluso el suyo!

Verano en: Acapulco

Duración: 14 días
Salidas: JUNIO 23, 27, 30
JULIO 10, 12, 17,
24, 26
AGOSTO 14, 16,
21, 23
Precio: 5.000 pesos

Navidades en: Los Ángeles,
California
Duración: 8 días
Salidas: DICIEMBRE 20, 24,
30

Precio: 7.000 pesos

Verano en: Madrid, España

Duración: una semana
Salidas: JUNIO 4, 10, 17
JULIO 3, 15, 20

Precio: 25.000 pesos

Los precios incluyen:
- Pasaje aéreo ida y vuelta
- Hoteles
- Dos comidas diarias
- Transporte local

Para más información, escriba o llame a:
Viajes para Todos
Mariano Escobedo No. 752
México 5, D.F.
Teléfono: 5 32 40 10

¡UNA VERDADERA GANGA!

comprensión

You are a travel agent in Mexico City who must answer the following questions for a client. Base your answers on the information given in the travel ad.

1. ¿Cuántas excursiones a California tienen ustedes este año?
2. ¿Cuándo son las excursiones a España?
3. ¿Cuál es el precio de la excursión a España?
4. ¿Cuál es el precio de la excursión a Acapulco?
5. ¿Qué incluyen los precios de las excursiones?

extensión

A. Ask a travel agent information about a certain tour package to Acapulco. Find out when the flight leaves, the length of the trip, the price, and other information you wish to know.

¡Buenos días, Viajes para Todos!

¿Cuándo . . . ?
¿Cuánto . . . ?
¿Cuál . . . ?
¿Cómo . . . ?
¿Qué . . . ?

B. React with pleasure or displeasure when your travel agent gives you the following news.

El precio del viaje es 545 pesos.   ¡Me alegro mucho!°
No hay vuelos° a España este mes.   ¡Qué ganga!
El viaje no incluye° el hotel.   ¡Muchas gracias!
El viaje incluye todo.   ¡Qué barbaridad!°

C. Express your feelings in the following imaginary travel situations.

Cuando viajo por avión . . .   tengo [miedo]. ✓
Al empezar un viaje . . .   me pongo ansioso/a.°
Cuando sube el avión . . .   estoy [mareado/a].° ✓
Cuando baja el avión . . .   estoy muy [nervioso/a]. ✓
                                        estoy contento/a. ✓

¡Qué lío!

Adela acaba de llegar de California por avión y no ve sus maletas. Le pide ayuda a un empleado.

ADELA   ¡Esto es increíble! ¡Qué barbaridad!
EMPLEADO   Dígame, señorita, ¿qué le pasa?
ADELA   Mis maletas no están aquí en el mostrador . . . y tengo prisa. Mis padres me esperan afuera.
EMPLEADO   Bueno, dígame, ¿cómo son sus maletas?
ADELA   Las tres son negras.
EMPLEADO   ¿Está su nombre en cada maleta?
ADELA   ¡Claro que sí!
EMPLEADO   ¿Y usted se llama . . . ?
ADELA   Me llamo Adela Rodríguez de Rivera.
EMPLEADO   Domicilio, por favor.
ADELA   Vivo en la calle 6, número 12.
EMPLEADO   ¿Cuál es el teléfono?
ADELA   5 56 66 06
EMPLEADO   Bueno, le aseguro que va a tener sus maletas mañana sin falta.
ADELA   Gracias, señor.

comprensión   The following statements about Adela and her luggage are not true. Provide the correct information.

1. Las maletas están en el mostrador.
2. Hay dos maletas.
3. Las maletas son verdes.
4. Adela vive en la Avenida de Roma.
5. El teléfono de Adela es el 5 56 66 07.

A. You are frustrated because your plane trip has not been very smooth. Express your displeasure after hearing the following news.

Perdimos sus maletas.   ¡Qué barbaridad!
El vuelo no sale hasta mañana.   ¡Ay, caramba!
El avión ya está lleno.°   ¡Qué molestia!°

B. Explain to a porter why you need fast service.

Espere Ud. un momentito.°   Pero tengo prisa.
Sus maletas van a estar aquí   Me esperan afuera.
  en diez minutos.   Mi autobús sale.
Sus maletas no están en el
  aeropuerto.

C. Describe your lost luggage to a baggage handler.

¿De qué color son sus maletas?   Son . . .
¿Son grandes o pequeñas?   Son . . .
¿Está su nombre en cada maleta?   Mi nombre . . .

You are an airline ticket agent who is about to make a customer's travel arrangements. Ask for her/his name, address, and telephone number.

¡A estudiar!

México, 5 de septiembre

Querida Pilar:

¿Cómo andas? ¿Está bien tu familia? El lunes pasado empezaron las clases. Ya no hay más excursiones a las montañas, ni piscina, ni partidos de fútbol en el parque. ¡Cuánto me gusta hacer estas cosas!

Este verano hizo muy buen tiempo y lo pasé muy bien. Mis primos Tito y Pablo pasaron el verano con nosotros y fuimos juntos a las montañas, al zoológico y a la playa. Pero hace una semana que ellos volvieron a Los Ángeles.

Ahora paso casi todo el día en la escuela. Por las tardes hago tareas y por las noches estoy muy cansado y sólo tengo tiempo para leer el periódico y mirar un poco de televisión.

Bueno, Pilar, eso es todo por hoy. Es poco, pero es mejor que nada. Ahora espero tu respuesta . . . algún día de este año.

Tu amigo,
Carlos

comprensión

1. ¿Qué no puede hacer Carlos ahora?
2. ¿Qué hizo Carlos durante las vacaciones?
3. ¿Quiénes lo visitaron?
4. ¿De dónde son los primos de Carlos?
5. ¿Qué hace Carlos por el día?
6. ¿Cómo está Carlos por las noches? ¿Qué hace?
7. ¿Qué espera Carlos de Pilar?

A. Tell a good friend what you did during your summer vacation.

Compañero/a: ¿Qué tal las vacaciones?   Tú: Lo pasé bien.
                                                Fui . . .
                                                Leí . . .
                                                Miré . . .

The three divisions in Mexico public schools are the **escuelas primarias, secundarias,** and **preparatorias.** After graduating from **preparatoria,** some Mexican students take a summer trip with their teachers and classmates. Historic cities such as Mexico City, Guanajuato, Dolores Hidalgo, and Morelia are often visited.

La ropa

1	el vestido	7	el calcetín
2	la blusa	8	la camisa
3	los zapatos	9	la corbata
4	el traje de baño	10	el suéter
5	el traje	11	el pantalón
6	la falda	12	la maleta

A   Tell what clothing or accessories you need for the following occasions or situations.

■⫶ para ir a un restaurante elegante   *Para ir a un restaurante elegante necesito [una corbata].*

1. en la playa
2. para ir al teatro
3. para una noche fría
4. para ir a un concierto
5. para un viaje a España en verano
6. para ir a un partido de fútbol

¿Qué tiempo hace?

Hace buen tiempo.   It's nice.
Hace mal tiempo.   It's bad.
Hace sol.   It's sunny.
Llueve.   It's raining.
Nieva.   It's snowing.

Hace calor.   It's hot.
Hace viento.   It's windy.
Hace frío.   It's cold.
Está despejado.   It's clear.
Está nublado.   It's cloudy.

B   Tell a classmate what the weather may be like today in the following states and countries.

■⫿   Nevada   *Creo que está despejado en Nevada.*

1. Venezuela
2. México
3. Montana
4. California

5. Texas
6. Florida
7. Puerto Rico
8. Alaska

¡vamos a hablar!   You are a television meteorologist. Describe the general weather patterns for the nation, then forecast tomorrow's weather in your area.

En España llueve.

La naturaleza

1	la montaña	4	el mar, el océano
2	la isla	5	el río
3	la playa	6	el lago

C   Explain where the following people or groups might participate in the following activities.

    ■⫶   Roberto / esquiar   *Roberto esquía en las montañas.*

1. yo / nadar
2. nosotros / descansar
3. los González / pescar
4. yo / ir de camping
5. tú / jugar al vólibol

D   Interview two classmates to find out where they went this summer.

    ■⫶   ¿Adónde fuiste?   *Fui [al lago].*

Pronunciación y ortografía

palabras claves

stop [b]	bajo, vez
fricative [ɸ]	rubio, favorito

The Spanish stop [b] is similar to the initial sound in the English word *be*. The [b] sound occurs after the letters **m** or **n** or at the beginning of a word, a phrase, or a sentence.

The fricative [ɸ] sound is similar to stop [b] but is pronounced with the lips almost touching as air is forced out. The fricative [ɸ] occurs most often after a vowel and after any consonant other than **m** or **n**.

A   Listen and repeat the following words after your teacher.

stop [b]		fricative [ɸ]	
tambor	nombre	libro	habla
invitar	bilingüe	sábado	novela
también	bien	trabajo	abuela
caramba	buscar	Cuba	autobús
invierno	viernes	favor	noviembre

B   Read the following sentences aloud. Pay careful attention to the way you pronounce stop [b] and fricative [ɸ].

1. Berta Benítez vive en Bolivia.
2. Veinte bicicletas valen mucho.
3. Bárbara busca un bote.
4. Roberto viaja por Veracruz.

Bien predica quien bien vive.

Gramática

Preterit of regular verbs

	-AR	-ER	-IR
yo	tomé	bebí	viví
tú	tomaste	bebiste	viviste
él, ella, usted	tomó	bebió	vivió
nosotros, nosotras	tomamos	bebimos	vivimos
ellos, ellas, ustedes	tomaron	bebieron	vivieron

The preterit of regular verbs is formed by adding the appropriate endings to the infinitive stem. Note that the preterit endings of **-er** and **-ir** verbs are identical.

Miré el programa ayer.	I *saw* the program yesterday.
Bebieron el jugo.	They *drank* the juice.
¿No **recibieron** las cartas?	*Didn't they receive* the letters?
¿**Preparaste** el almuerzo?	*Did you prepare* lunch?

The preterit is usually used to describe an action or event that began and ended in the past. The action or event is viewed as a single, completed whole even though it may have taken place over a long period of time.

Tomamos el tren.	*We took* the train.
Escribimos una carta ayer.	*We wrote* a letter yesterday.

The **nosotros-**form of the preterit of regular **-ar** and **-ir** verbs is identical to the **nosotros-**form of the present tense. The context of the sentence usually makes the meaning clear.

A Report what the following people did at a recent international festival.

■III Tito / preparar una paella   *Tito preparó una paella.*

1. mi profesor / tocar la guitarra
2. Patricia y Elena / preparar una tortilla
3. nosotros / bailar
4. todos / escuchar la música
5. Rafael / tocar bien los tambores
6. yo / beber muchos refrescos
7. tú / bailar con José
8. Anita / ver a sus amigos

B   Explain to David that the following people completed certain activities yesterday.

■))   mirar las fotos / Rafael y Anita

David: *¿Van a mirar las fotos Rafael y Anita?*
Tú: *No, ya miraron las fotos ayer.*

1. vender el bote / tus papás
2. preparar la tarea / Pepe
3. llamar / Francisco
4. escribir la carta / Uds.
5. correr por el parque / tu hermana

¡vamos a hablar!   Tell your classmates three to five interesting things you did this past summer. Use verbs like *mirar, escribir, comer, nadar,* and *visitar.*

Visité Acapulco.

Deportes acuáticos, Acapulco, México

Direct-object pronouns

SINGULAR	
me	me
te	you *(familiar)*
lo	him, it, you *(formal)*
la	her, it, you *(formal)*

PLURAL	
nos	us
los	them, you *(formal and familiar)*
las	them, you *(formal and familiar)*

¿Comprendes **la lección?**
— Sí, **la** comprendo.

Do you understand the *lesson?*
Yes, I understand *it.*

¿Leen **los periódicos?**
— No, no **los** leen.

Are they reading the *newspapers?*
No, they aren't reading *them.*

A direct-object pronoun replaces a direct-object noun or noun phrase. The pronouns **lo, la, los,** and **las** agree in number and gender with the noun they replace. In Spanish, a direct-object pronoun generally precedes a conjugated verb.

¿Quieres visitar a **Manuel?**
— Sí, quiero visitar**lo.**

Do you want to visit *Manuel?*
Yes, I want to visit *him.*

¿Están ustedes preparando **la comida?**

Are you preparing the *meal?*

— No, no estamos preparándo**la.**

No, we're not preparing *it.*

When a conjugated verb is followed by an infinitive or a present participle, the direct-object pronoun is usually attached to the infinitive or participle.

C   Ask a friend if he/she has packed certain items for a trip to Mexico.

    ■⫶   la radio   Tú: *¿Tienes la radio?*
                    Compañero/a: *Sí, la tengo.*

1. la cámara
2. el reloj
3. el traje de baño
4. los bolígrafos

5. las revistas
6. las maletas
7. los libros
8. los lentes

D   Alberto asks Victoria several questions. Take Victoria's role and respond in the affirmative.

    ■⫶   ¿Me comprendes, Victoria?   *Sí, te comprendo.*

1. ¿Me invitas a la fiesta?
2. ¿Me escuchas ahora?

3. ¿Me visitas mañana?
4. ¿Me acompañas a la fiesta?

E   Deny that you're planning to buy certain items.

▪▥   la pulsera   Compañero/a: *¿Vas a comprar la pulsera?*
Tú: *No, no voy a comprarla.*

1. los cuadernos
2. la novela
3. las camisas
4. el tocadiscos
5. los trajes
6. el carro

F   Express your impatience when you're asked if you're going to prepare certain foods for a party.

▪▥   el pollo   Compañero/a: *¿Vas a preparar el pollo?*
Tú: *Ya estoy preparándolo.*

1. los refrescos
2. el postre
3. el helado
4. los filetes
5. el café
6. los champiñones

Demonstrative adjectives

SINGULAR				PLURAL		
Masculine	Feminine	English		Masculine	Feminine	English
este	esta	this		estos	estas	these
ese	esa	that		esos	esas	those
aquel	aquella	that		aquellos	aquellas	those

The demonstrative adjectives **este, ese,** and **aquel** are used to point out an object, place, or person. A demonstrative adjective has four forms and agrees in number and gender with the noun it modifies.

Este árbol es grande, ¿no?   *This* tree is big, isn't it?
Esa casa es de mi tía.   *That* house is my aunt's.
Aquellas montañas son altas.   *Those* mountains are high.

1. The **este**-group refers to someone or something near the speaker.
2. The **ese**-group refers to someone or something near the person spoken to.
3. The **aquel**-group indicates someone or something distant from both speakers.

G   You and Clara are rummaging through two piles of clothing and accessories in your attic. Ask Clara if she likes the things in your pile.

▪▥   esta maleta   Tú: *¿Te gusta esta maleta?*
Clara: *Sí, me gusta mucho esa maleta.*

1. este reloj
2. estas camisas
3. estos carteles
4. este abrigo
5. estos zapatos
6. esta blusa

H   Point out to a tourist several important landmarks in your city.

▪▥   iglesia   *Aquella iglesia es importante.*

1. museo
2. restaurante
3. escuelas

4. biblioteca
5. tiendas
6. teatro

7. plaza
8. parque
9. cine

Indirect-object pronouns

SINGULAR	
me	(to, for) me
te	(to, for) you
le	(to, for) him, her, you

PLURAL	
nos	(to, for) us
les	(to, for) them, you

Te leí la carta.
No **nos** dice la verdad.
¿**Le** preparo café?

I read *you* the letter.
He isn't telling *us* the truth.
Shall I prepare coffee *for you?*

An indirect-object pronoun replaces an indirect-object noun or noun phrase. It precedes the conjugated verb in affirmative and negative statements and in questions.

Están diciéndo**le** la verdad.
¿Van a escribir**le** una carta?

Van a escribir**le** una carta
   a María.

They are telling *her/him* the truth.
Are they going to write *her/him* a
   letter?
They are going to write a letter
   to María.

When a conjugated verb is followed by an infinitive or a present participle, the indirect-object pronoun is usually attached to the infinitive or participle. The prepositional phrase **a** + a prepositional pronoun or a noun may be used to *emphasize* the indirect-object pronoun or to *clarify* the person referred to by the indirect-object pronoun.

I   Find out to whom a friend is writing.

▪▥   a Luis   Tú: *¿A quién le escribes? ¿A Luis?*
              Amigo/a: *Sí, le escribo a Luis.*

1. a Anita
2. a ellas

3. a usted
4. a mí

5. a tus abuelos
6. a Raúl y a
   Catalina

¡vamos a hablar!   Interview two classmates about the real or imaginary places they visited last summer. Ask them where they went, how, when, and with whom, and ask them if they had a good time.

Viaje por México. Izquierda: Popocatépetl, volcán de Puebla. Derecha: Acueducto de Morelia. *El jarabe tapatío*, danza popular de México.

41

The verb **gustar**

Indirect Object	Gustar	Singular Subject	Indirect Object	Gustar	Plural Subject
me te le nos les	gusta	la maleta nadar	me te le nos les	gustan	las maletas

In Spanish, indirect-object pronouns are used with a form of **gustar** to express likes and dislikes. The singular form of **gustar** may be followed by a singular noun or by an infinitive. The plural form of **gustar** is used with plural nouns.

A Ramón le gusta el regalo.   *Ramón likes* the present.
A mí me gusta el tenis.   *I like* tennis.

To clarify or to emphasize the indirect-object pronoun, the preposition **a** plus a noun or a prepositional pronoun may precede the indirect-object pronoun.

J   Tell whether or not you like the following things or activities.

    ■||| el verano   *Me gusta el verano.*
                             (No, no me gusta el verano.)

1. mirar televisión
2. la playa
3. tocar la guitarra
4. los deportes
5. las fiestas
6. jugar al béisbol
7. bailar
8. correr

K   Juanita has just returned from a vacation with her family. Find out what they liked or didn't like.

    ■||| las montañas   Tú: *¿Les gustaron las montañas?*
                          Juanita: *Sí, nos gustaron las montañas.*
                                   (No, no nos gustaron las montañas.)

1. el lago
2. la comida
3. las playas
4. el paisaje
5. los museos
6. los restaurantes

Un picnic en el parque de Chapultepec, México

L Explain that you and your friends like the following foods.

■|| a mí / pescado   *A mí me gusta el pescado.*

1. a él / pollo
2. a María / hamburguesas
3. a Esteban / leche
4. a nosotros / huevos
5. a ti / jamón
6. a Juan y a Tito / café
7. a mis amigos / fruta
8. a ella / calamares

M Share your likes or dislikes with a classmate.

■|| los calamares   Compañero/a: *¿Te gustan los calamares?*
Tú: *Sí, me gustan los calamares.*
(No, no me gustan los calamares.)

1. las vacaciones
2. trabajar por la tarde
3. los carros deportivos
4. las fiestas
5. jugar al tenis
6. los gatos
7. tocar la guitarra
8. bailar

¡vamos a hablar!   Tell three or four things you enjoy doing in your spare time.

Me gusta coleccionar monedas y sellos.

Preterit of ser and ir

	SER, IR
yo	fui
tú	fuiste
él, ella, usted	fue
nosotros, nosotras	fuimos
ellos, ellas, ustedes	fueron

Ser *(to be)* and **ir** *(to go)* have identical forms in the preterit. The context of the sentence helps clarify meaning.

N   Blame the following people for certain mistakes and conditions.

■III   ¿Quién rompió la ventana? (Marta)   *Fue Marta.*

1. ¿Quién pintó de verde la puerta? (Daniel y Elena)
2. ¿Quién perdió el dinero? (tú)
3. ¿Quién compró este pollo tan malo? (yo)
4. ¿Quién preparó este café tan malo? (tú)

O   Relate to a friend where the following people went last summer.

■III   yo / las montañas   *Fui a las montañas.*

1. mis papás / la playa
2. Marianela / Puerto Rico
3. mi tío / California
4. tú / México
5. mi abuela / Toronto
6. Uds. / Boston
7. Paco y yo / San Antonio
8. yo / Miami

Possessive adjectives

SINGULAR	
mi perro	*my* dog
tu radio	*your* radio
su bote	*her, his, your* boat
nuestro disco	*our* record
nuestra carta	*our* letter

PLURAL	
mis perros	*my* dogs
tus radios	*your* radios
sus botes	*her, his, your* boats
nuestros discos	*our* records
nuestras cartas	*our* letters

A possessive adjective precedes the noun it modifies. The possessive adjective **nuestro** has four forms. It agrees in number and gender with the noun it modifies. All other possessive adjectives agree in number only.

P Mr. Ramírez wants to know who left certain items on his desk. Confirm the ownership of the articles.

■III ¿Son de ustedes estos libros? *Sí, son nuestros libros.*

1. ¿Es de la señorita Padilla este cuaderno?
2. ¿Son del señor Jiménez estos lápices?
3. ¿Es de usted esta calculadora?
4. ¿Es de la señora González este libro?
5. ¿Son de ustedes estos discos?
6. ¿Es del señor Hernández este mapa?
7. ¿Son de los García estos carteles?
8. ¿Es de usted este libro?

Hace . . . que in expressions of time

Hace dos años que estudio español. | *I've been studying* Spanish for two years.
¿Cuánto tiempo hace que vives aquí? | *How long have you been living* here?

Spanish uses the expression **hace** + time expression + **que** plus present-tense verbs to indicate that an action has been (and still is) going on for a specific amount of time.

Q Indicate how long you and your friends have been doing the following things.

■III Practico la guitarra. *Hace [tres años] que practico la guitarra.*

1. Estudiamos español.
2. Miran televisión.
3. Vamos al lago.
4. Jugamos al tenis.
5. Vivimos en esta ciudad.
6. Toco el tambor.

R Say that the activities mentioned have been going on for a certain period of time.

■III estudio español (un año) *Hace un año que estudio español.*

1. Pepe aprende inglés (dos años)
2. conocemos a Carlos (diez años)
3. escribes a Carmela (una hora)
4. estudio para el examen (media hora)
5. trabajo aquí (seis meses)
6. caminan por esta calle (diez minutos)
7. leemos la carta (quince minutos)
8. busca la agencia de viajes (una hora)

Repaso

A Each day last week, Alfredo Díaz did something positive. Specify which activities he completed each day.

> ayudar a unos amigos   visitar a sus abuelos
> correr por el parque   escribir a un amigo
> trabajar todo el día   aprender los verbos

■⫶ *Alfredo trabajó todo el día el lunes.*

B Confirm that the following chores and errands were completed. Use the direct-object pronouns in your responses.

■⫶   ¿Pintaron ustedes la casa?   *Sí, la pintamos.*

1. ¿Pagaron ustedes la cuenta?
2. ¿Prepararon ellos el café?
3. ¿Llevaste a Marta al campo?
4. ¿Terminó Elena la carta?
5. ¿Vendieron ustedes el juego de ajedrez?

C Teresa and her brother Ramón visited many places and did many things during their summer vacation. Describe some of the activities in which they participated. Refer to the photo album on page 47.

■⫶   *Fueron a las montañas.*

D State that the following people like certain things.

■⫶   a nosotros / el partido   *Nos gusta el partido.*

1. a María / el ajedrez
2. a mí / estas fotos
3. a él / los calamares
4. a Roberto / los carros deportivos
5. a ti / los perros grandes
6. a mis padres / viajar
7. a Antonio / el reloj
8. a Teresa / coleccionar monedas

E Make clear who owns each item by using an appropriate possessive adjective.

■⫶   Mis padres venden la casa.   *Mis padres venden su casa.*

1. Elena busca la calculadora.
2. Los chicos escuchan los discos.
3. Vendemos el coche.
4. Organizo la fiesta.
5. Ricardo y Pablo visitan al profesor.

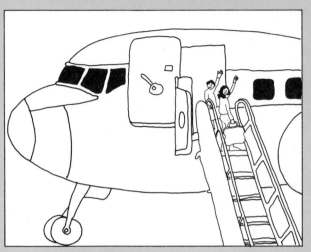

F Pilar asks members of the Spanish club if they need certain equipment for the meeting.

■⫶ ¿Necesitamos papel?   *Sí, lo necesitamos.*

1. ¿Necesitamos la grabadora?
2. Francisco, ¿necesitas los libros?
3. ¿Necesitan ustedes más boletos?
4. Teresa, ¿necesitas los mapas?
5. ¿Necesitamos los discos?

G Make clear how long the following people have been participating in certain activities.

■⫶ yo practico la guitarra (una hora)   *Hace una hora que practico la guitarra.*

1. el equipo practica (media hora)
2. Francisco habla por teléfono (veinte minutos)
3. mi hermana lava el coche (una hora)
4. yo juego al ajedrez (tres horas)
5. los González viajan por Europa (tres meses)

H Deny that the following people went to the movies last night.

■⫶ tú   *No fuiste al cine anoche.*

1. mis hermanos
2. mi tía
3. nosotros
4. mi cuñado
5. yo
6. mi madre
7. mi prima
8. mis abuelos

I Say to whom you sold the following objects.

■⫶ el carro / a Ramón y a Tomás   *Les vendí el carro a Ramón y a Tomás.*

1. los discos / a Roberto y a Pablo
2. la calculadora / a Elena
3. las sillas / a Marta
4. la radio / a mi hermana
5. el juego de ajedrez / a Delia y a Carmen
6. el reloj / a Antonio
7. la bicicleta / a Miguel

J When Manolo arrives in Barcelona by plane, he sees everyone's luggage except his own. Prepare an eight-line dialogue between Manolo and the baggage clerk.

■⫶ Manolo: *Mis maletas no están aquí en el mostrador.*

Vocabulario

SUSTANTIVOS

la ayuda   help
el calcetín   sock
la corbata   necktie
el domicilio   address
el empleado, la empleada   employee
la maleta   suitcase
el mar   sea
el mostrador   counter
el océano   ocean
el río   river
la salida   exit
la tarea   homework
el vuelo   flight

VERBOS

esperar   to wait for
pasarlo bien   to have a good time

OTRAS PALABRAS

afuera   outside
ansioso, -a   anxious, nervous
lleno, -a   full
mareado, -a   dizzy
nervioso, -a   nervous
verdadero, -a   true

EXPRESIONES

¡buen viaje!   have a nice trip!
claro que sí   of course
¿cómo andas?   how's it going?
dígame   tell me
escriba Ud.   write
espere Ud. un momentito   wait a minute
está despejado   it's clear
ida y vuelta   round trip
incluye   it includes; **incluyen**   they include
llame Ud.   call
me alegro mucho   I'm very happy
me pongo ansioso, -a   I become nervous
¡qué barbaridad!   amazing!
¿qué le pasa?   what's wrong?
¡qué molestia!   what a bother!

algo más

A **Álbum.** In Stage 1, you perhaps started an album or scrapbook in Spanish. Continue your album or start a new one. Let it illustrate your increased vocabulary and understanding of the Spanish language by adding more descriptions of yourself, your family, and your friends. Use photos or drawings to illustrate your descriptions. Include your new class schedule, letters, foreign stamps and comics, and other items of interest. Provide captions or descriptions in Spanish for the items you include. Share your album with your class or friends at the end of each of the next three Stages.

B **¿Adónde vas?** Set up your classroom as an imaginary city or town, with different areas designated as various streets, shops, and landmarks. Some students should act as local residents and others should act as out-of-town visitors. Use your imagination and create as much lively dialogue as you can. For example, the local residents may ask the visitors questions about where they come from, where and for how long they are staying, and what their interests are. The visitors may ask the natives for directions and advice on where to go for particular needs.

C **De viaje.** With other classmates, act out several scenes from a real or imaginary vacation. Call a travel agent for vacation information and reservations, then explain to an airport employee that your luggage is lost, and finally, call a friend and describe your exciting vacation. Use available props to enliven your presentation. You may also wish to record your skit for self-evaluation and entertainment.

D **Amigo por correspondencia.** Write a letter to a real or imaginary pen pal. Describe yourself, your family, friends, school, and extracurricular activities. Be sure to add any other information of interest. For example, tell about your future educational and employment plans or your hopes and plans for the coming year. You may wish to ask your teacher or librarian for the names of organizations that match international pen pals.

E   **Con los amigos.** In Spanish, invite a classmate to participate in an after-school baseball, basketball, or soccer game. Explain why you want her/him to join the team, where the game will take place, who will be playing, and at what time.

F   **El mundo hispano.** Look at the photographs on pages 1 through 6 and select two people you would like to describe. Imagine what their life is like and in Spanish talk about their ages, nationality, friends, and school. Tell why you would like to visit their country.

G   **Investigación.** Research the close historical and cultural ties between the United States and Puerto Rico. Find out when Puerto Rico became a commonwealth, what stamps and currency it uses, and what rights of American citizenship the island residents have. You should also include information about the climate, geographical location, people, and principal industries.

H   **Horario.** In Chapter 1, you saw Clara's busy schedule. Make your own weekly appointment calendar; write the days, month, and activities in Spanish. You may wish to put this schedule in your **álbum.** In class, explain to a classmate why you cannot attend a particular event this week. Refer to your schedule and explain how busy you are.

I   **Embajador.** Adopt the Spanish-speaking country of your choice. Throughout the year, you will be one of the class experts on this nation. You should know its location, capital, principal leaders, climate, leading industries, and major cultural contributions. Collect newspaper and magazine articles about your country and save them for a class file or bulletin board. Be prepared to volunteer information about your country when the class studies it or when it is in the news.

En contacto

4

Conversar es una actividad diaria de toda cultura.
Izquierda: dos jóvenes mexicanos charlan en un café, una
cantante comparte su arte popular. Arriba: tres amigos
gozan de los colores otoñales de Madrid y dos vendedores
mexicanos cambian impresiones. Abajo: una joven cuida
a su hermanito.

Todo el mundo va al mercado para comprar comestibles y participar en el ambiente animado que ofrece. Estas escenas de México y de Colombia capturan el color y la vida de los mercados.

Seguimos manteniendo contacto con el pasado. Izquierda: El Alcázar, Segovia, España, una colombiana vestida típicamente, un victorioso torero español. Derecha: Tikal, Guatemala, una pintura mural de México.

capítulo 3

Aventura y misterio

Filmmaking is an important industry in Argentina. Not only does Argentina produce high-quality films for the Spanish-speaking world, but it also imports many films from the United States, Mexico, Germany, England, and France. Going to the movies is a popular pastime in Argentina.

Luces, cámara, acción

La Compañía Aries Cinematográfica Argentina, S.A., está filmando una película de detectives, *El ladrón de las manos de seda*. En este momento el director, Mario Parravicini, dirige a los actores en la segunda escena.

	La acción tiene lugar en la elegante casa de los Álvarez.	
5	*Hay hombres y mujeres bailando, todos están vestidos de*	
	etiqueta°. De repente se apagan las luces.	vestidos ... etiqueta: formally dressed
SRA. GARCÍA	¡Ay! ¡Ay! ¡Me robaron el collar! ¡Me robaron el collar de perlas!	
SR. GARCÍA	Querida, cálmate, por favor. Déjame buscar un	
10	fósforo°. ¿Estás segura que no se te cayó?	match
	Encuentra un fósforo y lo enciende.	
SRA. GARCÍA	No, no puede ser, es imposible. Cuando empezamos a bailar lo tenía puesto°. ¡Me lo robaron!	lo ... puesto: I had it on
15	*Se acerca el resto de los invitados. Todos ayudan a buscar el collar en el suelo°.*	floor
SR. ÁLVAREZ	No se preocupen ustedes, señoras y señores. Por suerte° tenemos entre los invitados al Inspector Cañizares de la Policía Metropolitana.	luckily
20	*Se acerca el Inspector.*	
INSPECTOR	Dígame, señora, ¿cuándo se dio cuenta del robo?	
SRA. GARCÍA	Pues, mi esposo y yo bailábamos cuando se apagaron las luces. Me llevé la mano al cuello para ver si todavía tenía el collar, y descubrí que no	
25	estaba. Es un collar muy valioso. Me lo regaló mi esposo por nuestro aniversario.	
	En estos momentos se encienden las luces.	
INSPECTOR	Bueno, ya que tenemos luz, voy a interrogar a los invitados. Mientras tanto° todo el mundo debe	meanwhile
30	quedarse en esta sala.	

A. Check your understanding of the movie script by selecting the correct response to each of the following questions.

1. ¿Dónde bailan los hombres y las mujeres?
   a. en un hotel
   b. en una casa
   c. en una calle
2. ¿Cómo están vestidos los invitados?
   a. de negro
   b. con ropa mala
   c. con ropa elegante
3. ¿Cuándo descubrió la señora García que no tenía el collar?
   a. cuando se apagaron las luces
   b. cuando se encendieron las luces
   c. cuando se acercó el inspector
4. ¿A quién va a interrogar el inspector Cañizares?
   a. sólo a la señora García
   b. sólo al señor García
   c. a todos

B. How would you like the film to end? Complete the following sentences with your original ending.

1. La señora García robó el collar porque . . .
2. El señor García robó el collar de su esposa porque . . .
3. El famoso *Ladrón de las manos de seda* es . . .
4. El inspector descubrió que el señor Álvarez . . .
5. Entre los invitados . . .

A. How do you react when you realize that you have lost an important possession such as a radio? Your first reaction is probably one of surprise or shock. React to the following questions with surprise.

¿Dónde está tu radio?	¡Ay! ¡Mi radio! La perdí.
¿Qué pasó con tu radio?	¿Mi radio? Ay, ¡me la robaron!
¿Qué hiciste con la radio?	¡Estaba aquí! Ahora, no sé.

B. Help a police officer investigate a crime by answering his questions.

Policía:	¿Qué pasó?	Tú:	No sé exactamente.
	¿Dónde estaba Ud.?		Estaba [en mi casa].
	¿Qué oyó Ud.?		Oí [un ruido] horrible.
	¿Qué vio Ud.?		Vi [a una persona].

Ask a classmate what type of movie he/she prefers.

¿Te gustan las películas de terror?

Para capturar al ladrón

El señor Ramírez, otra víctima del ladrón de las manos de seda, *describe al Inspector Cañizares lo que recuerda del criminal.*

INSPECTOR	Necesitamos una buena descripción del ladrón.
VÍCTIMA	Vi al ladrón muy bien. Tenía la cara redonda.
INSPECTOR	*(Escribe.)* Cara redonda. Bien, ¿y el pelo?
VÍCTIMA	Era corto, con raya a la derecha.
INSPECTOR	¿Cómo eran los ojos?
VÍCTIMA	Eran pequeños y azules.
INSPECTOR	¡Qué interesante! ¿Y la nariz?
VÍCTIMA	La nariz era larga y tenía muchas pecas.
INSPECTOR	Ese detalle nos ayuda. ¿Cómo era la boca?
VÍCTIMA	Regular, pero los dientes eran pequeños.
INSPECTOR	¿Tenía bigote?
VÍCTIMA	No, no tenía bigote sino una barba corta.
INSPECTOR	*(Le da una foto a la víctima.)* ¿Es éste?°	Is this the one?
VÍCTIMA	Sí, éste mismo es.°	That's the one.

comprensión

A. Mention six physical characteristics of the thief described by Mr. Ramírez.

1. Tenía la cara . . .
2. El pelo era . . .
3. Los ojos eran . . .
4. La nariz era . . .
5. La boca era . . .
6. Los dientes eran . . .

B. Inspector Cañizares found photos of three men that closely match the description of the criminal. Describe each of the three suspects.

Sospechoso 1

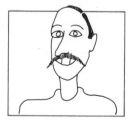
Sospechoso 2

Sospechoso 3

El sospechoso número uno tiene la cara . . .
El sospechoso número dos tiene la cara . . .
El sospechoso número tres tiene la cara . . .
¿Cuál es *el ladrón de las manos de seda?* ¿Por qué?

extensión

A. You have just heard a strange or sudden noise. React with an appropriate expression of surprise.

Amigo/a: ¿Oíste un ruido extraño°?   Tú: Sí, ¡y qué susto°!
Oye, se cayó el tocadiscos.   ¡Dios mío!
¿Oíste ese choque?   ¿Dónde fue?

B. You are in a strange city and for various reasons you need help. Request assistance from a police officer.

Agente: Diga.   Tú: Perdí [mis cheques de viajero°].
¿Qué le pasa?   Me robaron [un reloj de oro].
¿Perdió algo?   No puedo encontrar [el banco].
¿Necesita ayuda?   ¿Dónde está [la embajada americana°]?

¡vamos a hablar!

Select a photo of an individual from a magazine or newspaper and describe the person to your classmates. Mention at least five physical characteristics.

impresiones y gustos

What situations frighten you? React to the following situations, using the scale below.

No me da miedo.

Me da un poco de miedo.

Me da mucho miedo.

Me aterroriza.

■❙❙❙   ver una película de terror   *Me da mucho miedo ver una película de terror.*

1. salir solo/a de noche
2. estar solo/a en casa de noche
3. leer una novela de misterio
4. mirar un programa de misterio en la televisión
5. conocer a una persona nueva
6. oír un ruido extraño
7. ir al dentista
8. ver un perro grande
9. hacer un examen

Estudio de palabras

La cara

1	las gafas	5	el pelo rizado
2	la cicatriz	6	un hombre calvo
3	la barba	7	la peluca
4	el bigote	8	las pecas

A   Complete the meaning of each sentence with an appropriate word from the list above.

1. El presidente Abraham Lincoln tenía una . . .
2. Una persona que no ve bien lleva . . .
3. Después de un accidente algunas personas tienen una . . .
4. Si una persona no tiene pelo es . . .
5. A veces una persona calva lleva una . . .
6. Muchos hombres tienen una barba o un . . .

¡vamos a hablar!   Describe a classmate or teacher to members of your class. Have them guess who the person is.

Es alta, morena y simpática.

Las joyas

los pendientes	earrings	el reloj	watch
la cadena de plata	silver necklace	el anillo	ring
la pulsera de oro	gold bracelet	el anillo de brillantes	diamond ring

B   Indicate what jewelry Mrs. García was wearing in the film *El ladrón de las manos de seda.*

     ◾▥   En el dedo . . .   *En el dedo llevaba un anillo de brillantes.*

1. En las orejas . . .
2. En el cuello . . .
3. En el brazo izquierdo . . .
4. En el brazo derecho . . .

_____ Pronunciación y ortografía _____

palabras claves ‖   stop [d]   disco, grande
                       fricative [ɸ]   todo

     The stop [d] sound is similar to the English *d* of *deep.* Spanish stop [d] is produced with the tip of the tongue lightly touching the back of the upper front teeth. The stop [d] sound occurs at the beginning of a word, a phrase, or a sentence, and after **n** and **l**.

A Pronounce the following words to practice the stop [d] sound.

del	domingo	dentista	vende	dónde
dar	dinero	durante	Fernando	falda
día	Dolores	deporte	mundial	grande

Spanish fricative [đ] is similar to the sound *th* in *mother*. The fricative [đ] sound is produced with the tip of the tongue protruding from the teeth. The fricative [đ] sound occurs after or between vowels, and after consonants other than **n** and **l,** and at the end of a word.

B Listen and repeat the following words after your teacher to practice the fricative [đ] sound.

cada	empleado	es de	Madrid
cuñado	sábado	tarde	verdad
rápido	cuaderno	orden	universidad

C Read the following sentences aloud. Pay special attention to the stop [d] and the fricative [đ] sounds.

1. Don Diego me da doscientas faldas.
2. Todos los domingos vendemos cuadernos en el mercado.
3. La verdad es que Dolores va a Madrid por la tarde.
4. Este dentista es de una universidad importante.
5. Daniel estudia medicina en Santo Domingo.
6. David vive en los Estados Unidos.
7. Buenos días, don Martín.

Poderoso caballero es don Dinero.

Gramática

Imperfect tense of -ar verbs

Bailábamos en la fiesta.   *We were dancing* at the party.
Todavía **llevaba** el collar.   *I was* still *wearing* the necklace.

The imperfect tense, like the preterit tense, is used to refer to actions or conditions in the past. The two tenses are not interchangeable, however. The imperfect tense is used when a past action is viewed by a speaker as *in progress* some time after the action began and before it came to an end.

BAILAR	
yo	bail**aba**
tú	bail**abas**
él, ella, usted	bail**aba**
nosotros, nosotras	bail**ábamos**
ellos, ellas, ustedes	bail**aban**

The imperfect tense of all **-ar** verbs is formed by adding the appropriate imperfect endings to the infinitive stem. An accent mark is used on the stressed **a** of the **nosotros**-form of -ar verbs.

Estudiábamos en Argentina.   *We studied* in Argentina.
                                       We were studying in Argentina.
                                       We used to study in Argentina.

¿Estudiaba en Buenos Aires?   *Did she study* in Buenos Aires?
                                       Did she used to study in Buenos Aires?
                                       Was she studying in Buenos Aires?

A single imperfect-tense form has several English equivalents.

A   Everybody at Juanita's party last night was either dancing or singing. Inform a friend who was doing what.

     ▪▥   Juanita / bailar   *Juanita bailaba.*

1. yo / cantar
2. Ramón y Beatriz / bailar
3. Antonio / cantar
4. nosotros / cantar
5. Luisa Hernández / bailar
6. la hermana de Juanita / cantar
7. Elvira y tú / bailar
8. yo / bailar

B   Tell what activities you customarily did or did not do when you were a young child.

> ▪⃫   tocar la guitarra   *De niño/a tocaba la guitarra.*
>   *(De niño/a no tocaba la guitarra.)*

1. pelear con mi hermano
2. hablar mucho
3. jugar al tenis
4. pescar en el lago

5. pintar mucho
6. caminar por el parque
7. visitar a mis abuelos
8. coleccionar monedas

Imperfect tense of **-er** and **-ir** verbs

	CORRER	VIVIR
yo	corría	vivía
tú	corrías	vivías
él, ella, usted	corría	vivía
nosotros, nosotras	**corríamos**	vivíamos
ellos, ellas, ustedes	corrían	vivían

All except
ser ir ver

The imperfect tense of all **-er** and **-ir** verbs except **ser, ir,** and **ver** is formed by adding the imperfect endings to the infinitive stem. A written accent mark is used on the stressed **i** of all imperfect endings of **-er** and **-ir** verbs. Notice that the imperfect endings for **-er** and **-ir** verbs are identical.

C   Say that the following people used to run through the park.

> ▪⃫   Elena   *Elena corría por el parque.*

1. yo
2. la señora González
3. nosotros
4. tú
5. Alfredo y usted
6. Anita y Teresa

D   Ask a friend if the following people were living in Buenos Aires.

> ▪⃫   los Hernández (Caracas)   Tú: *¿Vivían los Hernández en*
>   *Buenos Aires?*
>   Amigo: *No, vivían en Caracas.*

1. tus abuelos (La Habana)
2. Juan (México)
3. los Rodríguez (Lima)
4. Víctor y Alberto (Bogotá)

5. tú (San José)
6. ellos (San Juan)
7. Anita (Puebla)
8. la profesora (Madrid)

Some uses of the imperfect

¿Qué **hacías** ayer cuando   What *were you doing* yesterday when I
  te llamé?   called?
— **Jugaba** al fútbol.   — *I was playing* soccer.
¿Dónde **vivías** entonces?   Where *were you living* then?
— **Vivía** en Buenos Aires.   — *I was living* in Buenos Aires.

The imperfect is used to describe one action or a series of actions in progress, or to describe a situation or a condition that existed over an indefinite period of time.

E   Tell a friend what you were doing when he/she called yesterday.

    ■⫶   leer una novela   Amigo/a: *¿Qué hacías ayer cuando te*
                                       llamé?
                                      Tú: *Leía una novela.*

1. mirar televisión   5. estudiar la lección
2. preparar la cena   6. correr por el parque
3. escuchar unos discos   7. subir a mi habitación
4. practicar la guitarra   8. discutir con María

¿Recuerdas a María?   Do you remember María? *She used to*
  Todos los días me   *phone* me every day.
  llamaba por teléfono.
¿Recuerdas a Jorge?   Do you remember Jorge? *He* always
  Siempre **llegaba** tarde   *arrived* late for school.
  al colegio.

The imperfect tense is used to describe habitual or customary repeated past actions.

F   Explain to a friend what the following people used to be like or used to do.

    ■⫶   José / hablar rápido   Amigo/a: *¿Recuerdas a José?*
                                      Tú: *Sí, siempre hablaba rápido.*

1. Marta / leer novelas
2. Antonio y Delia / jugar al ajedrez
3. la señora Morales / estar enferma
4. Ricardo / pelear con sus hermanos
5. Pedro y Miguel / coleccionar sellos
6. Carmen / preparar tortillas
7. Anita / romper las gafas
8. Rafael / comer hamburguesas

Ellos **comían** mientras
   yo **hablaba** por teléfono.
Bailábamos mientras **tocaba**
   la orquesta.

They were eating while *I was talking* on
   the phone.
We were dancing while the orchestra
   was playing.

The imperfect tense is used to express two past actions that were occurring simultaneously.

G   Indicate what you were doing yesterday while your friends were working.

     ■◐   escribir una carta   *Yo escribía una carta mientras ellos trabajaban.*

1. mirar televisión
2. lavar el carro
3. tocar el piano
4. limpiar mi cuarto
5. leer una novela
6. dormir

H   Tell what various members of Pepe's family were doing yesterday when the Sánchez family arrived.

     ■◐   Teresa / hablar por teléfono   *Teresa hablaba por teléfono cuando llegaron los Sánchez.*

1. mi padre / trabajar en el hospital
2. mi madre / escribir cartas
3. mi hermano menor y yo / nadar en la piscina
4. mis hermanas / correr por el parque
5. mi abuela / escuchar un concierto
6. mi hermano mayor / leer el periódico

¡vamos a hablar!   Exchange information with a classmate on three things you customarily did when you were younger. Also state three activities you never participated in.

     De niño/a leía mucho.
     No iba al cine.

In Argentina, the Cultural Ministry closely monitors the content of Argentine and foreign films. Films are classified as appropriate for all ages, for children fourteen and older, or for adults eighteen and older. If the Ministry feels that the content of a movie is inappropriate for the entire population, the film may be edited or banned from Argentina.

Imperfect tense of ser, ir, and ver

	SER	IR	VER
yo	era	iba	veía
tú	eras	ibas	veías
él, ella, usted	era	iba	veía
nosotros, nosotras	éramos	íbamos	veíamos
ellos, ellas, ustedes	eran	iban	veían

Ser, ir, and **ver** are the only irregular verbs in the imperfect tense.

I People change sometimes. Tell what the following people used to do or used to be like.

> ▪️▮ yo / joven *Yo era joven.*

1. nosotros / guapos
2. Ramón y Rosa / abogados
3. Tomás / ladrón
4. Carmen / famosa
5. el Sr. Hernández / profesor
6. mi tía / rica
7. ellas / enfermeras
8. tú / coleccionista de monedas

J Inspector Cañizares wants to know where certain people were going when a robbery was committed. Correct his misinformation.

> ▪️▮ Marisela iba al médico, ¿no? (al dentista) *No. Iba al dentista.*

1. Ibas al cine, ¿verdad? (al concierto)
2. Los García iban al aeropuerto, ¿no? (al campo)
3. Tú ibas a casa, ¿no? (a clase)
4. Uds. iban a la fiesta, ¿verdad? (a la biblioteca)
5. Ellos iban al restaurante, ¿verdad? (a casa)
6. Tu hermano iba al partido, ¿no? (cine)

K Confirm that the following people used to see their friends every Saturday.

> ▪️▮ José y Antonio *José y Antonio veían a sus amigos todos los sábados.*

1. yo
2. Rafael
3. tú
4. Carmen
5. ustedes
6. Teresa y yo
7. Delia y Alberto
8. nosotros

Era la una cuando salió. *It was one o'clock when he left.*
Eran las cuatro. *It was four o'clock.*

The imperfect tense of **ser** is used in expressions of time in the past.

L   Say what time it was when you and other people arrived at Pilar's party.

■iⅲ   6:30 / Raúl   *Eran las seis y media cuando llegó Raúl.*

1. 6:45 / José y Felipe
2. 7:00 / tú
3. 7:15 / Delia
4. 7:30 / yo
5. 7:45 / Alfredo y Lucía
6. 8:00 / mi mejor amiga

Review of double-object pronouns

FIRST POSITION INDIRECT OBJECT	SECOND POSITION DIRECT OBJECT
me te nos le (se) les (se)	lo, la, los, las

¿Te robaron **el collar?**   Did they steal *your necklace?*
— Sí, **me lo** robaron.   — Yes, they stole *it from me.*

When two object pronouns occur in the same sentence, the indirect-object pronoun comes before the direct-object pronoun.

¿Le diste las revistas?   Did you give *him* the magazines?
—Sí, **se las** di.   —Yes, I gave *them to him.*

The indirect-object pronouns **le** and **les** change to **se** before **lo, la, los,** or **las.**

Quieren comprár**sela.**   They want to buy *it from him.*
Van a escribír**selo.**   They're going to write *it to them.*
Estoy escribiéndo**telo.**   I'm writing *it to you.*

Object pronouns precede a conjugated verb, but very often follow and are attached to infinitives and present participles. A written accent is added to the verb to maintain its original stress.

M   Tell Raúl that your aunt and uncle gave you certain presents.

■iⅲ   el reloj   Raúl: *¿Quién te dio el reloj?*
Tú: *Mis tíos me lo dieron.*

1. el cassette
2. la radio portátil
3. el dinero
4. las fotos
5. la cámara
6. la bicicleta

N Explain to your mother that you and your sister have just done all the things she asks about.

■III ¿Les mandaron las cartas a Ricardo?   *Sí, acabamos de mandárselas.*

1. ¿Le dieron el dinero a Elena?
2. ¿Les prepararon la comida a Teresa y a Isabel?
3. ¿Les regalaron los libros a Carlos y a Pedro?
4. ¿Le escribieron las noticias a Roberto?
5. ¿Le dieron los papeles a Carmen?
6. ¿Le mandaron el paquete a David?

¡vamos a hablar!   Explain which items you are going to give to your friends or relatives for their next birthday.

| el cassette | el reloj | la pulsera | la camisa |
| la cámara | el collar | los pendientes | la corbata |

¿El cassette? Se lo doy a mi hermano.

74

Sino versus pero

No nos gusta el camión **sino** el coche.	We don't like the truck, *but* we do like the car.
Me gusta el traje, **pero** no puedo comprarlo.	I like the suit, *but* I can't buy it.
Yolanda no practica mucho la guitarra, **pero** toca bien.	Yolanda doesn't practice the guitar much, *but* she plays well.

Both **sino** and **pero** mean *but,* though they are not interchangeable. **Sino** is used when the first part of a sentence is negative and the second part contradicts the first part. **Pero** is used when the first part of a sentence is affirmative or negative, and there is no contradiction in the second part.

O Gustavo contradicts every statement he hears today. Take his role, and use *sino* in your responses.

■◽ Este libro es rojo. (azul) *No es rojo sino azul.*

1. Pablo estaba aquí. (en Dallas)
2. El Sr. Díaz era inspector. (mecánico)
3. Raúl hablaba español. (francés)
4. Elena dormía cuatro horas. (cinco horas)
5. Alberto iba al cine los sábados. (los domingos)
6. Anita leía una revista. (un periódico)

P Combine the following phrases with *sino* or *pero,* as appropriate.

■◽ no vi a Marta / su hermana   *No vi a Marta sino a su hermana.*

■◽ no sé nadar / me gusta la playa   *No sé nadar, pero me gusta la playa.*

1. no me gusta el amarillo / el rojo
2. no me acosté a las nueve / a las diez
3. Esteban nunca viaja en avión / en carro
4. mi cuñado salió hoy / no fue al campo
5. no necesitamos dinero / ayuda

 Some Hispanic countries, like Venezuela, Colombia, and Mexico, use a movie rating system similar to the familiar G, PG, R, and X-scale of the United States. The most common Hispanic system rates movies A, B, C, or D. An A-rated movie would be equivalent to a G-rated movie in the United States.

Lectura

Noticia de la prensa

28 de octubre. Buenos Aires (R. Sánchez). Ayer, durante la filmación° de la
nueva producción *El ladrón de las manos de seda*, sufrió una caída° la señora
Dolores Menéndez, doble de la actriz° Sofía Valbuena. Una ambulancia la
llevó al Hospital Álvarez. Allí el Dr. Ricardo López la atendió°.

5   Según nos informó el doctor López, la señora Menéndez sufrió una fractura del brazo derecho al caer de uno de los *sets* donde se filmaba la escena°
final de la película. En esa escena, la señora Menéndez tenía que caminar
por el techo° de una casa para huir° de un incendio. Menéndez perdió el
equilibrio° y cayó al suelo.

10   El director de la película, Mario Parravicini, interrumpió el rodaje° y
llevó a la doble hasta la ambulancia.

    Nos informó otro actor que trabaja en la película que estos accidentes son
frecuentes.

    La doble Menéndez va a estar dos días en el Hospital Álvarez, y la
15 filmación va a continuar mañana con otra doble.

filming
sufrió . . . caída: fell
actress
attended

scene

roof / flee
perdió . . . equilibrio lost
  her balance
filming

actividades   **A**   Check your understanding of the newspaper article by supplying the information requested below.

1. Nombre de la doble
2. Fecha del accidente
3. Nombre de la actriz
4. Lugar del accidente
5. Nombre del hospital
6. Nombre del médico
7. Tipo de herida
8. Nombre de la compañía de películas

   B   Retell the accident from the director's point of view.

En resumen

Imperfect tense (A–C)

	VIAJAR	APRENDER	ESCRIBIR
yo	viajaba	aprendía	escribía
tú	viajabas	aprendías	escribías
él, ella, usted	viajaba	aprendía	escribía
nosotros, nosotras	viajábamos	aprendíamos	escribíamos
vosotros, vosotras	viajabais	aprendíais	escribíais
ellos, ellas, ustedes	viajaban	aprendían	escribían

1. The imperfect tense is formed by adding the appropriate imperfect endings to the infinitive stem.
2. In the imperfect tense, **-er** and **-ir** verbs have identical endings.

Imperfect tense of **ser, ir, ver** (I–L)

	SER	IR	VER
yo	era	iba	veía
tú	eras	ibas	veías
él, ella, usted	era	iba	veía
nosotros, nosotras	éramos	íbamos	veíamos
vosotros, vosotras	erais	ibais	veías
ellos, ellas, ustedes	eran	iban	veían

Spanish has only three irregular verbs in the imperfect tense: **ser, ir,** and **ver.**

Uses of the imperfect (D–H)

IMPERFECT VIEWS:	EXAMPLES
Actions in progress in the past, and situations or conditions that existed over an indefinite period of time in the past	Hacía calor cuando salimos. Vivía en Argentina cuando era joven.
Repeated, customary, habitual actions in the past	De joven, iba a las montañas. Todos los sábados íbamos al cine.
Simultaneous actions in the past	Bailábamos mientras la orquesta tocaba.
Time expressions in the past	Eran las doce.

Double-object pronouns (M, N)

FIRST POSITION INDIRECT OBJECT	SECOND POSITION DIRECT OBJECT
me te nos le (se) les (se)	lo, la, los, las

1. When two object pronouns occur in the same sentence, the indirect-object pronoun comes before the direct-object pronoun: **Te dan las pulseras; Te las dan.**
2. The indirect-object pronouns **le** and **les** change to **se** before **lo, la, los,** or **las: Se lo doy.**
3. Object pronouns precede a conjugated verb, but follow and are attached to a command. They often follow and are attached to infinitives. A written accent is added to the verb to maintain its original stress: **Van a leértela.**

Sino versus pero (O, P)

Both **sino** and **pero** mean *but*, though they are not interchangeable. **Sino** is used when the first part of a sentence is negative and the second part contradicts the first. **No me gusta el collar sino la pulsera. Pero** is used when the first part of a sentence is affirmative or negative, and there is no contradiction in the second part: **No tengo mucho dinero, pero voy al cine. No tenemos mucho tiempo, pero vamos a visitarla.**

Repaso

A A valuable bracelet was stolen last night from the home of the Ochoa family. Retell Mrs. Ochoa's account of the burglary. Supply the correct forms of the preterit or imperfect tense, as appropriate.

Nosotros *(estar)* en la sala. *(Leer)* muy tranquilos y de pronto *(apagarse)* las luces. Mi esposo *(quedarse)* allí y yo *(ir)* a la cocina para ver lo que *(pasar)*. *(Ver)* a alguien que *(estar)* muy cerca de la ventana. *(Llamar)* a mi esposo. Él *(llegar)* y el ladrón *(salir)* por la ventana. Poco después *(ver)* que mi pulsera de oro no *(estar)* en la alcoba. Nosotros *(llamar)* a la policía.

B Describe what each member of the Centeno family was doing when you entered their house yesterday. Use the imperfect tense of appropriate verbs.

■III *Cuando entré, el perro jugaba con el niño José.*

C   Combine the following phrases with *sino* or *pero*, as appropriate.

■⫼   Leonor no quiere comprar
el blanco ____ el verde.

*Leonor no quiere comprar el blanco
sino el verde.*

■⫼   Tomás puede leer
español, ____ no lo
habla muy bien.

*Tomás puede leer español, pero no lo
habla muy bien.*

1. A mi hermana no le gusta estudiar francés ____ español.
2. No lo ví a él ____ a su mamá.
3. Cuando Roberto era niño siempre miraba la televisión, ____ ahora prefiere leer.
4. Nick no es de México, ____ habla muy bien español.
5. Los chicos no quieren comer en la cafetería ____ en un restaurante.
6. No robaron el collar de oro ____ los pendientes.

D   Respond to the following questions. Use double-object pronouns and an appropriate time phrase.

■⫼   ¿Le escribiste una carta a Elena?   *Sí, se la escribí ayer.*

1. ¿Les leíste el periódico a tus abuelos?
2. ¿Preparaste la cena para tu familia?
3. ¿Nos diste el cuaderno a nosotros?
4. ¿Les escribiste una carta a Raúl y Elena?
5. ¿Me dijiste la verdad?
6. ¿Nos escribiste una carta?
7. ¿Le robaron el libro a Raúl?
8. ¿Les vendieron el coche?

E   Describe a lost boy to the authorities. Tell what clothing he was wearing, his height and weight, and any special physical characteristics. Use the imperfect tense where appropriate.

■⫼   *El niño llevaba una camisa azul . . .*

F   React to each statement or question on the left with an appropriate response from the list on the right.

1. ¡Me robaron el collar!
2. ¿Cómo era el ladrón?
3. ¿Qué le pasa?
4. Espere Ud. un momentito.
5. ¿Quieres ir al cine?
6. ¿Qué me cuentas?

Nada.
Era alto y feo.
Me esperan afuera.
Cálmate, por favor.
Me robaron el reloj.
Buena idea, pero no puedo.
Ay, lo siento.
Pero no tengo tiempo.

Vocabulario

SUSTANTIVOS

el anillo ring
la barba beard
el bigote mustache
el brillante diamond
la cadena de plata silver necklace
el cheque de viajero traveler's check
la cicatriz scar
el collar necklace
el cuello neck
el detalle detail
el diente tooth
la embajada embassy
el esposo, la esposa husband; wife
las gafas eyeglasses
el invitado, la invitada guest
el ladrón thief
el misterio mystery
las pecas freckles
la peluca wig
los pendientes earrings
la perla pearl
la pulsera de oro gold bracelet
la raya part (in hair)
el resto rest
el sospechoso, la sospechosa suspect
el susto fright
la víctima victim

VERBOS

acercarse to come near, approach
aterrorizarse to terrify
calmarse to calm down
dar miedo to frighten
encender to light
regalar to give a gift
robar to steal

OTRAS PALABRAS

así so, thus
calvo, -a bald
elegante elegant
exactamente exactly
extraño, -a strange
mismo, -a same
redondo, -a round
regular normal, regular
rizado, -a curly
valioso, -a valuable
ya now

EXPRESIONES

de repente suddenly
¿se te cayó [el collar]? did your [necklace] fall off?
tener lugar to take place

capítulo 4
Aventuras
en la cocina

Since Puerto Rico maintains such close ties to the United States, it is not surprising that television programming is in English as well as in Spanish. Many of the television programs in Spanish have a simultaneous broadcast in English on an FM radio station.

El hombre moderno cocina

Julián Rodríguez es cocinero en San Juan, Puerto Rico. Tiene un programa de cocina en televisión titulado El hombre moderno cocina. *Ahora empieza su programa.*

JULIÁN — Buenas tardes, mis queridos televidentes°, y muchas gracias por las cartas recibidas° esta semana. Muchos de ustedes nos escribieron para contarnos sus aventuras en la cocina. Algunas aventuras terminaron bien, pero otras . . . Bueno, oigan esta carta de un televidente. Un joven llamado Juan Díaz nos dice:

Señor Rodríguez:

Traté de hacer el arroz con pollo que usted explicó el miércoles, pero resultó un total fracaso°. El pollo me quedó crudo y el arroz salió duro. Creo que tenía demasiada sal y pimienta. En fin, mis invitados y yo tuvimos que ir a un restaurante. Le aseguro que seguí° su receta palabra por palabra, y creo que usted dio mal las medidas°. Aconséjeme, por favor.

Juan Díaz

Juan Díaz

Un cocinero aficionado

Siento mucho su desastre culinario°. Posiblemente usted no escuchó bien cuando les di la receta. Por eso, voy a repetirla en este programa.

viewers
received

resultó . . .
fracaso: it was a total failure

I followed

measurements

culinary

comprensión

1. ¿Cómo se llama el programa de cocina?
2. ¿Quién es el cocinero?
3. ¿Qué lee el cocinero?
4. ¿Quién escribió la carta?
5. Según el televidente, ¿cómo salió el arroz con pollo?
6. ¿Qué va a repetir Julián Rodríguez?

extensión

A. Agree with your father when he describes various cooking mishaps. Choose the logical response.

Se me quemó el postre.
Puse mucha sal en las papas.
Hay demasiada pimienta en el pescado.
No cociné suficientemente la carne.

Sí, están muy saladas°.
Sí, está quemado.
Sí, está muy picante°.
Sí, está cruda°.

B. You don't want to hurt your mother's feelings after she serves you a slightly burned hamburger. Comfort her by saying something positive about the dish.

¡Ay de mí!
¡Caramba!
¡No salió bien!
Está quemada.

¡No te preocupes!
¡Qué bien huele°!
Pero, está muy rica.
Sí, pero sabe° bien.

Arroz con pollo is a popular dish in nearly all the Spanish-speaking countries. This economical one-dish meal is prepared with rice, pieces of chicken, onion, green pepper, broth, olive oil, garlic, and saffron. Other vegetables or leftovers are often added. **Arroz con pollo** is appetizing, easy, and quick to prepare.

Una receta para arroz con pollo

Ingredientes:

un pollo
media libra de arroz

dos tazas de agua
aceite de oliva
media cebolla bien picada
dos dientes de ajo bien picados

una cucharadita de pimentón
dos cucharaditas de sal
una pizca de azafrán
pimienta al gusto

Hora y media antes de servir

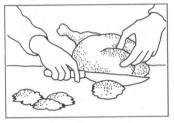

Corte el pollo en pedazos pequeños.

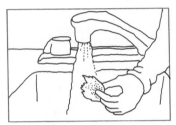

Lave los pedazos y póngalos en un plato.

Agregue la sal, la pimienta, la cebolla, el ajo y el pimentón y déjelos reposar por una hora.

Media hora antes de servir

Ponga el aceite en una cazuela. Ponga la cazuela en la hornilla.

Ponga el pollo en la cazuela. Fríalo durante diez minutos a temperatura alta.

Eche el agua. Deje hervir el pollo y el agua durante dos o tres minutos.

Veinte minutos antes de servir

Eche el arroz. Baje la temperatura al empezar a hervir.

Eche el azafrán y revuelva. Tape la cazuela y deje cocinar el arroz veinte minutos.

Apague la hornilla. Deje reposar el arroz dos o tres minutos y . . . ¡a comer!

| comprensión | Arrange the following steps for *arroz con pollo* in a logical order. |

1. Fría el pollo durante diez minutos.
2. Ponga el pollo en la cazuela.
3. Deje reposar el arroz dos o tres minutos.
4. Eche el arroz y déjelo hervir.
5. Ponga el aceite en la cazuela.
6. Agregue la sal, la pimienta, la cebolla, el ajo y el pimentón.
7. Corte el pollo en pedazos pequeños.

| extensión | A. You're trying to make small talk at lunch. Start a conversation with one of your classmates. |

¡Uy! ¡Qué [calor] hace hoy!   Sí, es un día horrible.
¿Sabes una cosa?   ¿Qué?
¿Leíste el periódico hoy?   No, ¿qué pasó?
Vi a [Raúl Sánchez] ayer.   ¿Y qué contó?

B. After dinner, your guests are not conversing with each other. Try to start the conversation flowing.

¿Qué pasó hoy?   Lo de siempre°.
¿Qué hay de nuevo°?   Hubo [un atraco] en el parque.
¿Leyeron el periódico hoy?   No, pero, ¿qué pasó?

C. Decide what is an appropriate response in the following situations at the dinner table.

Quieres la sal.   Con permiso.
Necesitas el pan.   Buen provecho.
Tienes que estudiar.   Pásame la . . . , por favor.
Empiezas a comer con unos amigos.   ¿Me puedes dar el . . . ?

| impresiones y gustos | |

1. ¿Te gusta cocinar? ¿Qué preparas? ¿sopa? ¿ensalada?
2. ¿Cuál es tu comida favorita? ¿por qué?
3. ¿Miras un programa de cocina en la televisión? ¿cuál?

Some Spanish-speaking Americans in the West and Southwest are enjoying Mexican television programs. The shows are transmitted directly from Mexico City by cable television. In turn, many residents of Mexico City are enjoying United States programming from the major American networks.

Estudio de palabras

El cubierto

1 el tenedor
2 el cuchillo
3 la cuchara
4 la cucharita
5 la servilleta

6 el plato
7 el vaso
8 la taza
9 el platillo
10 el mantel

A Which dishes and eating utensils do you need in order to eat or drink the following foods?

■||| el pescado   *Para el pescado necesito un cuchillo, un tenedor y un plato.*

1. los tomates
2. un helado
3. un bistec
4. la leche

5. un refresco
6. una ensalada
7. el café
8. un arroz con pollo

B You're eating at a restaurant. Point out to the waiter/waitress that you are missing certain items. Then request each item or utensil.

■||| servilleta   *No tengo servilleta. Necesito una, por favor.*

1. vaso
2. cuchillo
3. tenedor
4. plato

5. platillo
6. taza
7. cuchara
8. cucharita

En la cocina

1 la estufa
2 el horno
3 la nevera
4 el lavaplatos
5 el abrelatas
6 la cazuela
7 la sartén
8 la cafetera

C   After a severe thunderstorm, all the power is off in your home. Indicate which appliances are not working, based on the information supplied.

■|||| No puedes preparar café.   *La cafetera no funciona.*

1. No puedes lavar los platos.
2. Es imposible cocinar los huevos.

3. Ya no tienes helado.
4. No puedes freír el bistec.

Pronunciación y ortografía

palabras claves
    [H] joven, gente
    hard [g] guitarra, ganar
    soft [g̸] amigo

In Spanish, the [H] sound or **jota** has no English equivalent. It is pronounced at the back of the throat, by forcing air through a narrow opening. The [H] sound is spelled **j** before **a, o,** or **u.** It is spelled **j** or **g** before **e** or **i.**

A   Listen and repeat the following words after your teacher.

jugo	junio	hija	álgebra	viaje
joya	julio	viejo	argentino	escoge
jamón	joven	garaje	ingeniero	gente

B   Read aloud the following sentences to practice the [H] sound.

1. Juan Jiménez juega al golf los jueves.
2. En junio mi hijo va a viajar a Argentina.
3. El joven va al colegio.
4. Mi mejor amiga escoge un collar viejo.

The Spanish hard [g] sound is similar to English [g] in *go*, and occurs at the beginning of a word and after **n.** The soft [ǥ] sound is similar to English [ǥ] in *egg*, and occurs after a vowel and after consonants other than **n.** Both the hard [g] and soft [ǥ] are spelled **g** before **a, o,** and **u.** Before **e** and **i**, a silent **u** after the **g** indicates the hard [g] sound.

C   Listen and repeat the following words after your teacher.

hard [g]		soft [ǥ]	
guitarra	inglés	agosto	programa
gracias	ganga	regalo	abrigo
grande	grado	según	alegría

D   Read aloud each sentence. The soft [ǥ] sounds are printed in boldface letters.

1. En agosto vamos a organizar un programa de música.
2. Mi hermana me compró un regalo en Burgos.
3. A Margarita le gusta tocar la guitarra.
4. Tengo que ganar dinero para pagar la cuenta.
5. Voy a comprar esa casa elegante.
6. Ese guante es de Gonzalo.
7. No gastes el dinero.

Ojo por ojo, diente por diente

Gramática

Usted- and ustedes-commands

¿Preparo el arroz?   Shall I prepare the rice?
— Sí, **prepare** Ud. el arroz.   — Yes, *prepare* the rice.
— No, no **lo prepare** ahora.   — No, don't *prepare* it now.

Commands are used to give orders. Formal commands are used with persons who are addressed with **usted** or **ustedes.** The subject pronouns **usted** and **ustedes** may or may not be used with the formal command.

INFINITIVE	YO-FORM	UD.-COMMAND	UDS.-COMMAND
cocinar	cocino	cocine Ud.	cocinen Uds.
beber	bebo	beba Ud.	beban Uds.
abrir	abro	abra Ud.	abran Uds.

Affirmative and negative **usted-** and **ustedes**-commands of regular **-ar** verbs are formed by replacing the final **o** of the **yo-**form of the present tense with the endings **-e** and **-en.** For regular **-er** and **-ir** verbs, the final **o** of the **yo-**form is replaced by the endings **-a** and **-an.**

INFINITIVE	YO-FORM	UD.-COMMAND	UDS.-COMMAND
pensar (e > ie)	pienso	piense Ud.	piensen Uds.
volver (o > ue)	vuelvo	vuelva Ud.	vuelvan Uds.
hacer	hago	haga Ud.	hagan Uds.
decir	digo	diga Ud.	digan Uds.

Stem-changing verbs and many verbs with irregular **yo-**forms follow the same pattern as regular verbs in the formation of **usted-** and **ustedes**-commands.

A You're an assistant manager of a restaurant. Give an employee instructions, according to your needs.

    ■⁍   ¿Preparo la ensalada?   *Sí, prepare la ensalada ahora.*
                                       (No, prepare la ensalada más tarde.)

1. ¿Lavo la lechuga?
2. ¿Corto los tomates?
3. ¿Cocino las verduras?
4. ¿Preparo el postre?
5. ¿Pongo los vasos en las mesas?

B Tell two new secretaries what their office duties are.

■||| ¿Debemos contestar el teléfono?   *Sí, contesten el teléfono.*

1. ¿Debemos llamar a la Compañía Villas?
2. ¿Debemos poner los papeles en la mesa?
3. ¿Debemos escribir las cartas?
4. ¿Debemos contestar las otras cartas?
5. ¿Debemos ayudar a las otras secretarias?

Commands of verbs in **-car, -gar, -zar**

INFINITIVE	SPELLING CHANGE	**UD.**-COMMAND	**UDS.**-COMMAND
buscar	c > qu	**busque** Ud.	**busquen** Uds.
llegar	g > gu	**llegue** Ud.	**lleguen** Uds.
empezar	z > c	**empiece** Ud.	**empiecen** Uds.

Verbs ending in **-car, -gar,** or **-zar** have spelling changes in the formal commands to keep the original consonant sound of the infinitive.

C Give the following orders to people you would normally address with *usted* and *ustedes.*

■||| tocar el piano   *Toque el piano, [señor Díaz].*
Toquen el piano, [Teresa y Alberto].

1. pagar las cuentas
2. no llegar tarde al colegio
3. buscar un regalo para su padre
4. empezar a trabajar
5. no practicar el violín
6. pescar en el lago
7. poner el pollo en la cazuela
8. organizar una fiesta
9. no servir el postre

To express strong disapproval or anger, Spanish-speaking adults may use an **usted**-command instead of a **tú**-command when addressing a child. Speakers of English convey the same disapproval by calling the child by her or his full name.

Object pronouns with formal commands

AFFIRMATIVE COMMAND		NEGATIVE COMMAND	
Sírvalas, por favor.	Serve *them*, please.	No las sirva.	Don't serve *them*.
Escríbamela.	Write *it to me*.	No me las escriba.	Don't write *it to me*.
Siéntense.	Sit down.	No se sienten.	Don't sit down.

1. Object pronouns follow and are attached to affirmative commands. A written accent is used on the next-to-last syllable of the verb to maintain the original stress pattern.
2. When two object pronouns occur in a command, the indirect-object pronoun precedes the direct-object pronoun.
3. Object pronouns precede the verb in negative commands.

D   You are dining out at a restaurant. Tell the waiter/waitress what to serve and what not to serve.

■||| las tortillas   *Sí, sírvalas, por favor.*
(No, no las sirva ahora.)

1. el pan
2. el pescado
3. el pollo
4. los calamares
5. la ensalada
6. el postre

E   You're carrying many packages in a department store. Ask the clerk to give the items you purchased to your friend Jorge to carry.

■||| los discos   Empleado: *¿Le doy los discos a Ud.?*
Tú: *No, déselos a mi amigo.*

1. el cassette
2. los discos
3. las novelas
4. la calculadora
5. el cartel
6. la guitarra
7. los libros

¡vamos a hablar!

Assume the role of a customer in a restaurant. Ask the waiter/waitress to serve you some of your favorite foods.

¿Sirvo el arroz con pollo?
— Sí, sírvalo, por favor.

Review of preterit of estar and tener

	ESTAR	TENER
yo	estuve	tuve
tú	estuviste	tuviste
él, ella, usted	estuvo	tuvo
nosotros, nosotras	estuvimos	tuvimos
ellos, ellas, ustedes	estuvieron	tuvieron

The verbs **estar** and **tener** are irregular in the preterit tense.

F   Report who was away and who was at home yesterday.

■⫶   Isabel (no)   *Isabel no estuvo en casa ayer.*

1. yo (sí)
2. papá (no)
3. tú (sí)
4. mi hermana menor (sí)
5. mis hermanos (no)
6. mi abuela (sí)

G   Explain why the following people were not at your dinner party.

■⫶   los García / ir a Puerto Rico   *Los García no estuvieron porque tuvieron que ir a Puerto Rico.*

1. tú / estudiar
2. Roberto y Carmen / ir a Lima
3. mi tío Alberto / ir al hospital
4. Ricardo / trabajar
5. Nuria / preparar un trabajo

Preterit versus imperfect

Estudié esa noche.	*I studied* that night.	Speaker focuses on *completed action.*
Estudiaba esa noche.	*I was studying* that night.	Speaker focuses on *action in progress.*

Spanish speakers use the *preterit* tense when they want to focus on the beginning or end of an action in the past, and they view the action as completed. They use the *imperfect* tense when they want to focus on an action in progress, without regard to whether the action was completed in the past or not. The context of the situation often helps the speakers determine which tense they choose to use.

H   Choose either the preterit or the imperfect to state each past action, depending on whether you view the action as completed or as in progress.

■⫶   escuchar las noticias del día   *Escuché las noticias del día.*
(Escuchaba las noticias del día.)

1. leer una novela muy interesante
2. mirar un buen programa en la televisión
3. jugar al básquetbol con Juanito
4. nadar en la piscina del club
5. practicar el piano
6. aconsejar a mi mejor amigo/a

Yo **dormía** cuando **sonó** el teléfono.

I was sleeping when the phone *rang*.

Pablo **cocinaba** cuando yo **entré** en la cocina.

Pablo *was cooking* when I *entered* the kitchen.

The imperfect is used to describe an action that was going on when another action occurred.

I   The telephone often rings at an inconvenient time. Report what the following people were doing when the phone rang in your house last night.

▪▮   yo / leer mi libro de español

Yo leía mi libro de español cuando sonó el teléfono.

1. papá / cocinar un pollo
2. mamá / leer una receta
3. Raúl / practicar la guitarra
4. yo / dormir como siempre
5. tú / beber un refresco
6. tía Dolores / hablar con Pablo

J   Relate what the following people were doing when a blackout occurred.

▪▮   las secretarias / trabajar en la oficina

Las secretarias trabajaban en la oficina cuando se apagaron las luces.

1. Antonio y Daniel / comer en el comedor
2. mi hermano menor / dormir
3. yo / mirar un programa interesante
4. papá / leer el periódico

Eran las cuatro de la tarde y mis amigos y yo **hablábamos** como siempre. De repente **entró** un ladrón.

It was four in the afternoon and my friends and I *were talking* as usual. Suddenly a thief *came* in.

The imperfect is used to give background information or description, leading up to an event or series of events.

K   Retell the following incident in the past. Use the preterit or the imperfect tense, as appropriate.

1. *(Son)* las nueve de la noche.
2. *(Entro)* en casa.
3. No *(veo)* a nadie.
4. De repente *(oigo)* un ruido extraño.
5. *(Grito)*.
6. *(Voy)* a la cocina.
7. Allí *(está)* nuestra gata.
8. Ella me *(mira)* unos minutos.
9. Después la gata *(empieza a correr)*.
10. Mis mejores platos *(caen)* al suelo.

Lectura

Comidas del Nuevo Mundo

En el siglo XV los europeos llamaban Indias a muchos de los territorios que hoy forman parte del continente asiático como Japón, China e India. De estas Indias venían a Europa ciertas especias° muy importantes para pre- spices
parar y conservar alimentos, como son la pimienta°, el gengibre°, la canela° pepper / ginger / cinnamon
5 y la mostaza°. mustard

    En el año de 1453 este comercio se interrumpió bruscamente cuando los turcos° cerraron el paso a las caravanas que venían del Lejano Oriente a Turks
Europa. Inmediatamente los portugueses y los españoles empezaron a bus-
car nuevos caminos para llegar a las Indias y controlar el comercio de
10 especias. Cristóbal Colón iba a buscar ese nuevo camino cuando salió de España en agosto de 1492.

    Colón no llegó nunca a las Indias porque en el camino había dos nuevos continentes que los europeos no conocían: el continente norteamericano y el continente sudamericano. Aunque los españoles no encontraron las famosas
15 especias en el Nuevo Mundo, sí encontraron otros productos alimenticios y especias muy importantes.

    El producto más importante fue el maíz, palabra que usaban los indios tainos de Cuba. Este grano° era conocido en las islas del Mar Caribe, en la grain
América Central y en la América del Sur. Los aztecas de México cultivaban
20 maíz y lo consideraban su alimento más importante. Usaban el maíz para hacer tortillas y tamales de una forma muy parecida a cómo se hacen hoy en día° en México y en otros países hispanos. today

En la América del Sur, en el imperio de los incas, los españoles encontraron otro cultivo importantísimo, la papa. Los incas habían aprendido a
25 cultivar la papa, que hoy en día es uno de los alimentos más populares en
todo el mundo.

A partir de 1492 se estableció un intercambio de productos alimenticios
entre todos los continentes. Los nuevos productos de la América llegaron a
Europa, a África y a Asia, y los productos de Europa y Asia se transplan-
30 taron al Nuevo Mundo.

actividad

1. ¿A qué llamaban Indias los europeos?
2. ¿Qué compraban los europeos en las Indias? ¿por qué?
3. ¿Quiénes cerraron el paso a las caravanas europeas?
4. ¿Qué empezaron a buscar los portugueses y los españoles?
5. ¿Qué iba a buscar Cristóbal Colón?
6. ¿Qué descubrió Colón?
7. ¿Qué productos alimenticios encontraron los españoles?
8. ¿Cuál fue el producto más importante?
9. ¿Para qué usaban el maíz los indios?

En resumen

Formal commands (A–C)

INFINITIVE	YO-FORM	UD.-COMMAND	UDS.-COMMAND
preparar	preparo	prepare Ud.	preparen Uds.
vender	vendo	venda Ud.	vendan Uds.
escribir	escribo	escriba Ud.	escriban Uds.
pensar (e > ie)	pienso	piense Ud.	piensen Uds.
volver (o > ue)	vuelvo	vuelva Ud.	vuelvan Uds.
oír	oigo	oiga Ud.	oigan Uds.

1. Formal commands are used to give orders to persons addressed with
   usted or **ustedes.**
2. **Usted-** and **ustedes-**commands are formed by dropping the **o** of the
   yo-form of the present tense and adding one of two sets of endings. The
   endings **-e** or **-en** are added to **-ar** verbs, and the endings **-a** or **-an** are
   added to **-er** and **-ir** verbs.
3. Stem-changing verbs and verbs with irregular **yo-**forms follow the same
   pattern in the formation of formal commands of regular verbs.

INFINITIVE	SPELLING CHANGE	UD.-COMMAND	UDS.-COMMAND
practicar	c > qu	**practique** Ud.	**practiquen** Uds.
pagar	g > gu	**pague** Ud.	**paguen** Uds.
empezar	z > c	**empiece** Ud.	**empiecen** Uds.

Verbs ending in **-car, -gar,** or **-zar** have a spelling change in the **usted-** and **ustedes-**commands.

Object pronouns with formal commands (D, E)

AFFIRMATIVE COMMAND	NEGATIVE COMMAND
Míre**lo**, por favor.	No, no **lo** mire.
Díga**melo**.	No, no **me lo** diga.
Levánte**se**.	No, **se** levante.
Siénten**se**.	No **se** sienten.

1. Object pronouns follow and are attached to affirmative commands. A written accent is used on the next-to-last syllable of the verb to maintain the original stress pattern.
2. Object pronouns precede the verb in negative commands.
3. When two object pronouns occur in a command, the indirect-object pronoun precedes the direct-object pronoun.

Preterit tense of **estar** and **tener** (F, G)

	ESTAR	TENER
yo	estuve	tuve
tú	estuviste	tuviste
él, ella, usted	estuvo	tuvo
nosotros, nosotras	estuvimos	tuvimos
vosotros, vosotras	estuvisteis	tuvisteis
ellos, ellas, ustedes	estuvieron	tuvieron

The verbs **estar** and **tener** are irregular in the preterit tense. The next-to-last syllable is stressed in the preterit forms.

Preterit versus imperfect (H–K)

1. The preterit tense is used to focus on the beginning or end of a past action: **Terminé el trabajo. Tocaron por una hora.**
2. The imperfect tense is used:
   a) to focus on a past action in progress: **Cocinaban arroz con pollo. Leíamos el periódico.**
   b) to describe a past action that was going on when another past action occurred: **Dormía cuando llamaron. Estudiábamos cuando sonó el teléfono.**
   c) to give background information or description leading up to a past event or series of events: **Cuando salimos de casa, hacía calor y los niños jugaban en la calle.**
   d) in past time expressions: **Eran las nueve.**

Repaso

A Which word in each group does not fit in the same category as the others?

1. postre, pan, estufa, sopa
2. tenedor, cuchillo, sartén, cuchara
3. nevera, lavaplatos, horno, cafetería
4. freír, pescar, cocinar, revolver
5. manzana, cebollas, lechuga, ajo
6. cruda, picante, ensalada, quemada

B Explain how to prepare *arroz con pollo*, using *usted*-commands.

■❙❙❙ cortar el pollo   *Corte el pollo.*

1. lavar el pollo
2. ponerlo en un plato
3. agregar la sal y la pimienta
4. poner el aceite en una cazuela
5. freír el pollo
6. echar el agua
7. dejar hervir el pollo
8. echar el arroz en la cazuela
9. bajar la temperatura
10. agregar el azafrán
11. dejar cocinar el arroz
12. apagar la hornilla

C   You're the student director of the class play. Bring the rehearsal to order by instructing the actors to do certain things.

▪▥   empezar a trabajar   *Empiecen a trabajar, por favor.*

1. cerrar las puertas
2. abrir las ventanas
3. calmarse
4. sentarse
5. leer
6. apagar las luces
7. hablar en voz alta
8. no mirar los luces

D   Prepare a 6-to-8 line description of the sketch below. Include information such as who is seated around the table, who's cooking, and what foods are being served.

▪▥   *Ana prepara la cena. Todos tienen mucha hambre . . .*

E   Contradict Mrs. Cuevas's commands to her cooking class. Use direct-object pronouns in your responses.

> ◼III   Preparen el arroz.   *No lo preparen.*

1. Laven las papas, por favor.
2. Señora Cortés, corte los tomates.
3. Preparen la ensalada, por favor.
4. Cocinen las verduras.
5. Señor Morales, eche el aceite, por favor.

F   Complete the following conversational exchanges with the correct form of the preterit tense of the verbs in parentheses.

> ◼III   ¿A qué hora (venir) Roberto anoche?   *¿A qué hora vino Roberto*
> — A las ocho.   *anoche?*
>   *— A las ocho.*

1. ¡El postre está delicioso!
   — Gracias. Nosotros lo (hacer).
2. ¿(Venir) tus amigos a la fiesta?
   — No, (tener) que estudiar.
3. ¿(Estar) ustedes en México?
   — No, (estar) en Puerto Rico.
4. El pollo salió crudo. ¿Quién lo (hacer)?
   — Yo lo (hacer).
5. ¿Por qué no (venir) ustedes ayer?
   — Porque (tener) que practicar el tambor.

G   Luz María Gómez had a frightful experience last night. Retell the incident in the *yo*-form of the imperfect or preterit tense, as appropriate.

(Llegar) a casa con mi hermana menor. *(Empezar)* a preparar la cena. *(Hacer)* arroz con pollo cuando *(ver)* a alguien en el jardín de los Mendoza. Un hombre *(tratar)* de abrir la puerta. Por fin el hombre *(romper)* la ventana. *(Llamar)* a la policía. El ladrón *(estar)* en la casa cuando *(llegar)* la policía. ¡El ladrón *(ser)* el señor Mendoza!

H   Carmen and Antonio have prepared dinner for their grandparents, who are very appreciative of their efforts. Express their conversation in Spanish.

1. Grandfather asks what they're going to have for dinner.
2. Antonio answers chicken with rice, salad, and bread.
3. Carmen says she really likes chicken with rice.
4. Grandmother says she does too. She asks who made the salad, and says that it's delicious.
5. Antonio says thank you. He made it.
6. Carmen says that she prepared the chicken, and Antonio prepared the bread.

Vocabulario

SUSTANTIVOS

el aceite de oliva   olive oil
el arroz   rice
la cebolla   onion
el cocinero, la cocinera   cook
el desastre   disaster
el invitado, la invitada   guest
el pedazo   piece
el pimentón   Spanish paprika
la pimienta   black pepper
la pizca   dash
la receta   recipe
la sal   salt

VERBOS

aconsejar   to advise
agregar   to add
asegurar   to assure
cocinar   to cook
cortar   to cut
dejar   to leave
echar   to add, to pour
freír   to fry
hervir   to boil
oler: huele   it smells
revolver (ue)   to stir
saber   to taste

OTRAS PALABRAS

crudo, -a   raw
duro, -a   hard
llamado, -a   named
moderno, -a   modern
picante   hot, spicy
quemado, -a   burned
recibido, -a   received
salado, -a   salty

EXPRESIONES

al gusto   to taste
lo de siempre   the usual
me quedó crudo   it was raw
¿qué hay de nuevo?   what's new?

EN LA COCINA

el abrelatas   can opener
la cafetera   coffee pot
la cazuela   pot
la estufa   stove
la hornilla   burner (on stove)
el horno   oven
el lavaplatos   dishwasher
la nevera   refrigerator
la sartén   frying pan

EL CUBIERTO

la cuchara   tablespoon
la cucharita   teaspoon
el cuchillo   knife
el mantel   tablecloth
el platillo   saucer
el plato   plate
la servilleta   napkin
la taza   cup
el tenedor   fork
el vaso   glass

capítulo 5

¡A celebrar!

At **fiestas de despedida** in Mexico, a mariachi band may serenade the guest of honor. A typical mariachi band consists of several musicians who play the guitar, bass, cornet, or violin. Usually the group sings Mexican folk music. However, it may also sing current pop tunes. Mariachis are easily recognized by their ornate and distinct costumes.

Una llamada por teléfono

Eduardo es un joven mexicano de dieciocho años que vive en Puebla. Acaba de enterarse de que una compañera de colegio, Linda González, va a ir a Madrid, España a estudiar en la Universidad Complutense. Él decide organizarle una fiesta de despedida para la semana que viene. Llama por teléfono a su amiga Carmela.

CARMELA	¿Bueno?
EDUARDO	¿Quién habla? ¿Carmela? Soy yo, Eduardo.
CARMELA	¡Hola, Eduardo! ¡Qué me cuentas?
EDUARDO	¿Sabes que al fin de este mes Linda se va a España para empezar sus estudios de medicina?
CARMELA	Sí, lo sé. ¡Qué estupendo! ¿Verdad? Aunque la voy a echar de menos.
EDUARDO	Yo también. Por eso, pienso darle una fiesta de despedida aquí en mi casa en dos semanas. ¿Puedes venir?
CARMELA	Sí, con mucho gusto. ¿A qué hora es la fiesta?
EDUARDO	A eso de las nueve.
CARMELA	Bien. ¿Puedo ayudarte en algo? Si quieres, traeré algunos discos de música latina. Y prepararé unas quesadillas.
EDUARDO	Buena idea. Gracias. Trae también algunos de tus discos de música americana. Tú tienes una colección fantástica.
CARMELA	Bueno, hasta el sábado.
EDUARDO	Adiós.

comprensión

1. ¿Para quién organiza Eduardo una fiesta de despedida?
2. ¿Adónde va Linda? ¿Cuándo?
3. ¿Qué va a hacer ella?
4. ¿Qué va a preparar Carmela?
5. ¿Qué discos va a traer Carmela?
6. ¿Quién tiene una colección de discos?
7. ¿Cuándo es la fiesta?

extensión

A. Invite a classmate to participate in various activities. Your classmate will either accept or decline the invitation.

¿Puedes venir a [la fiesta del sábado]?	Con mucho gusto. ¿A qué hora?
Te invito a salir [este viernes].	¿El ...? Cómo no.
¿Te gustaría ir [al cine el domingo]?	Lo siento. Estoy ...
	Muchas gracias, pero no ...
	¡Ay, qué lástima! No ...
	No ... Otro día, quizás.

B. Decline the following invitations and give a reason for doing so. Select appropriate responses from the possibilities given at the right.

¿Puedes venir esta noche a [la fiesta]?
Te invito a comer en casa esta noche.
¿Quieres ir conmigo a tomar un helado?
Esta noche voy al cine. ¿Quieres venir conmigo?

No, gracias, tengo que salir con [mi hermana].
No ...
Lo siento ...
Gracias, pero ...

¡vamos a hablar!

You're having a party next Saturday. Invite several friends to come over. If they have other plans already, persuade them that your party will be much more fun.

¡A bailar!

Es el sábado quince y en la fiesta de despedida todos están pasándolo bien. Son las diez y todos los invitados se reúnen para darle el regalo a Linda.

EDUARDO Ven acá, Linda. Tenemos una sorpresa para ti.
LINDA ¿Pero qué es esto? ¿Qué hay en el paquete?
CARMELA Ábrelo y verás.
LINDA ¡Una radio! Gracias. Me vendrá bien en España.
EDUARDO ¿Por qué no pones la radio para poder bailar?
CARMELA Sí, ponla en la estación XEW. Tocan música moderna toda la noche.
EDUARDO Escucha, Linda, están tocando tu canción favorita. ¿Quieres bailar?
LINDA Sí, vamos.
EDUARDO ¿Qué piensas? ¿Por qué estás triste?
LINDA Será un año largo y sin amigos ...
EDUARDO Verás que pasará pronto y te esperaremos con una gran fiesta.

comprensión

1. ¿Qué le regalaron a Linda?
2. ¿Qué estación pone Linda? ¿Por qué?
3. ¿Qué tipo de música les gusta a los jóvenes?
4. ¿Por qué está triste Linda?

extensión

A. Express your gratitude for the following presents. Select appropriate responses from the possibilities given at the right.

Aquí tienes un [suéter de lana°].
Te regalo esta [radio portátil°].
Toma este [cartel de España].
Vamos a celebrar tu cumpleaños [en un restaurante].

Muchas gracias.
Me gusta mucho [el cartel].
Eres muy amable.
Tenía ganas de tener un [suéter].
Te agradezco° la [radio].

B. If you're a person of action, you may have to encourage people to do certain things. Indicate what activities you would initiate in the following circumstances.

Tienes hambre, pero tus compañeros no quieren [almorzar].
Tú y tu hermano van a llegar tarde a [la escuela].
Estás en una fiesta y quieres [bailar].

¡Vamos a cantar!
¡Vamos a divertirnos!
¡Vamos a comer!
¡Vamos a correr!
¡Vamos a almorzar!
¡Vamos a bailar!

impresiones y gustos

How do you feel in the following social situations? Express your positive and negative feelings by combining an element from each column below.

1	2	3
Cuando me despido de un buen amigo	estoy	muy contento/a
	tengo	una gran alegría
Cuando conozco a una persona nueva	me siento	mucha pena
		muy mal
Cuando voy de viaje por mucho tiempo		mucho miedo

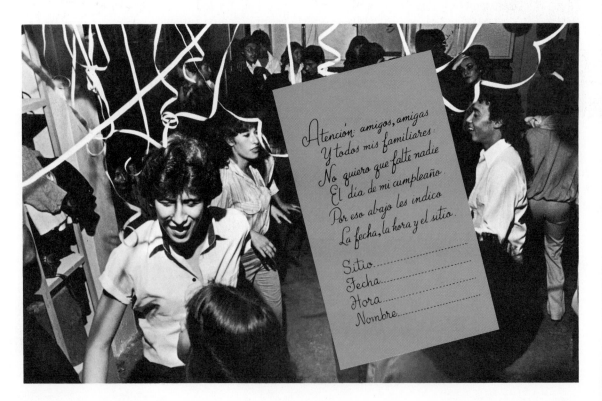

Atención: amigos, amigas
Y todos mis familiares:
No quiero que falte nadie
El día de mi cumpleaño.
Por eso abajo les indico
La fecha, la hora y el sitio.

Sitio......................
Fecha......................
Hora......................
Nombre......................

Estudio de palabras

Expresiones de felicitación

¡Felicidades!   Congratulations!
¡Enhorabuena!   Congratulations!

¡Feliz cumpleaños!   Happy birthday!
¡Que cumplas muchos más!   May you have
   many more!

¡Buen viaje!   Have a good trip!
¡Que te diviertas!   Have a good time!

¡Buena suerte!   Good luck!
¡Que todo te salga bien!   I hope everything
   turns out well for you!

A   Express an appropriate sentiment to each person in the following situations.

■⫫   Un amigo va a entrar en la oficina   *¡Que todo te salga bien!*
   del director. ¿Qué le dices?

1.   Tu tía va al hospital. ¿Qué le dices?
2.   Tu hermano va a una fiesta. ¿Qué le dices?
3.   Tu mejor amiga cumple 15 años. ¿Qué le dices?
4.   Un compañero va a escribir un examen. ¿Qué le dices?
5.   Tus amigos salen para Venezuela. ¿Qué les dices?
6.   Tu hermano acaba de ganar $5.000. ¿Qué le dices?

La radio y la televisión

poner la televisión to turn the TV on
apagar la televisión to turn the TV off
subir el volumen to turn the volume up

bajar el volumen to turn the volume down
cambiar la estación to change the station
poner la estación 104 to set the dial on 104

B Decide on a logical course of action for each situation described below.

▪▮ No quieres oír la radio. *Tengo que apagar la radio.*

1. Quieres mirar televisión.
2. No puedes oír bien la televisión.
3. No te gusta el programa.
4. Quieres ver un programa en la estación 19.
5. No quieres mirar televisión.
6. Ahora quieres escuchar la radio otra vez.

¡vamos a hablar! Share with a classmate the name and station of your favorite radio and television programs. You may also tell her/him the day and time the program is presented.

¿Cuál es tu programa favorito? Me gusta mucho *Noche a noche* en la estación 13.

Pronunciación y ortografía

palabras claves ▮ [y]   yo, silla

The Spanish letters **y** and **ll,** as in **yo** and **silla,** reflect several pronunciations, depending on the place of origin of the speaker. In many Spanish-speaking areas, the [y] sound is similar to English [y] in *yes*. The **ll** in words like **silla** and **llama** is also pronounced with the [y] sound in Mexico, in some parts of Spain, and in many parts of South America.

The [ll] sound is similar to the sound *lli* in English *million*, and is used in Spain and in some areas of Latin America. You should follow the pronunciation recommended by your teacher.

A   Pronounce the following words after your teacher.

aquella	calla	silla	cuello	yo
caballo	collar	llueve	detalle	ya
orilla	pasillo	calle	hornilla	ayuda
tortilla	llevo	maravilloso	llamado	mayo
anillo	cuchillo	taquilla	servilleta	ayer

B   Read the following sentences aloud. Imitate the pronunciation of your teacher.

1. La señora Padilla llevaba un collar valioso en el cuello.
2. Ayer llamé a la taquilla del teatro.
3. Mi familia y yo vivimos en la calle Sevilla.
4. En mayo todos vamos a ayudar al profesor.

Quien fue a Sevilla, perdió su silla.

Gramática

Future tense

Te **llamaré** el lunes.		*I'll call* you on Monday.
Luis **irá** a Lima en mayo.		Luis *will go* to Lima in May.
Nos levantaremos a las seis.		*We'll get up* at six o'clock.

The future tense is used to describe an action or event that will take place in the future. Spanish has no equivalent of the auxiliaries *shall* or *will*.

	BUSCAR	LEER	PEDIR
yo	buscaré	leeré	pediré
tú	buscarás	leerás	pedirás
él, ella, usted	buscará	leerá	pedirá
nosotros, nosotras	buscaremos	leeremos	pediremos
ellos, ellas, ustedes	buscarán	leerán	pedirán

The future tense of most Spanish verbs is formed by adding the future endings to the whole infinitive. A written accent occurs on the stressed vowel of all future endings except **-emos.** Note that there is only one set of endings for *all* verbs.

A Inform a neighbor whom you and members of your family will visit this coming weekend.

■||| Pepe / a su amigo Carlos   *Pepe visitará a su amigo Carlos.*

1. yo / a tía Alicia
2. mi papá / a su papá
3. mi mamá / a la señora Sánchez
4. Jorge y Eduardo / a tío Alberto

B Marta inquires about Felipe's future plans. Take either role, and use the cues provided.

■||| estudiar para el examen / esta noche   Marta: *¿Cuándo estudiarás para el examen?*
Felipe: *Estudiaré esta noche.*

1. enviarle la carta a Anita / hoy mismo
2. escribirle a Esperanza / la semana próxima
3. comprar los discos / el sábado por la mañana
4. ir al médico / el viernes por la tarde

C   Indicate who will be involved in the following activities by restating each sentence to include both people mentioned.

■ⅲ   Yo estudiaré con Patricia esta noche.   *Patricia y yo estudiaremos esta noche.*

1. Miguel volverá con Roberto el jueves.
2. Usted cenará con Gilberto el sábado.
3. Yo llegaré con mamá a las tres.
4. Mi hermano jugará al tenis con Alejandro.
5. Juan irá al concierto con Pablo.
6. Yo prepararé el almuerzo con Clara.
7. Yo iré a Puerto Rico con Delia.

Te **llamo** el lunes.	*I'll call* you on Monday.
Luis **va a ir** a Lima en mayo.	Luis *is going to go* to Lima in May.
Nos levantamos a las seis.	*We're going to* get up at six o'clock.

Future meaning may also be expressed with the present tense of a verb or with the present tense of **ir** + infinitive. When future meaning is expressed with the present tense, a time expression is usually used with the verb.

D   Confirm the fact that the following events and activities will take place tomorrow. Use a form of *ir a* + infinitive.

■ⅲ   ¿Celebrarás tu cumpleaños mañana?   *Sí, voy a celebrar mi cumpleaños mañana.*

1. ¿Ayudarás a Víctor mañana?
2. ¿Le prestarás el tocadiscos a Luis?
3. ¿Comerán los jóvenes en un restaurante bueno?
4. ¿Comprarás una radio portátil?
5. ¿Regresarás a la ciudad el lunes?
6. ¿Volverán los Hernández a casa?
7. ¿Apagarás la radio?
8. ¿Harán los Álvarez el viaje?

Puebla, Mexico, located some 127 kilometers southeast of Mexico City, is best known for its ceramics factories, colonial architecture, and many buildings walled with blue Talavera tile. Prior to the arrival of the Spaniards, the Indians in the area around Puebla were already skilled potters. Later, after the conquest of Mexico, artisans from Toledo, Spain combined their pottery techniques with the Indian methods. Today Puebla presents a harmonious blend of the Indian, European, and modern-day cultures in its ceramics industry, colonial churches, plazas, and buildings.

Por and para

E   State which places the following people passed by or through en route to José's house last night.

▪◗   yo / el parque Bolívar   *Pasé por el parque Bolívar.*

1. tú / la estación de policía
2. ustedes / el hospital
3. nosotros / la universidad
4. Juan y Marta / la piscina
5. Pepe / el barrio
6. Teresa y Pilar / el museo

F   Decide how much time you will spend every day next week on each activity mentioned.

▪◗   trabajar en casa   *Trabajaré en casa por [dos horas].*

1. estudiar español
2. practicar el piano
3. cocinar
4. visitar a mis abuelos
5. arreglar el garaje
6. reparar el coche

G   Manuel has been fortunate enough to buy several items on sale. Ask him how many dollars he paid for each purchase.

▪◗   libro de historia / 1 dólar   Tú: *¿Cuánto pagaste por el libro de historia?*

Manuel: *Pagué un dólar por el libro de historia.*

1. grabadora / 80 dólares
2. calculadora / 14 dólares
3. maleta / 30 dólares
4. suéter / 6 dólares
5. radio portátil / 20 dólares
6. tocadiscos / 100 dólares

The base of many Mexican dishes is **maíz** *(corn)*, one of the food products that was found in the Americas by early explorers. Such dishes as **quesadillas, enchiladas,** and **tamales** are all made with corn meal. The beverage **atole** even has a cornmeal gruel as its base. Today, many Mexicans still grind their corn in the way their ancestors did — with the **metate** and **mano,** a special bowl and stone for grinding seeds, grains, and vegetables.

PARA EXPRESSES:	
destination: person	Este regalo es **para** Linda.
destination: place	Vamos **para** Honduras en julio.
a future deadline	Debes terminar **para** las dos.
purpose (in order to)	María trabaja **para** ayudar a sus padres.

H Guess for whom your mother has bought the following items.

■))) ¿Para quién es ese pantalón? ¿Para mí?   *No, es para [Pedro].*

1. ¿Para quién son esas camisas? ¿Para Pablo?
2. ¿Para quién es ese abrigo? ¿Para Felipe?
3. ¿Para quién son esas blusas? ¿Para Laura?
4. ¿Para quién es ese vestido? ¿Para ti?

I Indicate the time of day each person mentioned must finish her/his biology project.

■))) Paco / las dos   *Paco debe terminarlo para las dos.*

1. Anita / las dos y quince   3. Nicolás / las cuatro y cinco
2. Guillermo / las tres   4. Fabiola / las cinco menos diez

J Explain why each of the following persons is working this year.

■))) Dolores quiere comprar una bicicleta.   *Trabaja para comprar una bicicleta.*

1. Mi mamá quiere estudiar en la universidad.
2. Gloria quiere hacer un viaje a Chile.
3. Linda quiere estudiar medicina en España.

Affirmative tú-commands

PRESENT TENSE	AFFIRMATIVE **TÚ**-COMMAND	
miras	**Mira** esta revista.	Mírala.
vendes	**Vende** ese coche viejo.	Véndelo.
abres	**Abre** las ventanas.	Ábrelas.

You have learned that the affirmative **tú**-commands of regular **-ar, -er,** and **-ir** verbs are formed by dropping the **s** from the **tú**-form of the present tense. Object pronouns follow and are attached to affirmative commands.

K Give the following orders to your younger sister Nina, who is misbehaving.

■))) leer tus libros   *Nina, ¡lee tus libros!*

1. levantarse   4. limpiar tu cuarto
2. comer las verduras   5. hablar con tu amiga
3. beber esa leche   6. estudiar la lección

L   The following people aren't doing what you would like them to do. Ask them to carry out your orders.

■⚏   Roberto no lee la revista.   *Roberto, léela, por favor.*

1. Margarita no busca su bicicleta.
2. Carlos no bebe el refresco.
3. Alberto no paga la cuenta.
4. María no llama a Jorge.
5. Berta no cocina el arroz con pollo.
6. Guillermo no lava el carro.

PRESENT TENSE	AFFIRMATIVE TÚ-COMMAND
Cierras la puerta.	**Ciérra**la.
Te acuestas a las diez.	**Acuéstate** a las diez.
Nos **sirves** la sopa.	**Sírve**nosla.

The affirmative **tú**-commands of stem-changing verbs also drop the **s** from the **tú**-form of the present tense.

M   Your brother Enrique moves slowly in the morning. Help him to get to school on time by telling him what to do.

■⚏   despertarse   *¡Despiértate, Enrique!*

1. levantarse
2. lavarse
3. peinarse
4. vestirse
5. desayunarse
6. despedirse de mamá

Irregular affirmative tú-commands

INFINITIVE	TÚ-COMMAND		INFINITIVE	TÚ-COMMAND	
decir	di	**Dime** la verdad.	salir	sal	**¡Sal** de aquí!
hacer	haz	**¡Haz**lo ahora!	ser	sé	**Sé** bueno, Pedro.
ir	ve	**Ve** al mercado.	tener	ten	**Ten** paciencia, hija.
poner	pon	**Pon**lo en la mesa.	venir	ven	**Ven** ahora.

The verbs listed above have irregular affirmative **tú**-commands.

N   Give the following series of commands to a classmate.

■⚏   poner el libro aquí   *Pon el libro aquí.*

1. salir inmediatamente
2. decir la verdad
3. ir al cine con Diego
4. poner el abrigo aquí
5. venir a mi casa a las ocho
6. ser más estudioso/a
7. tener cuidado
8. hacer una paella

Dos vistas culturales e históricas de México.
Izquierda: Una artesana de Oaxaca hace
cerámica. Derecha: Los famosos azulejos de
Talavera adornan un edificio de Puebla.

115

La golondrina

La golondrina° es una canción popular mexicana que siempre está presente en una despedida. Es la canción que los amigos se cantan° para decirse *adiós* después de una noche de fiesta o antes de salir de viaje.

swallow
se cantan: sing to one another

El título y el tema de la canción son simbólicos. En la canción se habla del
5 vuelo de estas aves, famosas por sus migraciones en busca de tierras calientes. En California, por ejemplo, es un acontecimiento° que mucha gente
va a ver, la llegada en el mes de marzo de las golondrinas a los tejados° de la
misión española de San Juan de Capistrano. Según la leyenda° todos los
años, exactamente en la misma fecha, el cielo del Sur de California se cubre
10 con bandadas° de golondrinas que pasan una noche en la misión, antes de
seguir su vuelo hacia zonas menos calientes, donde pasan el verano.

event
roofs
legend

flocks

La golondrina

¿A dónde irá veloz° y fatigada°,
la golondrina que de aquí se va?

15 ¿O si en el viento se hallará extraviada°
buscando abrigo° y no lo encontrará?
Junto a mi lecho° le pondré su nido°,
en donde pueda la estación pasar;
también yo estoy en la región perdida

20 ¡Oh cielo santo y sin poder volar°!
Dejé también mi patria idolatrada°,
esa mansión que me miró nacer°,
mi vida es hoy errante° y angustiada
y ya no puedo a mi mansión volver.

25 Ave querida, amada peregrina°,
¡mi corazón al tuyo estrecharé°!
Oiré tu canto°, tierna° golondrina,
recordaré mi patria y lloraré.

swift/tired

se . . . extraviada: you are
lost/shelter

bed/nest

sin poder volar: unable to
fly/beloved

me . . . nacer: saw me born
wandering

traveler/mi . . . estrecharé:
I'll extend my heart to yours

song/sweet

actividad

1. ¿Qué es *La golondrina?*
2. ¿Cuándo cantan *La golondrina?*
3. ¿Por qué son famosas las golondrinas?
4. En California, ¿adónde van las golondrinas en el mes de marzo?

En resumen

The future tense (A–D)

	INVITAR	BEBER	DISCUTIR
yo	invitar**é**	beber**é**	discutir**é**
tú	invitar**ás**	beber**ás**	discutir**ás**
él, ella, usted	invitar**á**	beber**á**	discutir**á**
nosotros, nosotras	invitar**emos**	beber**emos**	discutir**emos**
vosotros, vosotras	invitar**éis**	beber**éis**	discutir**éis**
ellos, ellas, ustedes	invitar**án**	beber**án**	discutir**án**

1. The future tense of most Spanish verbs is formed by adding the future
endings to the whole infinitive. **Estudiaremos mañana. Irán a España.**
2. Future meaning may also be expressed with the present tense of a verb
or with the present tense of **ir a** + infinitive: **Te llamo esta tarde. Voy
a regalarle un tocadiscos.**

Por and para (E–J)

POR EXPRESSES:	
by or *through* a place	Entraron **por** la ventana.
duration of time	Practiqué **por** una hora.
in exchange for	Pagaron ochenta pesos **por** el regalo.
by (by means of)	La carta fue **por** correo aéreo.

PARA EXPRESSES:	
destination: person	La fiesta es **para** Alberto.
destination: place	Voy **para** Madrid.
a future deadline	Preparo el trabajo **para** mañana.
purpose (in order to)	Estudio **para** aprender.

Affirmative tú-commands (K–M)

INFINITIVE	TÚ-FORM	COMMAND
sentarse	te sientas	Siéntate.
vender	vendes	Véndela.
escribir	escribes	Escribe la carta.

1. Affirmative **tú**-commands of regular **-ar, -er,** and **-ir** verbs are formed by dropping the **s** from the **tú**-form of the present tense.
2. The affirmative **tú**-commands of stem-changing verbs follow the same formation pattern.
3. Object and reflexive pronouns are attached to affirmative commands, and a written accent is required on the stressed syllable.

Irregular affirmative tú-commands (N)

INFINITIVE	COMMAND		INFINITIVE	COMMAND
decir	di		salir	sal
hacer	haz		ser	sé
ir	ve		tener	ten
poner	pon		venir	ven

Repaso

A   Everyone has responsibilities. Verify the fact that you and your acquaint-ances will fulfill your obligations tomorrow.

▪▥   Tomás debe preparar el trabajo.   *Tomás preparará el trabajo mañana.*

1. Mi hermano debe limpiar su cuarto.
2. Yo debo comprar un regalo.
3. Elena y Raúl tienen que estudiar.
4. Tú tienes que contestar la carta.
5. Mis padres deben pagar la cuenta.
6. Ustedes deben acostarse temprano.
7. Pepe y yo debemos practicar la guitarra.

B   Clarify the meaning of the following conversational exchanges with *por* or *para*, as appropriate.

▪▥   ¿Compraste cuatro discos ＿＿ veinte dólares?   *¿Compraste cuatro discos por veinte dólares?*
— No, compré tres ＿＿ dieciocho dólares.   *— No, compré tres por dieciocho dólares.*

1. ¿Está en casa tu papá?
    — No, pero va a llegar ＿＿ las seis.
2. ¿＿＿ quién compraste este reloj?
    — Lo compré ＿＿ mi hermana Elena.
3. ¿A qué hora pasa el autobús ＿＿ tu casa?
    — A eso de las diez.
4. ¿Vas a España ＿＿ visitar a tus abuelos?
    — Sí, voy a visitarlos ＿＿ tres semanas.
5. ¿Prefieres trabajar ＿＿ un hombre o ＿＿ una mujer?
    — Me es igual.
6. Piensas escribirle una carta a Teresa, ¿verdad?
    — No, la llamaré ＿＿ teléfono.
7. ¿Cómo viajan tus padres a Colombia?
    — ＿＿ avión. Siempre viajan ＿＿ avión.

C   Decide what various friends and relatives should do based on the informa-tion provided. Give them appropriate orders, using affirmative *tú*-com-mands.

▪▥   Gregorio no dice la verdad.   *Gregorio, di la verdad.*

1. Graciela debe venir pronto.
2. María debe apagar la radio.
3. Pedro quiere mirar televisión.
4. Carlos quiere ir al concierto.
5. Tú debes hacer la tarea.
6. Pepe debe tener cuidado.

D Various friends are helping you prepare for Linda's going-away party. Assign each person an appropriate task. Use affirmative *tú*-commands and direct- and indirect-object pronouns.

■||| ¿Llamo a Arturo para invitarlo? *Sí, llámalo, por favor.*

1. ¿Le compro un regalo a Linda?
2. ¿Te ayudo a planear la comida ahora?
3. ¿Preparo el arroz con pollo?
4. ¿Te presto unos discos?
5. ¿Pongo la radio?
6. ¿Apago la televisión?

E It's Sara's birthday and the first guests are beginning to arrive at the party. Describe the scene below in six to eight lines. Include information about who the guests are, how various members of Sara's family are helping out, what the guests are saying to Sara, and what foods are being served.

■||| *Es el cumpleaños de Sara . . .*

Vocabulario

SUSTANTIVOS

la canción   song
la colección   collection
la fiesta de despedida   farewell party
la lana   wool
la quesadilla   cheese-filled pie
la radio portátil   portable radio

VERBOS

agradecer   to thank for
apagar [la radio]   to turn off [the radio]
bajar el volumen   to turn down the volume
poner [la radio]   to turn on [the radio]
reunirse   to get together, to meet
subir el volumen   to turn up the volume
traer   to bring, to carry

OTRAS PALABRAS

americano, -a   American
esto   this
fantástico, -a   fantastic, great
latino, -a   Latin
moderno, -a   modern
triste   sad

EXPRESIONES

a eso de [las nueve]   at about [nine o'clock]
al fin de   at the end of
¡buen viaje!   have a good trip!
¡buena suerte!   good luck!
con mucho gusto   gladly
echar de menos   to miss (a person)
enhorabuena   congratulations
felicidades   congratulations
¡que cumplas muchos más!   may you have many more!
¡qué estupendo!   wonderful!
¡que te diviertas!   have a good time!
¡que todo te salga bien!   I hope everything turns out well for you!
[la semana] que viene   next [week]
vamos   come on
ven acá   come here

capítulo 6

¡Manos a la obra!

Increasing numbers of students in Colombia are organizing school newspapers. Students write editorials and articles about world politics and sports. Also they may publish crossword puzzles, guessing games, original stories, and poems. In order to finance the paper, parents and local merchants often purchase ads in the school paper.

Periódico estudiantil

Los alumnos del colegio San Ignacio de Loyola deciden publicar un periódico estudiantil este año. El comité del periódico se reúne para discutir la publicación del primer número.

ROBERTO	Como director de *El Globo,* quiero saber qué ideas tienen ustedes para el primer número. Creo que podemos sacar° doce páginas este año. ¿Qué debemos publicar?

publish

5   LUIS   Yo creo que necesitamos artículos sobre deportes y música. También necesitamos un editorial y un consultorio personal°.

consultorio personal: advice column

PACO   Estoy de acuerdo.

ROBERTO   Bien. ¿Cómo vamos a trabajar? ¿Qué quieren
10   hacer ustedes?

MARIO   Pues, yo me encargaré de la página deportiva.

ROBERTO   Bueno, Mario. ¿Por qué no escribes un artículo sobre el partido de fútbol que vamos a tener el sábado contra el colegio San Mateo?

15   MARIO   ¡Está bien! ¡Perfecto!

PACO   Yo puedo escribir el consultorio personal.

ROBERTO   Sí, ya sabemos que eres bueno para dar consejos.

LUIS   Y yo haré el editorial, si quieren. Me gusta escribir sobre cuestiones sociales.

20   ROBERTO   Cómo no. ¿Sobre qué piensas escribir?

LUIS   Escribiré sobre el problema de los perros abandonados en las calles de la ciudad.

ROBERTO   ¡Bien! Hace falta escribir un buen artículo sobre ese tema.

25   PACO   Roberto, ¿cuántas veces al mes se publicará *El Globo?* ¿una vez? ¿dos veces?

ROBERTO   Solamente vamos a publicarlo dos veces al mes, creo. No olvides que de vez en cuando hay que estudiar también.

30   TODOS   ¡Está bien! ¡Magnífico! ¡Manos a la obra!

comprensión

1. ¿Quién es el director del periódico estudiantil?
2. ¿Cómo se llama el periódico?
3. ¿Cuántas veces al mes publicarán el periódico?
4. ¿Quién se encargará de la página deportiva?
5. ¿Quién va a escribir los editoriales? ¿Por qué?
6. ¿Quién escribirá un consultorio de problemas?

Refuse or offer your assistance to a club or committee by volunteering to do tasks like the following. Select an appropriate response from the possibilities given at the right.

¿Quién puede hacer [la página deportiva] para el periódico?

¿Puedes traer [los discos] para la fiesta del club de español?

¿Quién puede escribir la carta?

¿Puedes organizar [la fiesta]?

Yo me encargo de eso.

Sí, yo [lo] haré.

Puedes contar conmigo°.

Lo siento, no [puedo].

Responsabilidad

Éste es el editorial que escribió Luis en el primer número de El Globo.

Muchos de nuestros lectores se quejan° del número de perros que andan° por las calles. No podemos comprender cómo hay personas que abandonan a sus perros después de tenerlos en su casa un tiempo. Los animales merecen° nuestro cuidado, porque nos dan cariño a cambio de° un poco de
5 comida y de un poco de afecto y cuidado°. Es responsabilidad de todos cuidar a los animales que tenemos en casa. Muchos perros no tienen collar de identificación, algunos están enfermos y parece que otros no comen nunca.

Amigo lector, si usted quiere a su perro . . . ¿por qué lo deja suelto° por las
10 calles? Si usted quiere a su perro . . . ¿por qué no lo alimenta debidamente°? Si usted quiere a su perro . . . ¿por qué no lo lleva al veterinario cuando está enfermo?

El Globo dice a sus lectores: Cuiden a sus perros. No los dejen sueltos. Aliméntenlos, y recuerden que el perro es el mejor amigo del hombre.

complain / are wandering

deserve / a . . . de: in exchange for / care

loose

properly

Restate the opinions expressed by Luis in his editorial in *El Globo*. Include the following topics:

1. el abandono de perros
2. cariño a los animales
3. responsabilidad de todos
4. condición de algunos perros

Complain about situations like the following. Choose a suitable response from the right-hand column.

No vamos a tener [clases de música] este año.

El equipo de fútbol no va a tener [nuevos uniformes] este año.

Muchos perros no tienen casa.

No es justo°.

Es intolerable°.

Es insoportable°.

Eso es triste.

Eso no puede ser.

Estudio de palabras

Animales

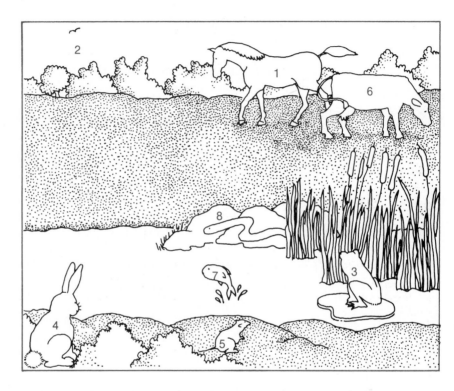

1 el caballo
2 el pájaro
3 la rana
4 el conejo
5 el ratón
6 la vaca
7 el pez
8 la culebra

A Decide what kind of pet or pets the following people might have.

■ⁱⁱⁱ Jorge vive en un apartamento pequeño.   *Jorge tiene un pez.*

1. María vive en una casa en el campo.
2. La señorita Cuevas vive en una casa pequeña en la ciudad.
3. El señor Martín vive solo en un apartamento grande.
4. Los Mendoza viven en una casa grande en la ciudad.
5. Los Padilla viven en una finca.

B Make a statement about eight of the animals pictured on this page.

■ⁱⁱⁱ *El coquí es una rana pequeña que vive en los árboles de Puerto Rico.*

¡vamos a hablar! Exchange information with several classmates about pets they have.

Oye, Jorge, ¿tienes un gato   *Sí, en realidad tengo tres gatos.*
en casa?

Pronunciación y ortografía

palabras claves

[p] pan
[t] tomate
[k] casa, **qu**ince, **k**ilo

In Spanish [p], [t], and [k] are not aspirated, that is, they are not pronounced with a puff of air as they often are in English. The sound [k] is spelled **qu** before **e** and **i**, and **c** before **a**, **o**, and **u**.

Pronounce the following words after your teacher. Pay special attention to the [p], [t], and [k] sounds.

[p]		[t]		[k]	
pescando	amplio	tiempo	dentista	carro	quinto
parque	campo	Antonio	enfrente	cartel	quiero
pecas	papas	tiene	estación	toca	aquella
profesora	compra	todos	martes	pesca	esquina

Read the following sentences.

1. Tomás piensa tomar el quinto autobús.
2. Pablo puede pagar la cuenta.
3. Creo que Carlos tiene una casa elegante.
4. Antonio pone los platos en la mesa.
5. Quiero aquel carro.
6. Mi papá está pescando.

Los gatos tienen siete vidas.

Gramática

Irregular future stems

¿Cuándo **podrás** ayudarme? When *will you be able* to help me?
Saldré a las ocho. *I'll leave* at eight o'clock.

A small number of Spanish verbs have an irregular infinitive stem in the future tense. The future stem is modified in several ways, but it always ends in **-r.** The future *endings* are the same as for all other verbs.

INFINITIVE	FUTURE STEM	YO-FORM
haber	**habr-**	habré
poder	**podr-**	podré
querer	**querr-**	querré
saber	**sabr-**	sabré

Verbs in Group 1 drop the **e** of the infinitive ending, and add the appropriate future tense endings.

A Lucía is optimistic about who will be able to help you prepare for a picnic. You're more pessimistic. Disagree with Lucía's statements.

▪∎ Armando Lucía: *Armando podrá ayudarnos.*
Tú: *No lo creo. Armando no podrá ayudarnos.*

1. los chicos
2. tu primo Daniel
3. yo
4. María y Elena
5. Carmen y su hermana
6. el nuevo alumno

B There's a new horror movie at the *Cine Español.* Guess whether the following people will want to go or not, according to the information supplied.

▪∎ A María le gustan las películas románticas. *Ella no querrá ir.*

1. Jorge tiene mucho trabajo en casa.
2. Emilia está enferma.
3. Tú no tienes dinero.
4. Mi hermana y yo estamos aburridos.
5. Roberto tiene dos boletos.

INFINITIVE	FUTURE STEM	YO-FORM
poner	pondr-	pondré
salir	saldr-	saldré
tener	tendr-	tendré
valer	valdr-	valdré
venir	vendr-	vendré

Verbs in Group 2 drop the **e** or **i** of the infinitive ending and insert a **d.** The appropriate future endings are then added to the future stem.

C   Report who will and who won't have time to go dancing tonight.

■III   Raquel (sí)   *Raquel sí tendrá tiempo.*

1. yo (no)
2. nosotras (sí)
3. Fernando (sí)

4. Susana y Héctor (no)
5. tú (no)
6. Mario e Inés (sí)

D   You are meeting some of your friends downtown for lunch. Say at what time they will leave home, depending on the distance they live from the restaurant.

■III   Felipe / 10:00   *Felipe saldrá a las diez.*

1. Alicia y yo / 10:15
2. tú / 10:30
3. Miguel y Pepe / 10:45

4. Enrique / 10:50
5. mi prima / 11:15
6. los otros / 11:00

INFINITIVE	FUTURE STEM	YO-FORM
decir	dir-	diré
hacer	har-	haré

Verbs in Group 3 drop the **c** in the future stem. The vowel **e** of **decir** changes to **i.**

E   The staff members of the school newspaper must write various articles for the next issue. On what day will each person carry out his/her assignment?

■III   Yo tengo que escribir algo sobre   *Lo haré el lunes.*
     los exámenes.

1. Héctor debe escribir algo sobre el consejo estudiantil.
2. Mario debe escribir algo sobre el Club Español.
3. Susana y Elena tienen que escribir algo sobre la música popular.
4. Nosotros debemos escribir algo sobre los jóvenes.

F   Adela has just won a writing contest. Ask her whom she plans to tell.

    ■⫶   ¿Se lo dirás a tu mamá?   *Sí, se lo diré.*
                                                    (No, no se lo diré.)

1. ¿Se lo dirás a tu papá?
2. ¿Se lo dirás a tus abuelos?
3. ¿Se lo dirás a tus primas?
4. ¿Se lo dirás a Juanita?
5. ¿Se lo dirás a tus hermanas?
6. ¿Se lo dirás a tu profesor?

¡vamos a hablar!   Exchange information with your classmates about two or three things you will do or make tomorrow afternoon.

Negative **tú**-commands

INFINITIVE	YO-FORM	NEGATIVE **TÚ**-COMMAND
mirar	miro	**No mires** el programa.
comer	como	**No comas** más postre.
abrir	abro	**No abras** la puerta.

Negative **tú**-commands of regular **-ar** verbs are formed by replacing the final **o** of the **yo**-form of the present tense with the ending **-es.** For regular **-er** and **-ir** verbs, the final **o** of the **yo**-form is replaced by the ending **-as.**

INFINITIVE	YO-FORM	NEGATIVE **TÚ**-COMMAND
sentarse (e > ie)	me siento	**No te sientes.**
volver (o > ue)	vuelvo	**No vuelvas** tarde.
tener	tengo	**No tengas** miedo.

Stem-changing verbs and most verbs with an irregular **yo**-form in the present tense follow the same formation pattern as regular verbs.

INFINITIVE	YO-FORM	NEGATIVE **TÚ**-COMMAND
ser	soy	**No seas** tonto.
ir	voy	**No vayas** al mercado.
estar	estoy	**No estés** impaciente.

The negative **tú**-commands of **ser, ir,** and **estar** are irregular.

G   Help a friend through each step of the following recipe by using negative *tú*-commands.

■⫶   ¿Compro un kilo de pollo?   *No, no compres un kilo de pollo.*

1. ¿Corto el pollo en pedazos?
2. ¿Echo la sal y la pimienta?
3. ¿Dejo reposar el pollo?
4. ¿Echo el agua?
5. ¿Agrego las cebollas y el arroz?
6. ¿Cocino el pollo por media hora?

H   Jorge is resigned to being criticized by everyone for various habits or difficulties he has. Take Jorge's role and complete his statements.

■⫶   Si salgo sin dinero, mi papá me dice . . .   *¡No salgas sin dinero!*

1. Si hago ruido en la sala, mi mamá me dice . . .
2. Si toco la guitarra en mi cuarto mi hermano menor me dice . . .
3. Si como rápido, mi hermana mayor me dice . . .
4. Si hablo inglés en la clase de español, el profesor me dice . . .
5. Si tengo miedo cuando veo un perro, Alberto me dice . . .
6. Si juego al tenis en vez de trabajar, Alicia me dice . . .
7. Si tomo café para el desayuno, el médico me dice . . .
8. Si me acuesto tarde, mi madre me dice . . .
9. Si vuelvo tarde a casa, mi padre me dice . . .

I   The students in Mr. Padilla's class are not behaving well today, and he asks them to stop doing what they are doing. Take Mr. Padilla's role.

■⫶   Paco habla en voz alta.   *Paco, no hables en voz alta, por favor.*

1. Daniel bebe un refresco.
2. Carolina abre las ventanas.
3. Elena escribe una carta.
4. Eduardo cuenta su dinero.
5. Guillermo come un helado.
6. Linda lee una revista.
7. Miguel escucha una radio.
8. María le escribe una nota a Carlos.

J   You are baby-sitting for the García's children. Try to guide the children when they complain about each other's activities.

■⫶   Luisito sale al jardín   *Luisito, no salgas al jardín.*

1. Laurita dice mentiras.
2. Paquito hace mucho ruido.
3. Alejandro abre la puerta.
4. Pati va a la casa del vecino.
5. Delia rompe los platos.
6. Juanito sale a la calle.
7. María come el postre.
8. Isabel bebe café con leche.

Object pronouns with **tú**-commands

AFFIRMATIVE	NEGATIVE
Háble**me** en español.	No **me** hables en inglés.
Siénta**te** en la silla.	No **te** sientes en la mesa.
Dá**melas** más tarde.	No **me las** des ahora.
Présta**selo** a Juan.	No **se lo** prestes a Jorge.

Object and reflexive pronouns follow the same pattern as pronouns used with formal commands.

1. They follow and are attached to affirmative **tú**-commands, and they precede negative **tú**-commands.
2. When two object pronouns occur in a command, the indirect-object pronoun precedes the direct-object pronoun.
3. **Se** replaces **le** or **les** before **lo, la, los,** or **las.**
4. A written accent mark is used on the next-to-last syllable of a command form used with an attached pronoun.

K You and Elena are discussing the guest list for a farewell party for Guillermo. Tell Elena whom to invite or not to invite.

■⫶ ¿Invito a Juan?   *Sí, invítalo.*
                       (No, no lo invites.)

1. ¿Invito a Luz?
2. ¿Invito a Carmen?
3. ¿Invito a Ricardo?
4. ¿Invito al hermano de Delia?
5. ¿Invito a la prima de Gustavo?
6. ¿Invito a tus amigos Pepe y Paco?

L   You offer to help your mother prepare dinner. She indicates whether she needs your assistance or not.

■ⅲ   ¿Lavo la lechuga?   *Sí, lávala, por favor.*
                            (No, no la laves.)

1. ¿Corto los tomates?   3. ¿Busco las servilletas?
2. ¿Echo una pizca de sal en el arroz?   4. ¿Pongo la mesa?

M   You are collecting items for a garage sale. Decide which items you will accept and which you won't.

■ⅲ   ¿Quieres esta calculadora?   *Sí, dámela, por favor.*
                                     (No, no me la des.)

1. ¿Quieres esa bicicleta?   4. ¿Necesitas estas sillas?
2. ¿Quieres estos discos?   5. ¿Necesitas esas cartas?
3. ¿Quieres esos paquetes?   6. ¿Necesitas esta grabadora?

N   Ricardo likes to borrow things, but he rarely returns them. Advise Eduardo not to loan Ricardo the following items of clothing.

■ⅲ   la corbata azul   Eduardo: *¿Le presto la corbata azul?*
                          Tú: *No, no se la prestes.*

1. los pantalones blancos   4. el sombrero rojo
2. la camisa verde   5. la chaqueta amarilla
3. el abrigo negro   6. el suéter de lana

¡vamos a hablar!   Request another classmate to do or not to do various things, depending on your mood. Use some of the following verbs.

comprar	contestar	beber	abrir
preparar	limpiar	comer	escribir
arreglar	cuidar	hacer	servir
invitar	tocar	volver	ir

Until recent years, household pets were not common in Spanish-speaking countries. Traditionally, a bird was the only type of animal that was kept in the house. Today, however, more families are welcoming dogs and cats into their homes. These pets are rarely named after people. Such names as **Guardián** and **Chato** (pug nose) are quite common.

Verbs like **gustar**

(A mí) me basta un vaso de agua.   One glass of water *is enough for me.*

(A ella) le quedan dos dólares.   *She has* two dollars *left.*

A number of Spanish verbs, including **bastar** *(to be enough)*, **encantar** *(to like)*, **faltar** *(to need)*, **interesar** *(to interest)*, and **quedar** *(to have left)*, are used in sentence patterns that follow the same order as **gustar**-constructions: indirect object + verb + subject (singular or plural). A prepositional **a**-phrase is often used for emphasis or clarity.

INDIRECT OBJECT	VERB	SINGULAR SUBJECT
me te le nos les	gusta basta encanta falta interesa queda	el coche azul

INDIRECT OBJECT	VERB	PLURAL SUBJECT
me te le nos les	gustan bastan encantan faltan interesan quedan	los coches azules

O   Specify what things the following people need.

  ▪▥   a mí / ropa de verano   *Me falta ropa de verano.*

1. a Luis / los libros de historia
2. a nosotros / tiempo para estudiar
3. a María / una bicicleta
4. a ti / discos
5. a Teresa / el cassette
6. a Ud. / dinero

P   You and your friends had $100 each to spend. Tell how much money you have left after buying the following items at the prices indicated.

  ▪▥   Pablo compró una chaqueta de $60.00.   *Le quedan $40.00.*

1. Yo compré un par de zapatos de $20.00.
2. Tu amigo Alberto compró un traje de baño de $15.00.
3. Linda compró una blusa de $8.00.
4. Tú compraste un cassette de $4.00.

Q   Guess how many of the following items are enough for the persons named.

  ▪▥   Roberto / coches   *A Roberto le bastan [dos] coches.*

1. al señor Díaz / gatos
2. a la señora Ortiz / perros
3. a la señorita Ruiz / casas
4. a los señores González / grabadoras
5. a mí / teléfonos en la casa
6. a ti / casa de campo
7. a Pepe y a Pedro / chaquetas
8. a Laura y a Isabel / faldas

Lectura

Consultorio

Querido Paco:

    Sólo tengo 13 años y ya estoy preocupada. Tengo un problema que me parece terrible. Mis compañeros me acusan° de no saber guardar° secretos.   accuse/keep
Cuando una amiga me dice algo personal yo, sin darme cuenta, se lo repito a todo el mundo. Me falta control personal. Por favor, dígame qué puedo
5 hacer para corregir° este defecto infantil.   correct

                                  Una joven preocupada

Querida joven preocupada:

    Casi todas las personas creen que contar secretos es un defecto infantil, pero no es verdad. Muchos de nosotros no podemos guardar un secreto más
10 de cinco minutos. Esto pasa porque necesitamos sentirnos importantes contando algo que nadie sabe. Si quieres corregir ese defecto, piensa antes de
hablar. Tienes que controlarte y en lugar de° contar secretos, cuenta una   en . . . de: instead of
película, un chiste° o una noticia.   joke

                                  Paco

actividad   Answer the following questions based on the *Consultorio*.

    1. ¿Qué edad tiene la joven preocupada?
    2. ¿Qué le preocupa a la joven?
    3. ¿Qué le dice Paco a la joven?
    4. ¿Por qué hay personas que no pueden guardar un secreto?

En resumen

Irregular future stems (A–F)

INFINITIVE	FUTURE STEM	YO-FORM
haber	habr-	habré
poder	podr-	podré
querer	querr-	querré
saber	sabr-	sabré
decir	dir-	diré
hacer	har-	haré

INFINITIVE	FUTURE STEM	YO-FORM
poner	pondr-	pondré
salir	saldr-	saldré
tener	tendr-	tendré
valer	valdr-	valdré
venir	vendr-	vendré

Certain verbs have irregular future stems. Some drop the **e** of the infinitive ending: **haber;** others drop the **c** from the infinitive stem: **hacer;** and others drop the **e** or **i** of the infinitive ending and insert **d: poner.**

Negative **tú**-commands (G–J)

INFINITIVE	YO-FORM	NEGATIVE **TÚ**-COMMAND
cuidar	cuido	No **cuides** al perro.
beber	bebo	No **bebas** la leche.
escribir	escribo	No **escribas** la carta.

1. Negative **tú**-commands of regular -**ar** verbs are formed by replacing the final **o** of the **yo**-form of the present tense with the ending -**es: No cuides al perro. No bebas la leche. No escribas la carta.**
2. For regular -**er** and -**ir** verbs, the final **o** of the **yo**-form is replaced by the ending -**as.**

INFINITIVE	YO-FORM	NEGATIVE **TÚ**-COMMAND
cerrar (e > ie)	cierro	No **cierres** la puerta.
contar (o > ue)	cuento	No **cuentes** el dinero.
hacer	hago	No **hagas** ruido.

Stem-changing verbs and most verbs with an irregular **yo**-form in the present tense follow the same formation pattern as regular verbs. However, the negative **tú**-commands of **ser, ir,** and **estar** are irregular: **no seas, no vayas, no estés.**

Object pronouns with **tú**-commands (K–N)

Object and reflexive pronouns follow the same pattern as pronouns used with formal commands.

1. They follow and are attached to affirmative **tú**-commands and precede negative **tú**-commands: **Léelo inmediatamente. No lo leas.**
2. When two object pronouns occur in a command, the indirect-object pronoun precedes the direct-object pronoun: **Dámelo mañana. No me lo dés hoy.**
3. **Se** replaces **le** or **les** before **lo, la, los,** or **las. Escríbesela.**
4. A written accent mark is used on the next-to-last syllable of a command form used with an attached pronoun: **Háblame en español.**
5. There is no written accent on one-syllable commands: **Dime.**

Verbs like **gustar** (O–Q)

A number of Spanish verbs, including **bastar** *(to be enough)*, **encantar** *(to like)*, **interesar** *(to interest)*, **quedar** *(to have left)*, and **faltar** *(to need)* are used in sentence patterns that follow the same order as **gustar**-constructions: indirect-object + verb + subject (singular or plural): **Me encanta esta película. Me encantan estos discos.**

Repaso

A Correct a neighbor's child by giving her/him appropriate commands.

■⫶ Pablo habla demasiado. *No hables demasiado.*

1. Corre por la casa.
2. Come todo el helado.
3. Grita todo el día.
4. Hace mucho ruido.
5. Juega con los fósforos.

B You work part-time in a record store. Advise your new co-worker what to do or not to do.

■⫶ abrir las cajas con cuidado *Abre las cajas con cuidado.*

1. ayudar a los empleados
2. vender muchos discos
3. arreglar los muebles de la tienda
4. contestar el teléfono
5. no romper los discos
6. no hablar con los amigos
7. perder tiempo
8. cerrar las puertas a las ocho

C   Make complete sentences in the future tense.

> ■⫶   Paco y Alicia / tener   *Paco y Alicia tendrán que estudiar*
> que estudiar mañana   *mañana.*

1. haber / mucha gente en la fiesta
2. Anita y Raúl / poner las quesadillas en la mesa
3. tú / saber la verdad mañana
4. mis padres / salir esta tarde para México
5. el oro / valer mucho más el mes que viene
6. nosotros / no decir nada

D   Express your preferences and needs by forming five logical sentences that combine items from each column.

1	2
(no) me gusta	las fiestas de despedida
(no) me gustan	jugar al fútbol
me encanta	las cebollas y el ajo
me encantan	la música clásica
me falta	hablar español
me faltan	el arroz con pollo
	ir de vacaciones

E   Describe the following scene of an editorial staff.

> ■⫶   *Mario lee un editorial.*

Vocabulario

SUSTANTIVOS

el artículo   article
el cariño   affection
el conejo   rabbit
el consejo   advice
el cuidado   care
la culebra   snake
el editorial   editorial
el humor   humor
la identificación   identification
la injusticia   injustice
el lector, la lectora   reader
el mono   monkey
el pájaro   bird
la parte   part
el pez   fish
la rana   frog
la sección   section
el ser humano   human being
la vaca   cow
el veterinario   veterinarian

VERBOS

alimentar   to feed
cuidar   to care for
encargarse de   to take charge (of)
mantener   to maintain, keep
mencionar   to mention
olvidar   to forget
reunirse   to get together

OTRAS PALABRAS

abandonado, -a   abandoned
cierto, -a   certain, right
contra   against
deportivo, -a   (pertaining to) sports
futuro, -a   future
intolerable   intolerable
insoportable   unbearable
justo, -a   fair
seguramente   surely

EXPRESIONES

al mes   per month
de vez en cuando   every now and then
¡manos a la obra!   let's get to work!
me da pena   it troubles me
¡perfecto!   fine!
salir bien   to do well

A **Periódico escolar.** In Stage 3, you may have started a Spanish-language newspaper. Continue that project by following what the editorial staff of **El Globo** did in Chapter 6. Assign reporters to write news features about a Spanish club meeting or event, school dance, play, or trip, sports competition, or a special class project. Include editorials, a horoscope, and an advice column. Organize the articles, photos, and illustrations to simulate a real newspaper by pasting the columns on a large sheet of paper or cardboard.

B **En la cocina.** Consult a Spanish or international cookbook and select an easy yet appetizing hors d'oeuvre, dessert, or chicken and rice recipe to share with your classmates. In Spanish, tell your class what the name of the dish is, in what country it is usually prepared, and what the ingredients are. Briefly, explain each step of the recipe. If possible, prepare the dish for your family or friends, for a Spanish club meeting, or for a class celebration. It may be possible to arrange to do the cooking at school in the home economics room.

C **Luces, cámara, acción.** Dramatize *El ladrón de las manos de seda* and *Para capturar al ladrón* on pages 61 and 63. Work in groups of three to five student actors and directors and interpret your lines with appropriate gestures, enthusiasm, and intonation. Record each presentation on video tape or tape recorder for self-evaluation and entertainment. Award a class prize to the best actress, actor, and director.

D **Locutor.** If a local radio or television station has programs in Spanish, try to listen to or watch one at least once a week. Keep a diary of any information you are able to understand and report that news to the class. By the end of the year, your diary should demonstrate for you the new words and expressions you have learned. If you have a short-wave radio, you may prefer to listen to Spanish programs from different continents. You may enjoy taping the broadcasts and sharing them with classmates.

5

Nuevos horizontes

En el campo o en la ciudad, uno tiene que trabajar para ganarse la vida. Izquierda: un ingeniero colombiano, una artesana mexicana y una veterinaria. Derecha: en España, un fabricante de embarcaciones y un grupo de campesinos.

Las facetas de la vida hispana son muchas. Izquierda: una finca de Córdoba, España y una joven campesina ecuatoriana. Derecha: un pescador y cinco estudiantes mexicanos y una vista panorámica de Bogotá, Colombia.

¡A conocer España! Desde sus
tejados y sus jardines en pleno
esplendor hasta las ciudades antiguas
de Ávila y Salamanca, España es un
país de rico contraste histórico y
arquitectónico.

146

capítulo 7

¡A votar!

Desde su independencia en 1821, Costa Rica es uno de los gobiernos democráticos más estables de la América Central. Todos los ciudadanos de más de 20 años pueden votar en las elecciones presidenciales. Además del presidente, los costarricences eligen a los 57 miembros de la Asamblea Legislativa y a 1.200 funcionarios municipales. Estas elecciones se producen cada cuatro años, el primer domingo de febrero. El voto es directo y secreto.

¡Así son los dos candidatos!

Durante varios meses los candidatos a la Legislatura Nacional de Costa Rica hicieron una campaña muy activa. Ahora el periódico pide a los electores que voten por el mejor candidato.

Anuncio de interés cívico

Mañana 4 de febrero vamos a votar. Todos los ciudadanos deben votar. La Asociación Cívica de San José pide a los votantes que estudien cuidadosamente el siguiente resumen de las ideas políticas de los candidatos Gómez Paz y Meléndez Ruiz y que voten por el mejor. La plataforma de los dos candidatos sigue.

Lucía Gómez Paz
Partido Liberación Nacional
Profesora de la Facultad de Humanidades,
Universidad de Costa Rica

Carlos Meléndez Ruiz
Partido Unión Nacional
Abogado de la Compañía Bananera

Gómez Paz quiere que el gobierno:

— cree un sistema justo de impuestos para todos
— dé más plazas de maestros en regiones rurales
— limite las inversiones extranjeras
— pase leyes de protección al consumidor

Está en contra de leyes que:
— limiten el derecho de huelga
— discriminen a las mujeres y a otras minorías
— creen industrias dañinas para el ambiente: los bosques, los ríos y las playas

Meléndez Ruiz quiere que el gobierno:

— cree un impuesto sobre todo artículo de consumo excepto comestibles
— garantice la libertad de la escuela privada
— acepte más inversiones extranjeras
— quite muchas de las regulaciones oficiales que deben observar las industrias

Está en contra de leyes que:
— garanticen el derecho de huelga
— aumenten innecesariamente el número de regulaciones sociales
— limiten la expansión de las industrias por razones ecológicas

Esperamos que los ciudadanos de San José seleccionen al mejor candidato a la Legislatura Nacional.

comprensión

A. The following statements are based on the political announcements above. Say if each statement is accurate (*cierto*) or inaccurate (*falso*). Correct the inaccurate statements.

1. Las elecciones son el 5 de febrero.
2. Lucía Gómez Paz y Carlos Meléndez Ruiz son candidatos para el comité estudiantil.
3. Lucía Gómez Paz está en contra de la educación rural.
4. Carlos Meléndez Ruiz está a favor de proteger el comercio.
5. Lucía Gómez Paz no quiere que el gobierno limite el derecho a la huelga.
6. Carlos Meléndez Ruiz quiere aceptar más inversiones extranjeras.

B. Tell an indecisive voter which candidate to vote for in order to bring about the following changes.

■⫶   Quiero playas más limpias.   *Pues, vote por Lucía Gómez Paz.*

1. Necesitamos más industrias.
2. Debemos tener agua pura.
3. No quiero que los obreros organicen huelgas.
4. Tenemos que cuidar los bosques y las playas.
5. No quiero inversiones extranjeras.
6. Necesitamos un sistema justo de impuestos.
7. Quiero limitar la expansión de las industrias.
8. Necesitamos más escuelas rurales.
9. No me gusta el Partido Unión Nacional.

extensión

A. Imagine that you are running for the student council. Make a campaign speech in which you make certain promises or express a point of view. State your feelings in the following situations by using the expressions **creo que** and **cuenten conmigo para.**

la comida de la cafetería   el transporte a la escuela
la selección de cursos   los deportes escolares
los clubs y las actividades   los cursos obligatorios
las horas de clase   la biblioteca

▪▮ *Creo que debemos tener más bailes y fiestas.*
▪▮ *Cuenten conmigo para conseguir transporte a la escuela.*

B. Volunteer or agree to do the tasks that a friend asks you to do. Select an appropriate beginning for your response from the suggestions on the right.

¿Cuándo vas a limpiar [tu cuarto]?   Prometo que . . .
¿Quieres trabajar [este sábado]?   Cuenten conmigo
¿Vas a ayudarme a organizar [la fiesta]?   para . . .
¿Cuándo vas a pagarme lo que me debes?   Te aseguro que . . .
                                            Creo que . . .

impresiones
y gustos

1. ¿Son necesarias las huelgas? ¿Por qué?
2. ¿Pagamos demasiados impuestos al gobierno federal?
3. ¿Es importante estudiar historia? ¿Por qué?
4. ¿Debemos cuidar nuestros bosques y ríos? ¿Por qué?

Encuesta política

Los periódicos costarricences no sólo publican anuncios sobre las elecciones. También quieren que los electores expresen sus opiniones por medio de° encuestas como la que aparece a continuación°.

through
below

1. ¿Deben las personas que ganan mucho pagar más impuestos que las que ganan poco?
   —Sí   —No   —No sé

2. ¿Debe el gobierno tener programas de ayuda económica para las personas que no ganan nada o que ganan muy poco?
   —Sí   —No   —No sé

3. ¿Cree Ud. que los empleados y obreros de servicios públicos deben resolver sus conflictos laborales sin huelgas?
   —Sí   —No   —No sé

4. ¿Prefiere Ud. que el gobierno demande de las industrias más responsabilidad en cuestiones ecológicas?
   —Sí   —No   —No sé

5. ¿Cree Ud. que los periódicos, las revistas, la radio y la televisión tienen ahora más propaganda comercial que hace cinco años?
   —Sí   —No   —No sé

6. ¿Prefiere Ud. que el gobierno controle la cantidad° y la calidad° de la propaganda comercial?
   —Sí   —No   —No sé

quantity / quality

7. ¿Prefiere Ud. que el gobierno limite las actividades e inversiones extranjeras en nuestro país?
   —Sí   —No   —No sé

8. ¿Es mejor seleccionar al Presidente de la República cada cuatro años o cada seis años?
   —4   —6   —No sé

9. ¿Cree Ud. que la calidad de la vida es ahora mejor, peor o igual que hace cinco años?
   —Mejor   —Peor   —Igual   —No sé

comprensión

Answer the questions in the *Encuesta* on this page in complete sentences. You may wish to explain why you selected a particular response.

▪▥ *Sí, (No) las personas que ganan mucho (no) deben pagar más impuestos que las personas que ganan poco.*

extensión

A. Debate with a classmate by opposing her/his point of view. Begin with a position statement from the left-hand column, and your classmate will respond appropriately.

Creo que los alumnos deben llevar uniformes a la escuela.

No estoy de acuerdo° contigo.

Los impuestos no son necesarios para la nación.

No tienes razón.

Pero también . . .

El transporte público es más importante que el automóvil.

Me opongo° porque . . .

Prefiero que . . .

Los perros no deben andar sueltos por las calles.

Es una tontería° porque . . .

Es cruel . . .

Es mejor . . .

La educación secundaria no debe ser obligatoria.

Estoy a favor [en contra] de que . . .

Costa Rica es uno de los países más pequeños y con menos población de América Latina. Su geografía y sus condiciones climáticas son muy variadas. La mayoría de la población vive en la Meseta[1] Central donde se encuentran las ciudades más importantes del país. Ésta es la zona más rica y con mejores condiciones de vida. Las numerosas cascadas[2] y ríos de la Meseta Central proveen[3] una gran riqueza[4] hidroeléctrica al país. Sus dos ríos principales ofrecen energía limpia y barata a todas las ciudades de la Meseta. El costo de electricidad para usos domésticos es no sólo el más bajo de toda América sino también uno de los más bajos del mundo.

1 plateau 2 waterfalls 3 provide 4 abundance

153

La conservación del ambiente

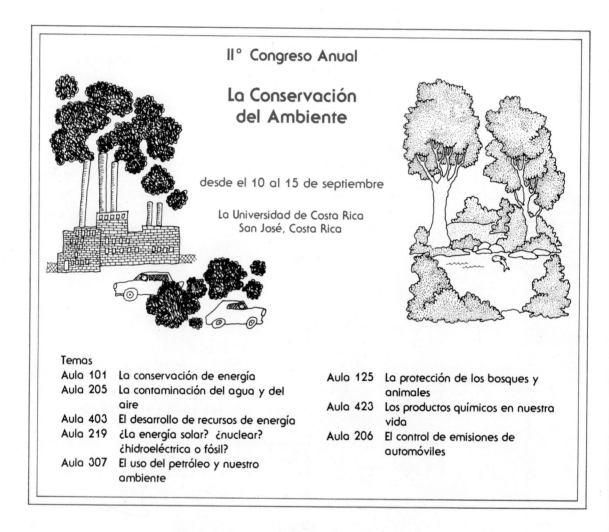

II° Congreso Anual

La Conservación del Ambiente

desde el 10 al 15 de septiembre

La Universidad de Costa Rica
San José, Costa Rica

Temas

Aula 101	La conservación de energía
Aula 205	La contaminación del agua y del aire
Aula 403	El desarrollo de recursos de energía
Aula 219	¿La energía solar? ¿nuclear? ¿hidroeléctrica o fósil?
Aula 307	El uso del petróleo y nuestro ambiente

Aula 125	La protección de los bosques y animales
Aula 423	Los productos químicos en nuestra vida
Aula 206	El control de emisiones de automóviles

A   The poster on this page has many cognates. Give English equivalents for these words.

congreso	energía	hidroeléctrica	animal
anual	contaminación	fósil	químico
conservación	aire	petróleo	control
universidad	solar	producto	emisión
temas	nuclear	protección	automóviles

B   Tell which room you must go to in order to find out information about the
following topics.

■⫿   conservación de energía   *Debo ir al aula 101.*

1. el uso de energía
2. el tráfico de la ciudad
3. la contaminación del aire
4. la ecología
5. las emisiones de automóviles
6. la contaminación del agua
7. la energía solar
8. la protección de los bosques
9. el desarrollo de recursos de energía

¡vamos a hablar!   Mention two or three environmental problems that affect the community
where you live. State one thing you can do to help improve the environment.

Hay demasiados automóviles. Debemos usar el transporte público.

Los cinco sentidos

la lengua	tongue	probar	to taste
la nariz	nose	oler	to smell
el oído	ear	oír	to hear
el ojo	eye	ver	to see
la piel	skin	tocar	to touch

C   Complete the following sentences with a logical word.

1. Si no puedes oler este perfume es porque tu ____ no está bien.
2. Pon el ____ más cerca si quieres oír este disco.
3. Abre bien los ____ para ver esta película.
4. Sentí en mi ____ el contacto con el gato.
5. La sopa está muy caliente y me quema la ____.
6. Mi ____ me dice que aquí hay muchos ajos.

D   Explain why you like the following elements of nature. Use the verb *gustar* in your response.

■⫽   *Me gusta el invierno porque puedo esquiar.*

1. los árboles
2. el verano
3. la lluvia
4. las flores
5. el otoño
6. la nieve

¡vamos a hablar!   With a classmate, create a dialogue in which you use at least three of the following verbs: *oler, oír, ver, probar,* or *tocar.*

¡Qué bien huele la sopa!
— Sí, está muy rica. Pruébala.

Pronunciación y ortografía

palabras claves ‖   flap   [r]   mira
trilled   [rr]   carro, rubio

In Spanish, the flap [r] sound is similar to the sound of *dd* in English *ladder* or *tt* in *letter*. The tip of the tongue makes a single flap against the gum ridge behind the upper front teeth. The flap [r] sound is spelled **r.**

A   Listen and repeat the following words after your teacher.

hora	primo	mira	moderno
cara	enfermo	verano	concierto
frío	profesora	grande	cartas
Carlos	pero	puro	madre

B   Read the following sentences aloud. Pay special attention to the flap [r] sound.

1. ¡Qué verano más frío!
2. La profesora está muy enferma hoy.
3. El gato grande es de mi prima Marta.

The trilled [rr] is pronounced with the tip of the tongue in the same position as for the flap [r], but the tip of the tongue vibrates against the gum ridge. The trilled [rr] sound is spelled **rr** between vowels, and **r** at the beginning of a word and after **l, n,** or **s (alrededor, Enrique, Israel).**

C   Listen and repeat after your teacher the following words containing the trilled [rr] sound.

perro	arroz	radio	recibir
carro	arruinar	ramo	recordar
barrio	pizarra	rápido	regular
arriba	guitarra	razón	repetir

D   Read the following sentences aloud. Pay careful attention to the trilled [rr] sound.

1. Adela Rodríguez quiere ser enfermera.
2. El profesor Suárez prepara arroz con pollo.
3. Ricardo Ruiz toca bien la guitarra.

E   Read aloud the following *trabalenguas* (tongue twister) as rapidly as you can.

El perro de Roque no tiene rabo porque Ramón Rodríguez se lo ha robado.

Un tigre, dos tigres, tres tigres,
corrían por un trigal
y con sus terribles aullidos,
aterrorizaban el cañizal.

La mejor biblioteca del mundo sobre agricultura tropical se encuentra en el Instituto Inter-Americano de Ciencias Agrícolas en la ciudad de Turrialba, Costa Rica. Este centro, situado en un terreno[1] de 2.500 acres, se dedica a la investigación y a la preparación de estudiantes universitarios. Los resultados de sus descubrimientos[2] son ofrecidos a los campesinos[3] y granjeros[4] del país para mejorar su producción y su nivel de vida[5].

1 area   2 discoveries   3 farmers   4 cattle ranchers   5 standard of living

Gramática

Present subjunctive with verbs of influence

Quiero que **votes** por mí.	I want you *to vote* for me.
Desean que **limiten** las huelgas.	They want them *to limit* strikes.
Prefiere que **seleccionemos** al candidato.	He prefers that *we select* the candidate.
Esperamos que **creen** más industrias.	We hope that they *will establish* more industries.

The subjunctive mood is used when a speaker wants or hopes to influence in some way the behavior of another person or group of persons. The subjunctive forms usually occur in a dependent clause beginning with **que.** Note that the English counterparts are often expressed with an infinitive construction, the present indicative, or the future tense.

Present subjunctive of -ar verbs

	TOMAR	PENSAR
yo	tome	piense
tú	tomes	pienses
él, ella, usted	tome	piense
nosotros, nosotras	tomemos	pensemos
ellos, ellas, ustedes	tomen	piensen

The present subjunctive forms of most **-ar** verbs are made up of a stem based on the **yo**-form of the present indicative and a set of endings that have a characteristic vowel **e.** Verbs in **-ar** with stem changes in the present indicative undergo the same stem changes in the present subjunctive.

	TOCAR	AGREGAR	ORGANIZAR
yo	toque	agregue	organice
tú	toques	agregues	organices
él, ella, usted	toque	agregue	organice
nosotros, nosotras	toquemos	agreguemos	organicemos
ellos, ellas, ustedes	toquen	agreguen	organicen

Verbs ending in **-car, -gar,** or **-zar** undergo regular spelling changes in the present subjunctive: **c>qu, g> gu,** and **z>c.**

A   You're in a bossy mood today. Tell your friend Elena what you want her to
do or not to do.

■◁   tomar un refresco   *Quiero que tomes un refresco.*
(No quiero que tomes un refresco.)

1. practicar la guitarra
2. llegar temprano a mi casa
3. hablar con Jorge Díaz
4. trabajar en una fábrica
5. ayudarme esta tarde
6. prestarme tu bicicleta
7. empezar a correr
8. jugar al tenis conmigo

B   You and Sara are talking about your future plans for work or study. Tell
Sara what your parents want you to do.

■◁   trabajar en una compañía   *Mis papás prefieren que trabaje en*
grande (sí)   *una compañía grande.*

1. estudiar arquitectura (no)
2. tomar cursos de matemáticas (sí)
3. trabajar con mi tío Ricardo (no)
4. estudiar para ser abogado (sí)
5. terminar el bachillerato (sí)
6. trabajar en un hospital (no)

C   Mrs. Rodríguez is organizing a local politician's campaign. Explain to your
friend Enrique what Mrs. Rodríguez wants you to do.

■◁   ¿Llamamos a los vecinos?   *Sí, ella desea que llamemos a los*
vecinos.

1. ¿Hablamos con los votantes?
2. ¿Ayudamos con las cartas?
3. ¿Trabajamos en la oficina?
4. ¿Contestamos el teléfono?
5. ¿Organizamos la reunión?

D   Antonio asks Diana if Elena and Carlos will do certain things this weekend.
Diana hopes they will not participate in the following activities.

■◁   trabajar mañana   Antonio: *¿Trabajan mañana?*
Diana: *No sé. Espero que no trabajen*
mañana.

1. estudiar español
2. mirar televisión
3. caminar por el parque
4. jugar al tenis
5. gastar su dinero
6. organizar una fiesta

¡vamos a hablar!   Try to convince a classmate to do certain things.

Quiero que tú me llames por teléfono esta noche.

Ojalá (que) + subjunctive

Ojalá que me llame Marta hoy. *I hope* Marta calls me today.
Ojalá tú votes mañana. *I hope* you will vote tomorrow.

Ojalá (que), meaning *I hope (that),* is always followed by a verb in the subjunctive.

E Say that you hope that the following situations change soon.

▪▥ Daniel no me llama. *Ojalá que Daniel me llame pronto.*

1. Elena no contesta el teléfono.
2. Mi mejor amiga no me habla.
3. Mis amigos no me esperan.
4. Jorge no me ayuda.
5. Mis padres no me escuchan.
6. Rafael no estudia conmigo.
7. Anita no me invita a la fiesta.

¡vamos a hablar! Mention two events that you hope will happen in your city, town, or country in the near future.

¡Ojalá que limitemos las industrias dañinas!
Ojalá que prohibamos la contaminación del aire.

¡Ojalá no llueva!

 Ojalá es una expresión árabe tomada por el español. Como los árabes dominaron España desde el año 711 d.C.[1] hasta el 1492 d.C., muchas palabras árabes entraron en el español. **Ojalá** viene de una expresión árabe que significa «Si Alá (Dios) quiere».

1 A.D.

Comparisons of equality

María es **tan alta como** Pepita. María is *as tall as* Pepita.
Camino **tan rápidamente como** tú. I walk *as rapidly as* you (do).

The pattern **tan ... como** is used to express comparisons of equality with adjectives and adverbs.

Tengo **tantos discos como** tú. I have *as many records as* you (do).

No tengo **tanta paciencia como** él. I don't have *as much patience as* he (does).

The pattern **tanto (tanta, tantos, tantas) ... como** is used to express comparisons of equality with nouns. **Tanto** agrees in gender and number with the noun modified.

F Compare the following items, saying that the first item in each pair is as good as the second.

  ▪▥ el arroz / las papas *El arroz es tan bueno como las papas.*

1. este collar de oro / ese collar de plata
2. el pollo / el pescado
3. esa casa / aquella casa
4. este regalo / ese regalo
5. esta idea / esa idea

G Your younger brother is complaining because he thinks he has less of everything than you. Convince him that you both have equal amounts.

  ▪▥ Me diste poca carne. *Tienes tanta carne como yo.*

1. Tengo poca leche.
2. ¿Por qué no me das más dinero?
3. Tengo pocos discos.
4. ¡Pero yo quiero más arroz!
5. ¿Cuándo me das más verduras?
6. Nunca me das regalos.

H Compare the following people and things, using expressions of equality.

  ▪▥ Pepe / inteligente / Marta *Pepe es tan inteligente como Marta.*

1. Rosa / simpática / Inés
2. tú / bajo / yo
3. ustedes / estudiosos / nosotros
4. mi cuarto / amplio / tu cuarto

¡vamos a hablar! Flatter a classmate by saying he/she is just like you.

  Eres tan alto/a como yo.

Comparisons with **mayor** and **menor**

Julia tiene seis años.
Es **joven.**
Es **menor** que María y el
Señor García.

María tiene quince años.
Es **mayor** que Julia.
Es **menor** que el señor García.

El señor García tiene ochenta
años.
Es **viejo.**
Es **mayor** que Julia y María.

Mayor and **menor** are used in comparisons to express *older* and *younger* in reference to a person's age. **Mayor** and **menor** are two-form adjectives and do not change for gender.

I   Disagree with Joaquín about the age of several friends.

■⫶   Daniel / mayor / Adolfo

Joaquín: *Daniel es mayor que Adolfo.*
Tú: *No, Daniel es menor que Adolfo.*

1. Rosalinda / menor / Carlos
2. Teresa / mayor / Carmen
3. Rosario / menor / Jorge
4. Federico y tú / mayor / Gregorio
5. Marta y Dolores / menor / Pablo

J   Compare the ages of the following people, saying who is older.

■⫶   Anita y Dora tienen 18 años.
Eduardo tiene 16 años.

Anita y Dora son mayores que Eduardo.

1. Paco y Alberto tienen 17 años. José tiene 14 años.
2. David tiene 13 años. Adela tiene 15 años.
3. Clara tiene 13 años. Sus hermanos tienen 18 y 19 años.
4. Laura tiene 14 años. Pati tiene 11 años.
5. Esperanza tiene 19 años. Adolfo y Vicente tienen 16 años.

¡vamos a hablar!   Exchange information with a classmate about who in your family or among your friends is older or younger than you.

Mi hermana Alicia es menor que yo.

Comparisons with **mejor** and **peor**

Mis libros son buenos, pero tus libros son **mejores.**

My books are good, but yours are *better.*

Mi idea es mala, pero tu idea es **peor.**

My idea is bad, but yours is *worse.*

Mejor and **peor** are used in comparisons to mean *better* and *worse.* They are two-form adjectives and do not change for gender.

K   Compare the present-day prices of certain items with their price five years ago. Say whether today's prices seem better or worse to you.

	Hoy	*Hace 5 años*
una calculadora	$12,00	$25,00
una grabadora	$300,00	$150,00
un disco	$5,00	$2,00
una bicicleta	$100,00	$50,00
una nevera	$700,00	$500,00
un lavaplatos	$250,00	$400,00

■⫸   *Hoy el precio de una calculadora es mejor que hace cinco años.*

Las montañas de origen volcánico de Costa Rica

Pronouns el de and el que

SINGULAR	PLURAL
el de	los de
la de	las de

SINGULAR	PLURAL
el que	los que
la que	las que

Mi libro y **el de** mi hermano están aquí.

Expresa sus opiniones por medio de encuestas como **la que** aparece a continuación.

My book and *my brother's (that of)* my brother are here.

She expresses her opinions through surveys like *the one that* appears below.

El de and its forms mean *the one(s), that of,* and *those of.* **El que** and its forms mean *the one(s) that,* and *those that.* Notice that pronouns formed with **el de** and **el que** agree in number and in gender with the nouns they replace.

L Say that you have the following items, and that you also have those that belong to your aunt.

◼ ¿Tienes la cafetera? *Sí, tengo la cafetera y también la de mi tía.*

1. ¿Tienes la cazuela?
2. ¿Tienes los platos?
3. ¿Tienes las servilletas?
4. ¿Tienes los tenedores?
5. ¿Tienes el abrelatas?

M Identify for a classmate which items in the lesson are more important.

◼ ¿Son importantes estas páginas? *No, las que siguen son importantes.*

1. ¿Es importante esta idea?
2. ¿Son importantes estos verbos?
3. ¿Son importantes estas palabras?
4. ¿Es importante esta fotografía?
5. ¿Es importante este ejercicio?

N Explain to a friend that your brother's possessions are better than yours. Use a form of *el de* in your response.

◼ el cassette Amigo/a: *¿Es bueno tu cassette?*
Tú: *Sí, pero el de mi hermano es mejor.*

1. el tocadiscos
2. la radio
3. la cámara
4. el reloj
5. el automóvil
6. la motocicleta
7. la novela
8. el bolígrafo

Lectura

El Coto de Doñana

Hace casi un siglo° no existían automóviles, ni aviones, ni televisión, ni otros adelantos° que hoy hacen nuestra vida más agradable, pero más peligrosa°. Nadie hablaba de contaminación en las grandes ciudades. Los ríos, los lagos y los mares no recibían desechos° industriales dañinos° como ahora. La
5 ecología era entonces una ciencia desconocida°. Pero, en los últimos cien años, la humanidad avanzó más que en los miles de años anteriores. Lo hizo tan rápidamente que no tuvo tiempo para pensar en las consecuencias que iban a traer las máquinas y los productos que inventaba. Así, sin darse cuenta, creó la contaminación del aire, del agua y de la tierra. Destruyó
10 bosques, especies de animales y algunas veces puso en peligro la misma vida humana. Por estas razones°, hoy casi todos los países industrializados tienen programas que tratan de proteger° y restaurar el medio ambiente.
El gobierno español creó el Coto de Doñana para la conservación de ciertas especies de la fauna y de la flora peninsular que estaban en peligro de
15 desaparecer°. Un coto es un lugar *acotado,* es decir, limitado por vallas°, o por un río o por un lago. El Coto de Doñana está en Huelva, en la zona este de Andalucía, al sur de España. Tiene una extensión de 40.000 hectáreas de tierra muy variada. Hay playas, bosques, praderas°, regiones arenosas° y pantanos°. Los turistas pueden visitar algunas partes del Coto. Hay otras
20 partes que no pueden visitar porque el gobierno quiere conservarlas en su estado primitivo.
En el Coto viven especies de animales que no se ven en otras partes de España ni de Europa, como el águila° imperial, el lince° mediterráneo y la mangosta°. Además, ciertas aves° del norte de Europa que pasan el in-
25 vierno en África, hacen escala° en el Coto para descansar. El clima del Coto es cálido° durante todo el año, con mínimas de quince a dieciséis grados y máximas de treinta a treinta y cinco grados.

century
advances / dangerous

wastes / harmful
unknown

reasons
protect

disappear / fences

meadows / sandy
marshes

eagle / lynx
mongoose / birds
hacen escala: (they) land
warm

Para estudiar esta fauna tan rica, en Doñana hay equipos de científicos, veterinarios e ingenieros agrónomos°. También hay investigadores que es-
30 tudian la interesante y variada vegetación de la zona. Muchos estudiantes de las facultades° de biología de las universidades trabajan como voluntarios en el Coto. Una de sus funciones consiste en capturar y marcar las aves que hacen escala allí. Les ponen una pequeña chapa° en una de las patas° indicando la fecha y el lugar de la captura. Después las sueltan° para
35 que sigan° su vuelo. Más tarde, otros investigadores, en el centro y en el norte de Europa, volverán a capturar estas aves marcadas. Así se puede estudiar la ruta seguida por el ejemplar° capturado y calcular el tiempo invertido° en su migración. Todos estos datos y observaciones permiten conocer mejor los hábitos de las aves migratorias, lo cual facilita su pro-
40 tección contra sus enemigos naturales y los enemigos no tan naturales, como son la contaminación y destrucción del medio ambiente.

Afortunadamente, casi todas las naciones del mundo comparten° la responsabilidad de proteger y conservar el ambiente que nos rodea°. El Coto de Doñana es la contribución de España a este esfuerzo° universal.

agricultural

departments

tag
legs/free
continue

specimen
return

share
surround
effort

actividad   **A**   Da la información siguiente.

1. Definición de la palabra *coto*.
2. Región y provincia donde está el Coto.
3. Extensión del Coto.
4. Tipos de paisajes que hay en el Coto.
5. Especies de animales que viven en el Coto.
6. Temperaturas anuales, máxima y mínima.
7. Personas que trabajan y estudian en el Coto.
8. Los hábitos de las aves migratorias.
9. Datos y observaciones de los investigadores.

B   Contesta las siguientes preguntas.

1. Hace cien años no había tanta contaminación como ahora, pero tampoco había aviones, ni automóviles, ni teléfono, ni televisión, ni medicinas maravillosas. ¿Qué tipo de vida prefieres? ¿La de ahora, o la de hace cien años? Explica.
2. Hay muchas personas que creen que no es posible vivir con los adelantos de las ciencias y los progresos de la industria sin dañar el medio ambiente. ¿Qué crees tú? ¿Crees que es posible vivir bien y proteger la naturaleza al mismo tiempo?
3. En el Coto de Doñana hay lugares que los turistas no pueden visitar. También en los Estados Unidos hay parques nacionales que tienen lugares reservados para los animales y para las plantas. ¿Por qué crees tú que hacen esto?
4. Seguramente tú tienes algunas ideas para proteger el medio ambiente. Explica una de esas ideas.

En resumen

Present subjunctive (A–E)

Juan prefiere que no **caminen** por el parque.	Juan prefers that *they don't walk* through the park.
Ojalá que ellos **voten** por mí.	I hope *they vote* for me.

1. Verbs such as **querer, desear, preferir,** and **esperar** are followed by the subjunctive mood when the speaker wishes or hopes to influence the behavior of another person or group.
2. **Ojalá (que)** is always followed by a verb in the subjunctive.

Present subjunctive of **-ar** verbs (A–E)

	HABLAR	CONTAR	BUSCAR
yo	hable	cuente	busque
tú	hables	cuentes	busques
él, ella, usted	hable	cuente	busque
nosotros, nosotras	hablemos	contemos	busquemos
vosotros, vosotras	habléis	contéis	busquéis
ellos, ellas, ustedes	hablen	cuenten	busquen

1. The present subjunctive forms of most **-ar** verbs are made up of a stem based on the **yo**-form of the present indicative plus a set of present-subjunctive endings that contain the vowel **e.**
2. Verbs that have a stem change in the present indicative have the same stem change in the present subjunctive.
3. Verbs ending in **-car, -gar,** or **-zar** have the following spelling changes in the present subjunctive: **c>qu, g>gu,** and **z>c.**

Regular comparisons of equality (F–H)

tan	adjective adverb	como	as . . . as
tanto	noun	como	as . . . as

Irregular comparisons (I–K)

1. **Mayor** and **menor** are used to express *older* and *younger* in comparing ages: **Mi hermana es menor que yo.**
2. **Mejor** and **peor** are used in comparisons to mean *better* and *worse:* **La contaminación del aire está peor hoy que hace cinco años.**
3. **Mayor, menor, mejor,** and **peor** are two-form adjectives and agree with nouns only in number. They do not change for gender: **Mis hermanas mayores están en Chile.**

Pronouns **el de** and **el que** (L, M)

SINGULAR	PLURAL
el de	los de
la de	las de

SINGULAR	PLURAL
el que	los que
la que	las que

El de and its forms mean *the one(s), that of,* and *those of.* **El que** and its forms mean *the one(s) that,* and *those that.*

Repaso

A   Complete the notes taken at an ecological conference by a journalist. Use the correct present-subjunctive forms of the infinitives indicated.

■|| Esta conferencia pide al gobier-   *Esta conferencia pide al gobierno*
      no que (crear) controles de   *que cree controles de conta-*
      contaminación.   *minación.*

1. Esta conferencia pide al gobierno que (votar) a favor de la energía solar.
2. Esta conferencia pide al gobierno que (limitar) la emisión de vehículos.
3. Esta conferencia pide al gobierno que (buscar) soluciones al tráfico.
4. Esta conferencia pide al gobierno que (empezar) nuevas investigaciones sobre energía.
5. Esta conferencia pide al gobierno que (limitar) las industrias en las ciudades.
6. Esta conferencia pide al gobierno que (seleccionar) los usos de la energía nuclear.
7. Esta conferencia pide al gobierno que (crear) un programa para la protección del ambiente.

B Complete the following requests and hopes.

▪ⅲ Mamá, quiero que (probar) este pastel.   *Mamá, quiero que pruebes este pastel.*

1. Papá, espero que (hablar) con mi profesor de español.
2. Mamá, prefiero que (probar) la sopa antes de servirla.
3. Mamá y papá, queremos que (escuchar) este nuevo disco.
4. Papá, espero que (organizar) todo.

C Mr. and Mrs. Benítez are telling their children about life thirty years ago. Complete Mrs. Benítez's comparisons.

▪ⅲ Sr. Benítez: La contaminación era mala.   Sra. Benítez: *Sí, pero ahora es peor.*

1. El presidente era malo.
2. El gobierno era bueno.
3. La calidad de la vida era mala.
4. Las inversiones extranjeras eran malas.

D Mr. Fierro is very optimistic about the things his favorite candidate has promised. Mrs. Fierro is more pessimistic. Take her role.

▪ⅲ Mi candidato va a limitar las inversiones extranjeras.   *¡Ojalá (que) limite las inversiones extranjeras!*

1. Mi candidato va a crear un sistema justo de impuestos.
2. Mi candidato va a dar más plazas de maestros en ciudades.
3. Mi candidato va a pasar leyes contra la contaminación.
4. Mi candidato va a limitar el derecho a la huelga.
5. Mi candidato va a garantizar los derechos del consumidor.

E Pilar is giving a party. Take her role and tell her friends what to do. Use *tú*- and *ustedes*-commands.

▪ⅲ Yo puedo preparar el ponche.   *Bien, prepara el ponche.*

▪ⅲ Nosotros podemos comprar discos.   *Bien, compren los discos.*

1. Yo puedo limpiar la casa.
2. Nosotros podemos arreglar la sala.
3. Yo puedo tocar la guitarra.
4. Nosotros podemos preparar papas fritas.

F A politician promises that your city will be just like other cities.

▪ⅲ limpia / capital   *Esta ciudad será tan limpia como la capital.*

1. grande / Quito
2. hermosa / Buenos Aires
3. rica / Madrid
4. industrial / Montevideo

G In five complete sentences describe the action in this *coto*.

H Agree or disagree with the following changes in school policy.

▪ⅲ Los alumnos deben llevar uniformes.

Estoy a favor de que los alumnos lleven uniformes.
(Estoy en contra de que los alumnos lleven uniformes.)

1. Las clases empiezan a las siete.
2. Las chicas no pueden llevar pantalones a clase.
3. Los chicos deben llevar corbata.
4. Los profesores deben llevar trajes.
5. Las clases terminan a las dos.
6. Todos los alumnos deben tomar dos cursos de matemáticas.

I Complete the following statements with the correct form of *el de* or *el que*.

1. Mi hermano y _____ mi mejor amigo van a estudiar ecología.
2. Primero estudian una encuesta como _____ apareció en la página 152.
3. Después hablan con mi profesora y con _____ mi prima.
4. Piensan ir a Europa a visitar un coto como _____ está en Huelva, España.

Vocabulario

SUSTANTIVOS

el ambiente   environment
el animal   animal
el anuncio   announcement
el automóvil   automobile
el bosque   forest
la campaña   campaign
el candidato   candidate
el ciudadano   citizen
el comestible   food
el congreso   convention
la conservación   conservation
el consumidor   consumer
el consumo   consumption
la contaminación   pollution
el control   control
el derecho   right
el elector   voter
la emisión   emission
la energía   energy
la facultad de humanidades   school of liberal arts
el gobierno   government
la huelga   strike
el impuesto   tax
la industria   industry
la inversión   investment
la lengua   tongue
la ley   law
la libertad   liberty
el maestro, la maestra   teacher
la minoría   minority
la nación   nation
la piel   skin; fur
la plaza   position, employment
la protección   protection
el recurso   resource

el tema   topic, theme
la tontería   nonsense
el uniforme   uniform
la universidad   university
el vehículo   vehicle

VERBOS

aumentar   to increase
crear   to create
discriminar   to discriminate
garantizar   to guarantee
limitar   to limit
oler   to smell
oponerse   to oppose
proteger   to protect
quitar   to remove
seleccionar   to select
votar   to vote

OTRAS PALABRAS

activo, -a   active
anual   annual
bananero, -a   banana (adj.)
cívico, -a   civic
cuidadosamente   carefully
excepto   except
fósil   fossil
hidroeléctrico, -a   hydrolectric
privado, -a   private
químico, -a   chemical
varios, -as   various

EXPRESIONES

estar a favor de   to be in favor of
estar de acuerdo (con)   to agree (with)
estar en contra de   to be against

capítulo 8

En marcha

En Ecuador a los diecisiete años puede solicitarse con la autorización de los padres la licencia de manejar. Un joven puede conseguir la licencia de manejar pasando dos exámenes, uno escrito y otro práctico. Una vez conseguida debe renovarse cada cuatro años.

El examen de manejar

Carlos y Luisa, dos jóvenes ecuatorianos, están hablando en la Plaza Grande de Quito. Carlos está nervioso porque se va a examinar para obtener la licencia de manejar.

CARLOS	¿Me puedes ayudar con estas preguntas?
LUISA	¿Qué preguntas? ¿Sobre el reglamento de tránsito? Pero ¿ya tienes diecisiete años?
CARLOS	Sí, ya los cumplí y puedo sacar la licencia . . . mañana me examinan. Me muero de miedo.
LUISA	Oye, creo que es mejor que te calmes un poco. Estás muy nervioso. Así no aprobarás el examen.
CARLOS	Bien, bien, hazme una pregunta cualquiera para ver si la sé.
LUISA	Bueno . . . déjame ver . . . um . . . Aquí está la primera: ¿Qué hace falta para conseguir la licencia en Ecuador?
CARLOS	¡Ay, ésa es fácil! Hay que aprobar un examen escrito y otro examen práctico en la calle con el automóvil.
LUISA	Bien, aquí tengo otra: ¿Cuándo está prohibido manejar a menos de 50 kilómetros por hora?
CARLOS	Nunca. Ésa es muy fácil también. Siempre podemos manejar a menos de 50 kilómetros por hora.
LUISA	¿Seguro?
CARLOS	Sí, estoy seguro . . . ¡Es lógico!

LUISA	Pues, mira, Carlos, toma el reglamento y lee bien esta página. No siempre podemos ir despacio.
CARLOS	Uy, déjame ver . . . um . . . tienes razón. Aquí dice que no se puede manejar tan despacio que interfiera con el movimiento normal del tráfico.
LUISA	Creo que debes estudiar un poco más sin ponerte tan nervioso.
CARLOS	Sí, es verdad. Dame el reglamento. Voy a repasarlo otra vez. ¿Quieres ayudarme después?
LUISA	Con mucho gusto.

comprensión

1. ¿Dónde están Carlos y Luisa?
2. ¿Cómo está Carlos? ¿Por qué?
3. ¿Qué estudia Carlos?
4. ¿Qué hace falta para conseguir la licencia en Ecuador?

extensión

A. Suppose a friend offers to help you with your homework. How would you respond? Choose an appropriate response from the right-hand column.

¿Necesitas ayuda?	Sí, ¿me puedes ayudar?
¿Quieres que yo te ayude?	Sí, por favor ayúdame a estudiar [el capítulo].
¿Tienes problemas?	
¿Estás confundido/a?	Sí, necesito que me ayudes a estudiar.
	Gracias, porque no comprendo nada.

B. You're studying for a driving exam with Jorge, who isn't sure of the facts. Coach him with appropriate sentences.

La velocidad° máxima° es 100 kilómetros.	¿Estás seguro/a?
Para conseguir la licencia en Ecuador hay que tomar un examen.	¡Trata de recordar!
¡No recuerdo nada!	Creo que se te olvidó.°
Sólo hay un examen escrito.	¡Piensa un poco más!

impresiones y gustos

1. ¿Cuántos años tienes?
2. ¿Sabes manejar?
3. ¿Tienes tu licencia de manejar?
4. Si no tienes la licencia, ¿cuándo vas a conseguirla?
5. ¿Asistes a clases de manejar?
6. ¿Qué tipo de automóvil quieres comprar? ¿por qué?
7. ¿Tienes un automóvil?
8. ¿Tienen automóvil tus amigos?
9. ¿Prefieres un automóvil o una motocicleta?

 Las señales de tráfico son símbolos internacionales, es decir, son idénticas en casi todos los países del mundo. La señal de parada[1] puede verse en los países de habla hispana tanto con la palabra *STOP* en inglés o *ALTO* en español. Los tamaños[2] y colores de las señales son también iguales en todos los países del mundo. Las distancias se indican siempre en kilómetros.

1 stop   2 sizes

Las señales camineras

1. Las señales camineras en formas de diamante y de color amarillo se usan para avisar al chofer de la presencia de cambios en el camino, como curvas, cruces de vías y caminos sinuosos. Se llaman señales preventivas o de peligro.

2. Las señales camineras circulares en blanco y rojo se usan para indicar al chofer ciertas reglamentaciones, como prohibir doblar a la izquierda o derecha, pasar o adelantar, etc. Se llaman señales de reglamentación. Estas señales están en caminos además de carreteras.

3. Las señales rectangulares en blanco y azul se usan para informar al chofer sobre ciertos servicios disponibles cercanos a la carretera como teléfonos, servicios mecánicos, servicios sanitarios, etc. Se llaman señales informativas.

4. La señal octogonal en rojo con la palabra **alto** en blanco indica al chofer que está obligado a detener la marcha del vehículo al llegar a la señal. Sólo puede continuar la marcha cuando esté seguro que no viene otro vehículo en la vía lateral.

comprensión	Take the following driver's test by saying what the following signs indicate.
	Las siguientes señales indican que:

1. hay teléfono
2. hay comida
3. hay gasolina

1. uno tiene que detenerse
2. hay que seguir
3. uno tiene que salir del automóvil

1. uno debe tener cuidado
2. uno debe detenerse
3. uno debe manejar rápidamente

1. los carros están prohibidos
2. las bicicletas están prohibidas
3. los autobuses están prohibidos

extensión

A. Express your dismay when your driving instructor tells you that you failed a portion of the driver's test.

¡No lo aprobaste!	¡No puede ser!
¡No saliste bien!	¡Pero, estudié mucho!
¡Suspendido°!	Es que tenía miedo.
¡Un desastre completo!	Estaba muy nervioso/a.

¡vamos a hablar!

Describe for a classmate your favorite spot to go when you are the driver or the passenger in a car. Tell what streets or highways you use, what the scenery is like, how long the trip takes, and how much gas you use.

Me gusta ir a San Francisco por la Carretera Uno.
Veo las playas y el Océano Pacífico.

impresiones y gustos

From your point of view, is a private personal passenger car more important or less important than public transportation? Why? Comfort? Convenience? Prestige? Start your own discussion with one of the phrases below.

Los autobuses nunca llegan a tiempo.
Los automóviles usan demasiada gasolina.
Prefiero manejar porque . . .
No manejo porque . . .

El automóvil

el parachoques	bumper	**los frenos**	brakes
los faroles traseros	taillights	**el parabrisas**	windshield
los faroles delanteros	headlights	**el limpiaparabrisas**	windshield wiper
la placa de matrícula	license plate	**el volante**	steering wheel
		el bocino	*horn*

A Imagine that you were involved in the accident pictured on this page. Discuss the repairs with a mechanic and get an estimate on the damage.

▪▥ ¿Cuánto cuesta arreglar   *Arreglar el parachoques costará $325.*
el parachoques?

B Your used car is showing its age. Decide what you might need to repair, based on the description of the problem.

▪▥ No puedes parar bien   *Tengo que reparar los frenos.*
el automóvil.

1. No ves bien cuando llueve.
2. No ves bien el camino por la noche.
3. La semana pasada tuviste un accidente.
4. No puedes manejar bien el automóvil.

palabras claves ▍ [ñ]   ma**ñ**ana

Spanish [ñ] is pronounced with the front of the tongue pressed flat against the roof of the mouth. The [ñ] sound resembles the sound of *ny* in English *canyon*. The [ñ] sound is spelled **ñ**.

A   Listen and repeat the following words after your teacher.

señal	baño	caraqueño	cuñada
mañana	niño	compañera	otoño
compañía	extraña	dañino	pequeño

B   Read the following sentences aloud. Pay special attention to your pronunciation of the [ñ] sound.

1. La señora Muñoz es la cuñada de doña Inés.
2. Mañana voy a tomar el examen de señales de tráfico.
3. Esta pequeña compañía caraqueña tiene pocos empleados.
4. En otoño mi compañero Toño va a Piñas, Ecuador.
5. El señor Briceño va a España mañana.
6. La señorita Núñez vive en Nogales.
7. Este niño es hijo de los señores Risueño.

La ñ es la n con bigote.

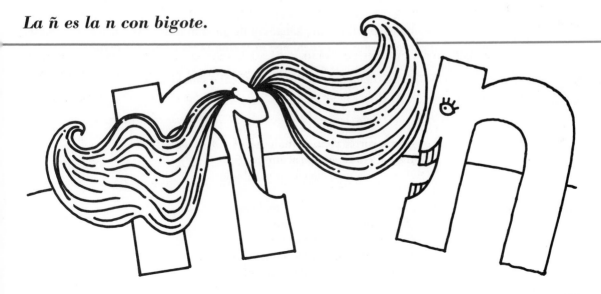

Present subjunctive of -er and -ir verbs

Quiero que **usted coma** conmigo.
Espero que **tú abras** esa ventana.

I want *you to eat* with me.
I hope that *you will open* that window.

The present subjunctive of **-er** and **-ir** verbs is used in the same situations as the present subjunctive of **-ar** verbs. It is used when a speaker wants or hopes to influence the behavior of another person or group of persons.

The present subjunctive forms of three verbs ending in **-er** or **-ir** are given below.

	CORRER	ABRIR	ENCENDER
yo	corra	abra	encienda
tú	corras	abras	enciendas
él, ella, usted	corra	abra	encienda
nosotros, nosotras	corramos	abramos	encendamos
ellos, ellas, ustedes	corran	abran	enciendan

The present subjunctive forms of most **-er** and **-ir** verbs are made up of a stem based on the **yo**-form of the present indicative and a set of endings that have a characteristic vowel **a.**

Verbs ending in **-er** with stem changes in the present indicative, such as **encender,** have the same stem changes in the present subjunctive. Verbs ending in **-ir** with stem changes in the present indicative, such as **divertirse,** undergo an additional change in the **nosotros**-form: **nos divirtamos.**

A   Marcos, a friend of yours, asks whether he should do something. Tell him to do what he has asked.

■ıı   ¿Debo comer contigo?   *Sí, quiero que comas conmigo.*

1. ¿Debo correr contigo mañana?
2. ¿Debo leer tu composición hoy?
3. ¿Debo asistir al concierto el sábado?
4. ¿Debo encender las luces?
5. ¿Debo subir el volumen de la radio?
6. ¿Debo preparar la comida?
7. ¿Debo comprar el regalo mañana?
8. ¿Debo mirar la película de terror?
9. ¿Debo arreglar la sala?

B Tell Raúl what his mother does not want him to do tonight.

■ⅲ no comer todo el postre *Tu mamá prefiere que no comas todo el postre.*

1. no leer esa novela
2. no escribir cartas a tus amigos
3. no beber mucha leche
4. no interrumpir a nadie
5. no discutir conmigo
6. no subir el volumen de la radio

C Express your hope that the following events will occur.

■ⅲ ¿Tus padres van a permitir la fiesta? *Espero que la permitan.*

1. ¿Tus abuelos van a vender la casa?
2. ¿Tu hermano vuelve mañana?
3. ¿Tus tíos van a abrir una tienda?
4. ¿Tu hermana va a escribir a Luis?
5. ¿Tus vecinos votan este año?

D Pablo is frustrated by certain situations. Comfort him, telling him that you hope the situations will change in the future.

■ⅲ Papá no me permite salir. *Ojalá que pronto te permita salir.*

1. Jorge no me escribe.
2. Mamá no vende el coche viejo.
3. Mis padres nunca me dan dinero.
4. Nunca nos vemos.
5. No me divierto.

	CONSEGUIR
yo	consiga
tú	consigas
él, ella, usted	consiga
nosotros, nosotras	consigamos
ellos, ellas, ustedes	consigan

Verbs ending in **-guir** undergo regular spelling changes in the present subjunctive: **gu>g.**

E Tell the following people to buy their concert tickets today.

■ⅲ tú *Quiero que consigas los boletos hoy.*

1. él
2. usted
3. María y Raúl
4. Teresa
5. Pepe y yo
6. Anita y Tomás

Present subjunctive with verbs of emotion

Me alegro de que tú nos **ayudes.**	I'm happy that *you will help* us.
¿Tienes miedo de que yo no **apruebe** el examen?	Are you afraid that *I won't pass* the exam?
Siento que no me **recuerden.**	I'm sorry that they don't *remember* me.

The present subjunctive is used in a dependent clause when a speaker expresses some kind of emotion (happiness, fear, regret) toward a situation or event.

F Express your happiness about the following situations.

■⧻ Jorge nos invita a una fiesta. *Me alegro de que Jorge nos invite a una fiesta.*

1. Alicia contesta mi carta.
2. Mi abuela prepara la comida.
3. Paquita toca la guitarra.
4. Tú pintas tu cuarto.
5. Ellos limpian las ventanas.
6. Papá paga la cuenta.

G Express your fear about the following situations.

■⧻ ¿Publicarán tu artículo en *El Globo?* *Tengo miedo de que no publiquen mi artículo en* El globo.

1. ¿Tu amigo cuidará al perro?
2. ¿El Sr. Ruiz organizará la excursión?
3. ¿Ella no recordará nuestra dirección?
4. ¿Nuestro equipo ganará el partido?
5. ¿Alfonso tocará la guitarra en la fiesta?
6. ¿Ustedes aprobarán el examen?
7. ¿Tendremos examen hoy?
8. ¿Publicarán el editorial en *El Globo?*

¡vamos a hablar! You're a doctor. Tell a patient five things you want her/him to do for better health.

correr todos los días	descansar un poco más
no preocuparse tanto	dormir ocho horas todas las noches
comer muchas verduras	
levantarse temprano	beber mucha leche
viajar a Puerto Rico	

Quiero que usted corra todos los días.

Subjunctive with impersonal expressions

Influence	Es necesario que **tú compres** un abrigo.	It's necessary that *you buy* a coat.
	Es importante que **lleguemos** a la una.	It's important that *we arrive* at one o'clock.
	Es bueno que **ustedes corran** mucho.	It's good that *you run* a lot.
Emotion	Es magnífico que **él** te **espere**.	It's wonderful that *he will wait* for you.
	Es horrible que **tú pienses** así.	It's horrible that *you think* that way.
	Es una lástima que **tú estés** enferma.	It's a pity that *you are* ill.

The present subjunctive is frequently used in a dependent **que-**clause when the main clause is an impersonal expression that reflects an opinion or a desire to influence the behavior of someone else. The present subjunctive is also frequently used after an impersonal expression that reflects a speaker's emotional reaction to some situation or event.

Below are some impersonal expressions that always require the subjunctive in a dependent **que-**clause.

es bueno que	es horrible que
es conveniente que	es una lástima que
es importante que	es magnífico que
es mejor que	es necesario que

H   Say that it is necessary that the following people complete certain activities.

▪▥   El señor Moreno quiere comprar   *Es necesario que el señor*
       un carro.   *Moreno compre un carro.*

1. La Sra. Menéndez quiere vender su casa.
2. Mi hermano mayor quiere buscar empleo.
3. La Srta. Rodríguez quiere encender las luces.
4. Yo quiero aprender a manejar.
5. Pepe y yo queremos esperar a Felipe.
6. Los chicos quieren regalarme algo.

I Advise the following people. Use expressions such as *es importante que*, or *es mejor que*.

■⫿ ¿Crees que debo estudiar español? *Sí, es importante que estudies español.*

1. ¿Crees que debo vender el tocadiscos?
2. ¿Crees que debo manejar más despacio?
3. ¿Crees que debo aprender francés?
4. ¿Crees que debo trabajar el sábado?
5. ¿Crees que debo reparar la bicicleta?
6. ¿Crees que debo llegar temprano a clase?

J Express what you hope the new mayor will do. Use such expressions as *es bueno que, es necesario que, es importante que,* or *es mejor que.*

■⫿ ¿Crees que debe subir el sueldo de los obreros? *Es bueno que suba el sueldo de los obreros.*

1. ¿Crees que debe permitir la huelga en el pueblo?
2. ¿Crees que debe reparar las calles?
3. ¿Crees que debe organizar una fiesta internacional?
4. ¿Crees que debe subir los impuestos locales?
5. ¿Crees que debe ayudar a los consumidores?
6. ¿Crees que debe permitir las huelgas de los empleados de la ciudad?

¡vamos a hablar! State what changes you would like to see in your school or neighborhood. Talk about sports, traffic, new laws, noise, pollution, and similar issues.

Es necesario que organicemos más deportes.

Una calle principal de Quito, Ecuador

Present subjunctive of dar, ir, and ser

Quiero que tú me **des** cinco pesetas.	I want you *to give* me five pesetas.
No es necesario que Juan **vaya** a Quito.	It's not necessary for Juan *to go* to Quito.
Es una lástima que María **sea** tan perezosa.	It's a pity that María *is* so lazy.

	DAR	IR	SER
yo	dé	vaya	sea
tú	des	vayas	seas
él, ella, usted	dé	vaya	sea
nosotros, nosotras	demos	vayamos	seamos
ellos, ellas, ustedes	den	vayan	sean

Dar, ir, and **ser** have irregular present-subjunctive forms that are not based on the **yo-**form of the present indicative.

K Lucía and Pablo are organizing donations for a charity. They are making a list of the donations they hope to receive.

▪▥ el Banco Aguirre / un sofá   *Esperamos que el Banco Aguirre nos dé un sofá.*

1. la compañía Rodríguez / ropa de niño
2. el club / zapatos de señora
3. la compañía Sánchez / vestidos nuevos
4. la Compañía Pérez / sombreros de hombre
5. la Casa Roque / trajes de señora
6. los Almacenes Preciados / chaquetas de niño

L Express Joaquín's wishes about the following circumstances.

▪▥ David va al concierto.   *Joaquín espera que David vaya al concierto.*

1. Su abuelita va a Puerto Rico.
2. Anita y Patricia van al museo.
3. Tú y yo vamos de compras.
4. Yo voy al cine con Roberto.
5. Mis hermanos van al partido de fútbol.
6. Nosotros vamos a la plaza Bolívar.
7. Sus amigos ganan el partido.
8. Su hermano va de vacaciones.
9. Las clases terminan a tiempo.

M   You're shopping today. Tell the clerk what items of clothing you prefer.

▪▥   ¿Quiere la camisa blanca o azul?   *Es mejor que la camisa sea blanca.*

1. ¿Quiere los zapatos negros o los rojos?
2. ¿Quiere el pantalón corto o el pantalón largo?
3. ¿Quiere el suéter gris o el suéter marrón?
4. ¿Prefiere el abrigo largo o el corto?
5. ¿Prefiere la chaqueta negra o la chaqueta azul?
6. ¿Le gustan los pantalones blancos o los verdes?
7. ¿Prefiere la camisa roja o la azul?
8. ¿Le gusta la blusa blanca o la amarilla?
9. ¿Quiere el sombrero marrón o el blanco?

Interrogative ¿qué? and ¿cuál(es)?

¿QUÉ?	¿CUÁL?
¿**Qué** es un semáforo? ¿**Qué** son esos objetos?	¿**Cuál** es tu teléfono? ¿**Cuáles** son tus libros?

¿**Qué** is used to ask for a definition or an explanation. ¿**Cuál(es)** is used to identify or to point something out. Both ¿**qué?** and ¿**cuál(es)?** are equivalent to the English word *what*. ¿**Cuál(es)?** is also equivalent to *which one(s)*.

N   You need the following information. Ask a friend for help. Use *¿qué?* or *¿cuál?* as appropriate.

▪▥   número de teléfono de   *¿Cuál es el número de*
la escuela   *teléfono de la escuela?*

1. la fecha de hoy
2. un terremoto
3. un *superjet*
4. los días de fiesta de este año
5. los jugadores más fuertes del equipo
6. el ajedrez

¡vamos a hablar!   Describe your ideal car to a classmate. Tell about its size, color, speed and name. Then ask several classmates about their preferences.

Mi automóvil favorito es el XM porque es muy rápido.
¿Cuál es tu automóvil favorito?

NO ESTACIONARSE

HUERTA CHICA

TELEFONOS

San Francisco

El Pilar

Mercado

Ayuntamiento

Iglesia

CALLE DE ISABEL LA CATOLICA

3.5

VINOS RIOJA FEDERICO PATERNINA OLLAURI RIOJA

Las señales de tráfico se colocan[1] en casi todos los países del mundo en el lado[2] derecho de las vías, ya sean[3] carreteras o calles. Pero en algunos países hispanoamericanos las señales pueden estar en cualquier sitio. No es extraño encontrar indicaciones de *prohibido adelantar, dirección única* o *prohibido aparcar*[4] en las paredes de un edificio, en el suelo, o a la izquierda de la carretera. Incluso algunas veces esas señales pueden ser incorrectas porque se hicieron cambios y se olvidaron quitar los antiguos[5] avisos de las paredes.

1 are placed   2 side   3 be they   4 no parking   5 old

187

Lectura

Problemas en el camino

Guayaquil, 7 de marzo

Mi querida Mariana:

A estas horas tendrías° un amigo con licencia de manejar si no fueran° tan difíciles los exámenes. Estoy muy disgustado° con mi examen ¡lo hice fatal!° Pero no fue todo culpa mía°. Bueno, déjame que te cuente desde el
5 principio.

El examen era a las 9 de la mañana y le pedí a mi amigo Juan que me acompañara° en su coche. Juan llegó tarde, como siempre. Eran las nueve menos cinco y como teníamos prisa, Juan no paró en un semáforo que estaba en rojo, una señal de prohibido adelantar° y tomó una curva pronunciada°
10 tan de prisa° que casi nos rompemos la nariz contra el parabrisas. Yo llegué al examen temblando° y tarde. Sólo tenía 15 minutos para contestar 100 preguntas y ¡claro! ni leí bien lo que pedían. Por ejemplo, dije que la velocidad mínima en ciudad es 100 kilómetros por hora y que la gente con gafas no puede manejar. El profesor al darme la nota me dijo: "suspendido,
15 es usted un peligro mayor que la bomba H para el tráfico. No vuelva a examinarse hasta que cambie de ideas°." Mariana, ¿qué más puedo decirte? Escríbeme pronto.

Tu desesperado° amigo,

Carlos

Carlos

you would have/weren't
upset
lo . . . fatal: I failed it /
culpa mía: my fault

accompany

prohibido adelantar: no
passing / sharp / so fast
trembling

hasta . . . ideas: until you
change your thinking

distraught

actividades	A	1.	¿Para qué se examinó Carlos?
		2.	¿A qué hora era el examen?
		3.	¿Quién es Juan?
		4.	¿Qué cosas sabes de Juan?
		5.	¿Cuánto tiempo tenía Carlos para contestar el examen?
		6.	¿Cuántas preguntas tenía que contestar?
		7.	¿Leía bien Carlos las preguntas?
		8.	¿Qué dijo Carlos sobre la gente que maneja con gafas?
		9.	¿Estaba contento el profesor con el examen de Carlos?

B

1. ¿Sabes tú si hay una velocidad mínima en la ciudad? ¿Y en la carretera?
2. ¿Puede manejar la gente que lleva gafas?
3. ¿Hay que pasar un examen de la vista para tener una licencia de manejar en este país?
4. ¿Hay un examen escrito y un examen práctico en tu pueblo?
5. ¿Cuántos años tiene uno que cumplir para conseguir la licencia de manejar en tu pueblo? ¿La tienes?

impresiones y gustos

1. ¿Saliste bien en el examen de manejar?
2. ¿Contestaste correctamente todas las preguntas del examen?
3. ¿Sabes manejar bien o eres un peligro mayor que la bomba H para el tráfico?
4. ¿Siempre manejas con cuidado?
5. ¿Prefieres el automóvil personal o el transporte público?

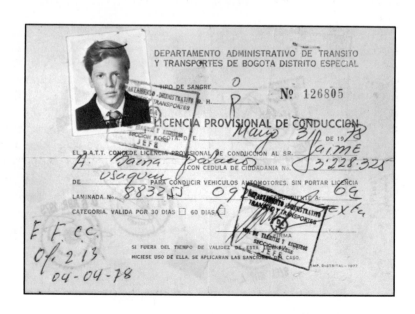

Un embotellamiento en una calle de la ciudad de México

En resumen

Present subjunctive of **-er** and **-ir** verbs (A–D)

	CORRER	SUBIR	VOLVER
yo	corra	suba	vuelva
tú	corras	subas	vuelvas
él, ella, usted	corra	suba	vuelva
nosotros, nosotras	corramos	subamos	volvamos
vosotros, vosotras	corráis	subáis	volváis
ellos, ellas, ustedes	corran	suban	vuelvan

1. The present subjunctive of **-er** and **-ir** verbs, like the present subjunctive of **-ar** verbs, is used when a speaker wants or hopes to influence the behavior of another person or group of persons: **Espero que me escribas pronto. Prefiero que no corras hoy.**
2. The present subjunctive forms of most **-er** and **-ir** verbs are made up of a stem based on the **yo**-form of the present indicative and a set of endings that have a characteristic vowel **a.**
3. Verbs in **-er** and **-ir** with stem changes in the present indicative, such as **volver,** undergo the same stem change in the present subjunctive.

More present subjunctive forms (E)

	SEGUIR
yo	siga
tú	sigas
él, ella, usted	siga
nosotros, nosotras	sigamos
vosotros, vosotras	sigáis
ellos, ellas, ustedes	sigan

Verbs ending in **-guir** undergo regular spelling changes in the present subjunctive: **gu>g.**

Present subjunctive of **dar, ir,** and **ser** (K–M)

	DAR	IR	SER
yo	dé	vaya	sea
tú	des	vayas	seas
él, ella, usted	dé	vaya	sea
nosotros, nosotras	demos	vayamos	seamos
vosotros, vosotras	deis	vayáis	seáis
ellos, ellas, ustedes	den	vayan	sean

Dar, ir, and **ser** have irregular present-subjunctive forms that are not based on the **yo**-form of the present indicative.

More uses of the present subjunctive (F–J)

1. The present subjunctive is used in a dependent clause when a speaker expresses some kind of emotion (happiness, fear, regret) about a situation or event: **Me alegro de que estudies español. Tengo miedo que no hablen bien. Siento que no puedas manejar.**

2. The present subjunctive is frequently used in a dependent clause when the main clause contains an expression that reflects an opinion or a desire to influence the behavior of someone else. **Es necesario que prepares la cena.**

3. The present subjunctive is also frequently used after impersonal expressions to reflect a speaker's emotional reaction to some situation or event: **Es una lástima que no viajen mucho.**

¿Qué? and ¿Cuál(es)? (N)

1. The interrogative **¿qué?** is equivalent to English *what?* **¿Qué?** is used to ask for a definition or an explanation: **¿Qué es un huracán? ¿Qué son estas cosas? ¿Qué?** may be followed by a verb or a noun.
2. The interrogative **¿cuál(es)** is equivalent to English *what?* and *which one(s)?* **¿Cuál(es)?** is used to identify or to point something out: **¿Cuál es tu casa? ¿Cuáles son tus carteles?**

Repaso

A Indicate which word does not belong with the other three, according to the category established in each line.

1. *direcciones:* izquierda, derecha, adelante, volante
2. *señales de tráfico:* prohibido entrar, prohibido parar, alto, esquina
3. *interior del coche:* frenos, volante, llantas, faroles
4. *exterior del coche:* parachoques, parabrisas, volante, matrícula
5. *parte de delante:* parabrisas, limpiaparabrisas, luces de frenos, parachoques
6. *parte de atrás:* volante, parabrisas, matrícula, llantas

B Lorenzo's parents have let you and your friends stay at their summer house during the weekend, but they left a note on the table saying: *Es mejor que ustedes cuiden la casa si quieren usarla otra vez.* Take Lorenzo's role and explain what his parents mean.

■ⅲ ¿Tenemos que lavar los platos?   *Es mejor que ustedes laven los platos.*

1. ¿No podemos tocar el piano?
2. ¿Podemos usar el automóvil?
3. ¿Debemos cerrar las ventanas?
4. ¿Debemos cerrar las puertas?
5. ¿Podemos usar el tocadiscos?
6. ¿Podemos celebrar una fiesta?

C Here is a problem for you to solve. Say who is older and who is younger.

La madre tiene treínta y nueve años y el padre cuarenta y dos. Pilar acaba de cumplir dieciocho años pero su hermano Juan cumplió dieciocho el año pasado. Marta y María son mellizas *(twins)* y tienen trece. Eduardo nació *(was born)* antes que las mellizas pero dos años después que Pilar. ¿Cuántos años tiene Eduardo?

D   Make six complete sentences by combining an element from each of the three columns.

1	2	3
Es importante que	el gobierno	no discriminar a la mujer
Es una lástima que	los obreros	no leer los anuncios
Es mejor que	los votantes	estudiar los candidatos
Es necesario que	los ciudadanos	hablar sobre sus ideas
Es peor que	los candidatos	tener escuelas rurales
Es magnífico que	la ciudad	limitar las inversiones
Es horrible que	las leyes	extranjeras
Es bueno que	todos	ser justo
		ir a votar

■⯈ *Es bueno que todos vayan a votar.*

E   María and Pablo have gone shopping to buy some new things for their wardrobe. Complete the sentence pairs with *¿qué?* or *¿cuál(es)?*, as appropriate.

1. ¿ —— blusa te gusta más?
   — La azul es más bonita que la blanca.
2. ¿ —— de estas faldas prefieres?
   — La mejor es la larga.
3. ¿ —— zapatos te gustan?
   — Estos negros me gustan más que los marrones.
4. ¿ —— prefieres, un vestido o una falda?
   — Prefiero una falda.
5. ¿ —— de estos pantalones quieres?
   — Quiero el mejor.
6. ¿ —— de las camisas comprarás?
   — Creo que la blanca.
7. ¿ —— número de zapato usas?
   — Uso el 42.
8. ¿ —— es tu perfume?
   — Uso B-3.

F   Felipe asks you what you will do when you finish high school. Respond with an impersonal expression + present subjunctive.

■⯈ ¿Irás a la universidad?   *Es posible que vaya a la universidad.*

1. ¿Buscarás un trabajo?
2. ¿Vivirás con tus padres?
3. ¿Estudiarás historia en la universidad?
4. ¿Les darás dinero a tus padres?
5. ¿Volverás a esta ciudad algún día?

G Dora asks her mother for assistance in preparing her first dinner party in her new apartment. Complete her requests.

■⫶ faltar platos / traer los de tía Adela

Mamá, me faltan platos y quiero que me traigas los de tía Adela.

1. faltar cucharas / buscar las de plata
2. faltar ajo / comprarlo en la tienda
3. faltar un poco de carne / ir al mercado
4. faltar la fruta / preparar un postre

H Mr. Gómez often corrects his son Raúl's behavior. Express Mr. Gómez's commands.

■⫶ Comes mucho por las noches. *¡No comas mucho!*

1. Hablas por teléfono.
2. Llegas a casa muy tarde.
3. Celebras una fiesta todos los sábados.
4. Sólo comes arroz.
5. Sólo lees revistas de carros.
6. Abres la puerta a cualquiera.

I In six complete sentences, describe the busy intersection and activity below.

■⫶ *La señora González compra fruta.*

Vocabulario

SUSTANTIVOS

la carretera   highway
el farol delantero   headlight
el farol trasero   taillight
el freno   brake
la licencia de manejar   driver's license
el limpiaparabrisas   windshield wiper
el movimiento   movement
el parachoques   bumper
el parabrisas   windshield
la placa de matrícula   license plate
la reglamentación   rules
el reglamento de tránsito   driver's manual
la señal caminera   traffic sign
el vehículo   vehicle
la velocidad   speed
la vía   lane
el volante   steering wheel

EXPRESIONES

a menos de   less than
además de   in addition to
en forma de   in the shape of
hacer falta   to need
me muero de miedo   I'm scared to death
usar: se usan   are used

VERBOS

adelantar   to pass (another vehicle)
alegrarse (de)   to be happy
aprobar (ue)   to pass (an exam)
avisar   to warn, to advise
conseguir (i-i)   to obtain
cumplir   to accomplish
detener (la marcha)   to stop (the acceleration)
doblar   to turn
examinar   to examine
manejar   to drive
repasar   to review
sacar   to apply for

OTRAS PALABRAS

cercano, -a   near
cualquiera   any
disponible   available
escrito, -a   written
lógico, -a   logical
máximo, -a   maximum
obligado, -a   required
práctico, -a   practical
preventivo, -a   preventive
prohibido, -a   prohibited
suspendido, -a   failed

capítulo 9

¡Adiós al colegio!

196

Los viajes de fin de bachillerato y final de curso tienen una vieja historia en los colegios españoles. Durante nueve meses, los alumnos de último curso consiguen dinero para el viaje haciendo distintas cosas. Los alumnos pueden viajar por España, Europa o Norte de África. El viaje normalmente tiene una duración de 7 a 14 días. Las fechas más frecuentes de estos viajes son Semana Santa o finales de junio.

Una carta de negocios

La comisión de viajes de un colegio español escribió la carta siguiente.

Instituto Nacional de Enseñanza Media
San Isidro
Paseo de Rosales, 3
Alicante
5   21 de marzo, 1982

Señor Gerente de García y Hermanos, S.A.
Fabricantes y Distribuidores de Productos de Droguería
Avenida de la Independencia, 18
Alicante

10 Muy señor nuestro:

Los alumnos del último curso del Instituto Nacional de Enseñanza Media de San Isidro, hemos acordado dirigir la presente carta a todas las empresas importantes de la ciudad.

Durante este año escolar, hemos realizado diversas actividades con el
15 propósito° de recaudar° fondos para nuestro viaje de fin de curso. Un grupo   purpose / collect
de alumnos ha organizado varias rifas° de valiosos° objetos donados por   raffles / valuable
empresas; otro grupo ha hecho representaciones teatrales; otro diferente ha
presentado un festival de danzas regionales de España; y, finalmente, varios
grupos han vendido productos que han donado otras empresas locales.

20 La Comisión de Viaje ha decidido solicitar de usted algunos de los productos que García y Hermanos S. A. fabrica y distribuye, tales como°   such as
jabones°, detergentes, productos de limpieza°, etc. para venderlos y aumen-   soaps / cleaning
tar así los fondos para nuestro viaje. Nosotros, a cambio°, ofrecemos incluir   in exchange
el nombre de su empresa como benefactora del curso, en el programa de
25 nuestra fiesta de gradación.

Esperando contar con su generosidad, queda de usted atentamente,

Juan Pérez Cid
Por la Comisión de Viaje

1. ¿Quién escribe la carta?
2. ¿A quién escribe?
2. ¿Cómo ganan dinero los alumnos?
4. ¿Qué ofrecen los alumnos a cambio de la ayuda económica?

extensión

A. Convince a local merchant to give your club financial assistance. Respond with a statement from the right-hand column.

¿Qué desean ustedes?	Necesitamos ayuda económica.
¿En qué puedo servirles?	Deseamos que ustedes nos ayuden.
¿Qué les hace falta?	Hemos elegido a esta empresa para que nos ayude.

B. Thank the merchant for his/her company's contribution. Give an appropriate response from the right.

Aquí tienen ustedes un cheque por 10.000 pesetas.	Muchísimas gracias, señor/a.
Afortunadamente tenemos fondos para su colegio.	Mil gracias! ¡Qué generoso/a!
Me alegro mucho de poder darles este dinero.	Le agradezco su generosidad°.
	Nos alegramos mucho por su contribución° generosa.

¡vamos a hablar!

Tell how you have helped to earn money for yourself, a club, a team, or other organization.

He vendido boletos para el club.
También he lavado coches.

Los horarios[1] en España son distintos a los del resto de Europa y muchos países de América. El comercio abre a las 9 y cierra a la 1:30. Por la tarde vuelve a abrir a las 4 y cierra a las 8. Este horario se mantiene de lunes a sábado. Los domingos todo está cerrado excepto algunas pastelerías, heladerías, bares y restaurantes.

1 business hours

Este verano voy a viajar

He aquí una selección del diario de Isabel Fernández, una recién graduada de un colegio privado en Madrid, España.

Viernes, 18 de abril

Hoy decidí viajar este verano. Hablé con mis padres y están de acuerdo si voy con mis primas. Esta tarde fui al banco para ver cómo está mi cuenta de ahorros. Tengo 30.000 pesetas ahorradas y creo que me bastan para ir a
5 Portugal o a Francia si nos quedamos en los *campings*. Los hoteles son muy caros . . . además en los *campings* nos divertiremos más.

Mis primas, Teresa y Marta, están muy animadas a hacer el viaje. También ya han estado en Francia y conocen algunos lugares interesantes y baratos. Quizás vayamos° a los Alpes franceses donde podemos esquiar en
10 pleno° verano o quizás hagamos otros deportes. ¡Un verano sin el calor de Madrid! ¡Qué maravilla!

we'll go

en pleno: in the middle of

comprensión

Correct the following statements according to the information provided in the excerpt from Isabel's diary.

1. Isabel no ha discutido sus planes con sus padres.
2. Isabel piensa ir sola a Portugal o a Francia.
3. Tiene bastante dinero para pagar los hoteles.
4. Según Isabel, quedarse en los *campings* es muy aburrido.
5. Hace mucho frío en Madrid durante el verano.
6. Isabel no sabe esquiar.
7. Sus primas, Teresa y Marta, nunca han viajado por Francia.
8. Teresa y Marta no tienen interés en hacer el viaje.
9. Solamente pueden esquiar en los Alpes.

extensión

A. You are planning to travel, to study, or to work this summer. Explain your choices.

¿Por qué quieres viajar este verano?
¿Vas a trabajar este verano?
¿Qué piensas hacer durante las vacaciones?
¿Por qué trabajas y no te diviertes durante el verano?
¿Dónde piensas trabajar este verano?
¿Qué clase de experiencia necesitas?

He ahorrado dinero y quiero viajar.
Porque necesito tener experiencia en [trabajar].
Necesito [dinero].
Pienso [trabajar en un hospital].

B. Draw conclusions about the following situations.

■||| Tú tienes [14] años. Quieres trabajar en un restaurante. La edad mínima es 18 años. ¿Puedes trabajar?

No puedo trabajar en el restaurante porque sólo tengo [14] años y hay que tener 18.

1. Tú quieres ir a España en una excursión. Cuesta $1.600. Tú tienes ya $1.500 ahorrados. ¿Puedes ir?
2. Tú quieres abrir una cuenta en un banco. La cantidad mínima es $10,00. Tú tienes $25,00 ahorrados. ¿Puedes abrir la cuenta?
3. Tú quieres aprender a manejar. Tienes 16 años. La edad mínima para aprender es 15 años. ¿Puedes aprender a manejar?
4. Tú necesitas tener $500 para comprar un tocadiscos. Tienes $600. ¿Puedes comprar el tocadiscos?

impresiones y gustos

1. ¿Adónde piensas viajar después de graduarte del colegio?
2. ¿Cómo prefieres viajar? ¿por qué?
3. ¿Con quiénes piensas ir?
4. ¿Cómo vas a conseguir el dinero para los billetes?
5. ¿Prefieres quedarte en los hoteles o en los *campings?* Explica.

La vida extra-escolar en los colegios o institutos en los países hispánicos es muy limitada. Algunos tienen equipos deportivos de fútbol, de básquetbol, o de balonmano. A veces, hay equipos de béisbol. La razón está en que la familia es una institución tan fuerte en esas sociedades que las actividades sociales se organizan en el círculo familiar, con primos o con los hijos de vecinos y amigos de los padres.

Estudio de palabras

De camping

1 la tienda
2 la mochila
3 el saco de dormir
4 la linterna
5 la brújula
6 el hacha
7 la navaja
8 la cuerda
9 los clavos
10 la hamaca
11 el fuego

A   Identify the items in the camping scene that serve the following purposes.

■ⅲ   Sirve como casa en la montaña.   *Es una tienda.*

1. Sirve para llevar cosas.
2. Sirve para cocinar.
3. Sirve para encontrar el camino en el bosque.
4. Sirve para poner los clavos en el suelo.
5. Sirve para dar luz de noche.
6. Sirve para acostarse entre dos árboles.
7. Sirve para dormir en el suelo.

B   Complete the following camping riddles with a correct answer.

■ⅲ   Por la tarde duermes en esto. ¿Qué es?   *Es una hamaca.*

1. Por la noche duermes bajo esto. ¿Qué es?
2. Por la noche ves con esto. ¿Qué es?
3. Usas esto si estás perdido/a. ¿Qué es?
4. Para preparar la comida, necesitas esto. ¿Qué es?
5. Usas eso para llevar la ropa y la comida. ¿Qué es?
6. Para cocinar o si tienes frío, necesitas esto. ¿Qué es?

Pronunciación y ortografía

palabras claves ‖ [s]
mesa
diez
cinco

The Spanish [s] is similar to the [s] sound in English *sun*. The [s] sound is spelled **s**, **z**, or **c** (before vowels **e** or **i**).

A   Pronounce the following words after your teacher.

salida	lápiz	centro
susto	vez	cine
pecas	pizarra	cita
fantástico	empezar	cero

B   Read the following sentences aloud to practice the [s].

1. El señor Silva siguió el camino.
2. Según sus hermanos las sillas estarán aquí para el sábado.
3. Supongo que este suéter es suficiente para una excursión a las montañas.
4. Cero y diez son diez.
5. Es lo mismo, ¿no?
6. Los dos hablan desde ahí.

La S es el anzuelo de las letras.

Gramática

More present-subjunctive forms

Digo la verdad. Quieren que yo **diga** la verdad.
Salgo temprano. Es importante que yo **salga** temprano.

The present subjunctive of **decir, hacer, poner, tener, venir,** and **salir** are based on the **yo**-form of the present indicative, as are most present subjunctive forms. The chart below shows the present-subjunctive forms of these verbs.

INFINITIVE	DECIR	HACER	PONER	SALIR	TENER	VENIR
yo-form	digo	hago	pongo	salgo	tengo	vengo
yo	diga	haga	ponga	salga	tenga	venga
tú	digas	hagas	pongas	salgas	tengas	vengas
él, ella, usted	diga	haga	ponga	salga	tenga	venga
nosotros, nosotras	digamos	hagamos	pongamos	salgamos	tengamos	vengamos
ellos, ellas, ustedes	digan	hagan	pongan	salgan	tengan	vengan

A   Eduardo suspects that his friends are going to give him a surprise party. He tells Pepe that it's important that everyone tell him whether or not his suspicion is true.

　　■ⅲ　　ustedes　　*Es importante que ustedes me digan la verdad.*

1. mis amigos
2. todo el mundo
3. María Luisa
4. tú y Jorge
5. mis compañeros de clase
6. tú y los otros

B   Everyone offers to prepare some food for a party at Pablo's house. Report what Pablo wants each of you to make.

　　■ⅲ　　yo / tortillas　　*Pablo quiere que yo haga unas tortillas.*

1. tú / quesadillas
2. Alicia / ensalada
3. tú y yo / ponche
4. Tomás / sandwiches de jamón
5. yo / hamburguesas
6. ustedes / tortillas

C The Valencia family has just moved into a new home. Tell the movers where to put the various pieces of furniture.

■⫿ ¿Dónde ponemos la nevera?   *Es mejor que la pongan allí.*

1. ¿Dónde pongo el lavaplatos?
2. ¿Dónde ponemos la alfombra?
3. Y esta mesa, ¿dónde la ponemos?
4. Y esa cama, ¿dónde la ponemos?
5. ¿Dónde pongo este estante?
6. Y estos sillones, ¿dónde los ponemos?

D Miss Hernández thinks it is amazing that the following people are as old as they claim to be.

■⫿ José Luis / 20 años   *Es increíble que José Luis tenga 20 años.*

1. mi hermana / 16 años
2. yo / 25 años
3. Fabiola y Mercedes / 29 años
4. nosotras / 18 años
5. la señora Ortiz / 40 años
6. mi tío / 99 años

E Carmen is expecting some company Saturday afternoon and hopes that her guests will arrive when you say they will.

■⫿ Pepe viene a las dos.   *Espero que venga a las dos.*

1. Las chicas Alameda vienen a las dos y cuarto.
2. Anita viene a las dos y media.
3. Tu amigo Luis viene a las tres menos veinte.
4. Los otros vienen a las cuatro.

F Inés is pleased that various friends and relatives are going out with the persons mentioned.

■⫿ María sale con Enrique.   *Es bueno que salga con Enrique.*

1. Eduardo sale con Alicia.
2. Raúl y yo salimos con Anita y Elena.
3. Mi hermano sale con tu hermana.
4. Tu prima Carmela sale con Jose.

¡vamos a hablar!   Discuss with a classmate plans for a farewell party. Tell her/him when you want your friends to arrive, what you hope each one will bring, and when you want them to leave. Also tell what food you plan to serve.

Pienso invitar a María Luisa. Espero que ella prepare tortillas.

Shortened forms of adjectives

primero	primer	el primer día
tercero	tercer	el tercer mes
bueno	buen	un buen muchacho
malo	mal	un mal chico

The adjectives **primero, tercero, bueno,** and **malo** lose their final **o** when used before a masculine singular noun.

alguno	algún	algún libro
ninguno	ningún	ningún lápiz
santo	san	San Francisco

Alguno becomes **algún,** and **ninguno** becomes **ningún** when used with a masculine singular noun.

Santo becomes **San** before the names of all male saints except those beginning with **Do-** or **To-,** as in **Santo Domingo** or **Santo Tomás.**

un hombre **grande**	a *big* man		un **gran** hombre	a *great* man
una persona **grande**	a *big* person		una **gran** persona	a *magnificent* person

The adjective **grande** becomes **gran** before a singular masculine or feminine noun. Before a noun, **gran** means *great* or *magnificent.* When **grande(s)** is used after a noun, it means *big* or *large.*

G Complete the following sentences with an appropriate form of the adjectives listed above.

1. ¿Cuál es el _____ día de la semana? Es domingo.
2. ¿Cuál es el _____ mes del año? Es marzo.
3. _____ día voy a invitarte a comer conmigo. Hoy no puedo.
4. No hay _____ lápiz en esta mesa. Sólo hay un bolígrafo.
5. Jorge es un _____ chico. No ayuda a nadie.
6. Felipe es un _____ chico. Ayuda a todo el mundo.
7. Cervantes es un _____ autor. Escribió el *Quijote.*
8. _____ Diego es el nombre de una ciudad en California.
9. _____ Francisco es otra ciudad de California.

Present perfect tense

¡Ha llegado abril!	April *has arrived!*
¿Has preparado los calamares?	*Have you prepared* the squid?
Luisa **no se ha levantado** todavía.	Luisa *hasn't gotten up* yet.

The present perfect tense is used to express past actions, usually ones in which the speaker wishes to indicate that the event is related in some way to the present. The present perfect is usually expressed in English with the auxiliary *have/has* + past participle. Object pronouns and negatives precede the auxiliary verb in Spanish.

	HABLAR	COMER	VIVIR
yo	he hablado	he comido	he vivido
tú	has hablado	has comido	has vivido
él, ella, usted	ha hablado	ha comido	ha vivido
nosotros, nosotras	hemos hablado	hemos comido	hemos vivido
ellos, ellas, ustedes	han hablado	han comido	han vivido

The present perfect is formed with the present tense of the auxiliary **haber** and a past participle. The past participle of regular verbs is formed by adding the appropriate endings to the infinitive stem: **ado** for verbs ending in **-ar,** and **-ido** for verbs ending in **-er** and **-ir.**

¿Has leído esta novela?	Have you *read* this novel?
¿Has oído las noticias?	Have you *heard* the news?

When the infinitive stem of an **-er** or **-ir** verb ends in **e** or **o,** a written accent mark is used over the **i** of the **-ido** ending.

H The telephone line has been busy all day in your house. Report who has called whom.

▪▮ Pepe / a Marta   *Pepe ha llamado a Marta.*

▪▮ tu tía / al señor Díaz   *Mi tía ha llamado al señor Díaz.*

1. yo / a Guillermo
2. tú / a tu tía
3. tu mamá / a la señora Díaz
4. tu papá / al director de su oficina
5. tus hermanos / a sus amigos
6. Anita / a su amiga
7. tú / al dentista
8. tu abuelo / a su hermano
9. Teresa / a su prima

I   Mónica reports that she has finished all of her scheduled activities. Take her role.

▪ıı   arreglar mi cuarto   *He arreglado mi cuarto.*

1. organizar mis papeles
2. practicar el piano
3. jugar al tenis con Bárbara
4. aprender los verbos

5. llamar a abuela
6. pagar la cuenta
7. leer el periódico
8. oír las noticias

J   Pepe is writing a letter to his cousin Felipe, telling him about all the activities that have taken place that week. Take Felipe's role.

▪ıı   papá / viajar a Madrid   *Papá ha viajado a Madrid.*

1. yo / practicar el clarinete
2. Silvia y yo / comer en *Las Cazuelas*
3. Ángela / vender su coche
4. mamá / recibir una carta de mi abuela
5. mi hermano menor / mirar mucha televisión
6. mi hermano mayor / leer muchos libros
7. Eduardo y yo / asistir a un concierto
8. Alicia y mi hermana / jugar al béisbol

¡vamos a hablar!   Share information with a classmate about two things you have done and two things you haven't done in the past year, but would like to do.

He visitado Miami, pero no he viajado en avión.

Las tarjetas de crédito y los cheques no son tan corrientes[1], ni se usan con tanta frecuencia en los países hispánicos como en los Estados Unidos. En España existen las tarjetas de crédito 4B y Credi-Banco para el comercio nacional. Lo más frecuente en cualquier transacción comercial es, sin embargo, el dinero — como dice el dicho — contante y sonante[2].

1 common   2 hard, cold cash

Fin de curso. Un grupo de estudiantes españoles y su profesor visitan y admiran la antigua ciudad de Toledo (izquierda) y Barcelona, España.

Irregular past participles

The following verbs have irregular past participles, many of which you have already seen as adjectives. When a past participle is used as an adjective, it agrees in number and gender with the noun it modifies: **La puerta está abierta. Los colegios están cerrados.**

The charts below show three groups of irregular past participles.

Forms in **-to**

INFINITIVE	PARTICIPLE	
abrir	**abierto**	He **abierto** todas las ventanas.
escribir	**escrito**	¿Has **escrito** a tu primo?
morir	**muerto**	Ha **muerto** la señora Sánchez.
poner	**puesto**	¿Dónde has **puesto** tu chaqueta?
romper	**roto**	¿Quién ha **roto** los vasos?
ver	**visto**	No hemos **visto** a Martín.
volver	**vuelto**	Mi tío ha **vuelto** de Nicaragua.

Forms in **-cho**

INFINITIVE	PARTICIPLE	
decir	**dicho**	No hemos **dicho** nada.
hacer	**hecho**	¿Por qué has **hecho** eso?

Forms in **-ido**

INFINITIVE	PARTICIPLE	
ir	**ido**	Las muchachas han **ido** al parque.
ser	**sido**	El programa ha **sido** un desastre.

K Make complete statements in the past. Use the present perfect tense.

▪▥ Carmela / volver / campo   *Carmela ha vuelto del campo.*

1. yo / romper / diez platos
2. Eduardo / poner / discos / estante
3. el abuelo de Bárbara / morir / hoy
4. mi tía / hacer / suéter / para mí
5. todos nosotros / ver / película

Pronoun **lo** + adjective

Lo difícil es comprender la situación.	*The difficult part* is to understand the situation.
Lo interesante es que Pepe ya ha vuelto.	*The interesting thing* is that Pepe has already returned.

Lo is used with a masculine singular adjective to express an abstract characteristic or quality. The English equivalent is often expressed with the words *part, thing, matter, business*.

L   Restate, using *lo* + adjective.

■ⅲ   Es difícil aprender alemán.   *Lo difícil es aprender alemán.*

1. Es importante conseguir boletos.
2. Es mejor reunirnos mañana.
3. Es malo dormir en clase.
4. Es agradable divertirse.
5. Es interesante aconsejar a otros.
6. Es difícil leer toda la novela.
7. Es peligroso salir de noche.
8. Es horrible estar enfermo/a.
9. Es fácil preparar la comida.

M   Contradict the following statements.

■ⅲ   Lo fácil es organizar la excursión. (difícil)   *No, lo difícil es organizar la excursión.*

1. Lo divertido es encender el fuego. (aburrido)
2. Lo aburrido es limpiar los platos. (interesante)
3. Lo interesante es buscar nuevos caminos. (peligroso)
4. Lo fácil es subir las montañas. (difícil)
5. Lo maravilloso es caminar todo el día. (horrible)
6. Lo estupendo es dormir en una hamaca. (malo)
7. Lo difícil es manejar bien. (fácil)

Hay una forma de hacerse millonario en España ... si uno tiene mucha suerte: la lotería. Todas las semanas hay sorteos[1] de lotería. Los boletos de participación cuestan de 200 a 500 pesetas y si el número premiado[2] coincide con el que posee el jugador, instantáneamente es dueño[3] de 2 a 5 millones de pesetas.

1 drawings   2 winning   3 winner

Las fiestas de San Fermín

Pamplona, 16 de julio

Querido Roberto:

¡Cómo me he divertido estos días! Nunca pensé que podría° estar varios días sin dormir . . . y sin cansarme. Llegué a Pamplona para ver las famosas fiestas de San Fermín. Ya había miles de turistas que venían de todas partes de España, de Europa e incluso de América.

El día 7 a eso de las seis de la mañana me desperté. Las calles estaban llenas de gente. Había bandas de música tocando la pegadiza° música de Navarra. Nosotros tuvimos la suerte de escuchar la música de un grupo pequeño formado por dos oboes antiguos y un tambor. ¡Qué maravilla!

Mis amigos y yo nos vestimos rápidamente y fuimos a la plaza de toros que está en el centro de la ciudad. Ya había allí miles de personas. A las siete en punto se oyó un cohete° muy potente. Así se anuncia que va a empezar el famoso Encierro° de los toros. Este Encierro consiste en soltar° los toros, que están en un corral cercano, para que vayan° hacia la plaza por un camino señalado y protegido debidamente°. Lo interesante es que los toros no van solos sino que van detrás de cientos de personas que huyen° para evitar el ataque de éstos animales formidables. ¡Imagínate qué espectáculo, qué gritería°, qué emoción! Como los toros corrían más rápido que las personas, pronto los primeros toros alcanzaron° a los corredores°. Algunos se echaron° al suelo, otros saltaron° las cercas° protectoras y unos pocos pudieron subirse por las rejas° de las ventanas de las casas para evitar los cuernos° de los toros.

Right-hand glosses:

I would be able

catchy

firecracker
roundup / turning loose
para . . . vayan: so they can go / for that purpose
flee

shouting
caught up with / runners
fell / jumped over / fences
grills
horns

Hay casi un kilómetro entre el corral y la plaza. En poco tiempo los toros entraron en la plaza. Allí había cientos de personas que trataban de acer-
25 carse a los toros, pero corrían cuando éstos los atacaban. Sin embargo, los toros no estaban para juegos° ni bromas — y se dirigieron rápidamente hacia el portón del corral de la plaza. En ese mismo momento, se oyó otro cohete. Pregunté qué significaba y me dijeron que ese cohete indicaba que todos los toros habían llegado bien a la plaza y ahora estaban en el corral, descan-
30 sando para la corrida° de la tarde.

Éste fue el primer Encierro que luego se repitió durante el resto de la semana. Debo confesarte que no me atreví° a participar en ningún en-cierro. Preferí verlos desde la cerca. Pregunté a algunos amigos españoles por qué la gente corría delante de los cuernos de los toros. Unos me dijeron
35 que para probar su valor y coraje°. Otros me aseguraron que lo hacían por pura diversión.

Pronto te veré y te enseñaré las fotos que saqué de las fiestas de San Fermín.

Hasta pronto,

Carlos Manuel

Carlos Manuel

estaban . . . juegos: weren't in the mood for kidding

bullfight

no . . . atreví: I didn't dare

courage

actividades   **A**   1. ¿Desde dónde está escribiendo Carlos Manuel su carta?
2. ¿Qué es un encierro?
3. ¿A qué hora empieza el Encierro?
4. ¿Corre mucha gente en el Encierro?
5. ¿La gente corre detrás o delante de los toros?
6. ¿Dónde es más peligroso correr?
7. ¿Son famosas las fiestas?
8. ¿Qué Santo es el que celebran?
9. ¿Corrió Carlos Manuel en algún encierro?
10. ¿Cuál es la parte más peligrosa de un toro?
11. ¿Por qué crees que corre la gente delante de los toros?
12. ¿En qué mes se celebran las fiestas de San Fermín?

B   1. ¿Has ido a un país de habla española?
2. ¿Cómo fuiste? ¿En avión? ¿En automóvil? ¿En barco?
3. ¿Con quiénes fuiste?
4. ¿Viste algún festival? ¿Cuál?
5. ¿Te gustaría viajar a España o a otro país?
6. ¿Te gustaría participar en las fiestas de San Fermín?
7. ¿Es interesante el Encierro? ¿Por qué?

encuesta turística

	BIEN	REGULAR	MAL
1. Carreteras _____			✓
2. Transportes _____	✓		
3. Hoteles _____	✓		
4. Tiendas _____	✓		
5. Playas _____	✓		
6. «Campings» _____		✓	
7. Albergues y refugios de montaña _____		✓	
8. Trato personal recibido _____	✓		

En resumen

More subjunctive forms (A–F)

	DECIR	HACER	PONER	SALIR	TENER	VENIR
yo	diga	haga	ponga	salga	tenga	venga
tú	digas	hagas	pongas	salgas	tengas	vengas
él, ella, usted	diga	haga	ponga	salga	tenga	venga
nosotros, nosotras	digamos	hagamos	pongamos	salgamos	tengamos	vengamos
vosotros, vosotras	digáis	hagáis	pongáis	salgáis	tengáis	vengáis
ellos, ellas, ustedes	digan	hagan	pongan	salgan	tengan	vengan

The present subjunctive of the verbs in the chart above are based on the **yo**-form of the present indicative. Note that the present subjunctive endings of these verbs all have a characteristic **a**-vowel.

Shortened forms of adjectives (G)

primero	**primer**		alguno	**algún**
tercero	**tercer**		ninguno	**ningún**
bueno	**buen**		santo	**san**
malo	**mal**		grande	**gran**

1. The adjectives **primero, tercero, bueno,** and **malo** lose their final **o** when used before a masculine singular noun.
2. **Alguno** and **ninguno** drop their final **o** before a masculine singular noun and add an accent mark.
3. **Santo** becomes **San** before the names of all male saints except those beginning with **Do-** or **To-,** as in **Santo Domingo** or **Santo Tomás.**
4. The adjective **grande** becomes **gran** before a masculine or feminine noun. Before the noun, the adjective **gran** means *great* or *magnificent.*

Present perfect tense (H–K)

	LLEGAR	BEBER	RECIBIR
yo	he llegado	he bebido	he recibido
tú	has llegado	has bebido	has recibido
él, ella, usted	ha llegado	ha bebido	ha recibido
nosotros, nosotras	hemos llegado	hemos bebido	hemos recibido
vosotros, vosotras	habéis llegado	habéis bebido	habéis recibido
ellos, ellas, ustedes	han llegado	han bebido	han recibido

1. The present perfect is formed with the present tense of the auxiliary verb **haber** and a past participle.
2. The past participle of regular verbs is formed by adding the appropriate endings to the infinitive stem: **-ado** for verbs ending in **-ar** and **-ido** for verbs ending in **-er** and **-ir.**
3. When the infinitive stem of an **-er** or **-ir** verb ends in **e** or **o,** a written accent mark is used over the **i** of the **-ido** ending: **¿Has leído el periódico?; No me han creído.**
4. Verbs with irregular past participles are listed in the chart below.

abrir	abierto	romper	roto	hacer	hecho
escribir	escrito	ver	visto	ir	ido
morir	muerto	volver	vuelto	ser	sido
poner	puesto	decir	dicho		

Pronoun **lo** + adjective (L, M)

Lo is used with a masculine singular adjective to express an abstract characteristic or quality. The English equivalent is often expressed by the words *part, thing, matter, business*: **Lo bueno es que no tengo que estudiar.**

Repaso

A   Make complete sentences, using the present perfect tense.

■⫶⫶   mis compañeros / ya volver   *Mis amigos ya han vuelto.*

1. el niño / no decir / la verdad
2. la profesora / hacer / un viaje a España
3. nosotros / poner / la mesa
4. los González / abrir / una tienda nueva
5. yo / escribir / varias cartas hoy

B   Make complete sentences based on the cues below.

■⫶⫶   es mejor / su amiga / decirle la verdad   *Es mejor que su amiga le diga la verdad.*

1. es posible / Marisela y su amiga / no salir hoy
2. es difícil / su amiga / venir pronto
3. es mejor / su padre / salir de viaje
4. es necesario / su madre / no hacer la cena
5. es bueno / su hermano / tener dinero
6. es horrible / su hermana / ponerse el abrigo blanco

C   Complete the conversational exchanges below with the shortened form of an adjective from the following lists.

santo   **tercero**   **malo**   **alguno**
primero   **bueno**   **grande** **ninguno**

■⫶⫶   Tu amigo vive en el ⎯⎯ piso, ¿verdad?   *Tu amigo vive en el primer piso, ¿verdad?*

— No. Vive en el ⎯⎯ piso.   *— No. Vive en el tercer piso.*

1. Un ladrón no es un ⎯⎯ hombre.
   — Sí, es cierto, es un ⎯⎯ hombre.
2. Pepe tiene ⎯⎯ hermano en el colegio, ¿verdad?
   — No. Pepe no tiene ⎯⎯ hermano en el colegio.
3. Pepe es un ⎯⎯ muchacho, ¿verdad?
   — No. Pepe no es un ⎯⎯ muchacho. Es un poco perezoso.
4. ¿Vas a ⎯⎯ Diego?
   — No. Voy a ⎯⎯ Francisco.
5. El profesor Centeno es un ⎯⎯ hombre, ¿verdad?
   — Sí, es cierto. Es un ⎯⎯ hombre.
6. ¿Tienen ⎯⎯ libro sobre Cervantes?
   — No, no tenemos ⎯⎯ libro sobre Cervantes.

D   Decide whether the following people have realized some of their goals or not. Use the present perfect tense.

■⑪ Anita quiere esquiar en Bariloche.   *Anita ya ha esquiado en Bariloche.*

■⑪ Rafael quiere ir a Portugal.   *No, todavía no ha ido a Portugal.*

1. Yo quiero correr diez kilómetros.
2. Mi mamá quiere escribir una novela.
3. Mi papá quiere comprar una moto.
4. Mis tíos quieren ver España.
5. Yo quiero volver a Argentina.
6. El Sr. Montoya quiere hacer una película.
7. Mi hermana quiere ver Madrid.

E   Describe the scene below in five sentences. Say who the students are, what school they are from, where they are going, why, how they earned their money, and any other appropriate information.

F   Express your opinion about various activities, using *lo* plus one of the following adjectives.

difícil	**interesante**	**necesario**	**bueno**
fácil	**aburrido**	**malo**	**horrible**

1. estudiar los domingos
2. ganar la lotería
3. subirse a un árbol
4. escuchar un concierto
5. recibir regalos
6. hablar bien
7. hablar con la boca cerrada
8. correr 15 kilómetros

■⑪ *Lo aburrido es estudiar los domingos.*

Vocabulario

SUSTANTIVOS

los ahorros   savings
la brújula   compass
la cantidad   quantity
el clavo   nail, spike
la contribución   contribution
la cuenta   account; bill
la cuerda   rope, cord
la danza   dance
la empresa   company
la enseñanza   teaching, instruction
los fondos   funds
la generosidad   generosity
el graduado, la graduada   graduate
el hacha   ax
la hamaca   hammock
la lotería   lottery
la maravilla   wonder, marvel
la mochila   knapsack
la navaja   knife
el negocio   business
el saco de dormir   sleeping bag
la tienda   tent

VERBOS

agradecer   to thank
ofrecer   to offer
organizar   to organize

OTRAS PALABRAS

animado, -a   excited
conveniente   suitable
¡cuánto . . . !   how (much) . . . !
diverso, -a   different
encantador, -a   charming, enchanting
escolar   school
generoso, -a   generous
inolvidable   unforgettable
normalmente   normally, usually
recién   recent

EXPRESIONES

estar de acuerdo (con)   to agree (with)
mil gracias   thanks a million!
la suya   yours, hers, his, theirs

capítulo 10
Una mirada al futuro

Hasta hace unos veinte o treinta años muchas mujeres hispanas no habían entrado en profesiones como medicina, mecánica, arquitectura o computadoras, y por lo tanto tampoco existía la forma femenina en español para nombrar esas profesiones. En este momento es posible oír **el abogado, la abogado** o **la abogada** porque la lengua está en transición.

Ofertas de trabajo

La Nación
Anuncios clasificados

Enseñanza

Necesitamos jóvenes de 14 a 18 años, de ambos sexos, para dirigir las actividades de niños de 8 a 10 años en campamento de verano. Se requiere que sea una persona responsable, que le gusten los deportes y tenga capacidad de líder. No es necesario que tenga experiencia. Envíen currículum al apartado de correos 345. Referencia 15.

Comercio

Se ofrecen dos puestos de recadero en supermercado. Edad mínima 14 años. Interesados pueden presentarse en Calle Norte 8, número 35, de 8 a 10 de la mañana, los días 17, 18 y 19 de marzo. Referencia 32.

Empresa

Compañía Internacional de computadoras busca a jóvenes programadores que tengan un curso en computadoras y que estén estudiando su segundo año de programación. Trabajarán con horario flexible de lunes a viernes, en un ambiente independiente y responsable. Sueldo según experiencia. Interesados envíen currículum y una foto al apartado 756. Referencia 5.

Vendedores a comisión, para productos de limpieza. Teléfono 33.93.46.

Chóferes para reparto de comidas a domicilio. Se necesita vehículo propio. Restaurante La Cueva, San Lorenzo, 4.

Cuidadora de niños por las tardes, diario incluso domingos. Sueldo a convenir. Teléfono 4.55.66.43 de 10 a 12 de la mañana.

Entrevistador bilingüe inglés-español para encuesta política a domicilio. Se requieren conocimientos de relaciones públicas y edad mínima de 18 años. Teléfono 91.45.55, de 5 a 8.

Se busca profesor/a de guitarra que hable japonés y tenga experiencia en clases para niños. Sueldo y horario a convenir. Llamen el teléfono 2.41.60.67.

Jardinero, durante la época de verano. No se necesita experiencia. Gran Armada 5.

---

comprensión

1. ¿Qué trabajos no requieren una preparación especial?
2. ¿Hay algún trabajo que sea exclusivamente para chicos o para chicas?
3. En la sección de enseñanza se pedía ciertos requisitos. ¿Cuáles son?
4. ¿Cómo puede contestarse a esos anuncios? ¿por teléfono? ¿por correo?
5. ¿Crees que puedes hacer alguno de los trabajos anunciados? ¿Cuáles?
6. ¿Te gusta alguno de los trabajos anunciados? ¿Cuál?
7. ¿Cuál es el anuncio que ofrece mejores oportunidades económicas?
8. ¿Has pensado alguna vez en qué trabajo te gustaría hacer al acabar tus estudios?

extensión

A. Select one of the advertisements on page 220, and apply for the job that interests you. A classmate will ask you the following questions.

1. ¿En qué periódico leyó nuestro anuncio? *¿La Razón? ¿El Tiempo?*
2. ¿Cómo se llama usted?
3. ¿Cuántos años tiene?
4. ¿Dónde vive? ¿Cuál es su número de teléfono?
5. ¿Qué experiencia tiene en este tipo de trabajo?
6. ¿Por qué le gusta hacer este trabajo?
7. ¿Trabaja o estudia en este momento?
8. ¿Vive con sus padres?
9. ¿Tiene vehículo propio?
10. ¿Tiene licencia de manejar?
11. ¿Cuánto espera ganar?
12. ¿Cuándo puede empezar a trabajar? ¿mañana? ¿la semana que viene?

B. Share your *currículum* (résumé) with a classmate. Tell her/him what skills, qualities, and experience you have that will help you obtain a part-time job.

¿Qué experiencia tienes?　　Puedo [cocinar y lavar platos].
　　　　　　　　　　　　　　Me gusta [reparar motores].
　　　　　　　　　　　　　　Conozco bien [el sistema de la
　　　　　　　　　　　　　　　　biblioteca].
　　　　　　　　　　　　　　Sé [nadar y jugar al tenis].

C. Based on the information received in the interview above, suggest to a classmate what jobs he/she should apply for.

¿En qué crees tú que　　　Creo que serás [un buen cocinero].
　　puedo trabajar?　　　Serás [un buen mecánico].
　　　　　　　　　　　　Probablemente te gustaría trabajar en [una
　　　　　　　　　　　　　　biblioteca o en un colegio].
　　　　　　　　　　　　¿Por qué no trabajas en [un campamento
　　　　　　　　　　　　　　de niños/as]?

impresiones y gustos

1. ¿Qué tipo de empleo quieres?
2. ¿Dónde vas a buscar empleo? ¿en el periódico? ¿en una agencia?
3. ¿Qué vas a llevar a la entrevista?
4. ¿Qué cualidades personales vas a mencionar al entrevistador/a la entrevistadora?
5. ¿Qué experiencia de trabajo tienes?
6. ¿Qué aptitudes tienes?
7. ¿Has preparado un currículum?
8. ¿Quieres trabajar? ¿Por qué?

Encuesta personal

¿Quieres conseguir un buen trabajo? ¿Un trabajo que te guste? ¿Un trabajo que puedas hacer bien? Pues, primero debes conocerte bien . . . tener una idea de cómo eres. Contesta los siguientes grupos de preguntas con un simple sí o no y después mira lo que significan tus respuestas en la segunda parte de esta encuesta personal.

Primera parte

Grupo 1

¿Tienes habilidades mecánicas? sí___ no___

¿Sabes seguir instrucciones? sí___ no___

¿Eres persistente? sí___ no___

¿Tienes un sentido práctico de las cosas? sí___ no___

Grupo 2

¿Tienes habilidad para las matemáticas? sí___ no___

¿Te gustan las ciencias? sí___ no___

¿Sabes analizar problemas? sí___ no___

¿Haces las cosas con precisión? sí___ no___

Grupo 3

¿Tienes habilidades artísticas? sí___ no___

¿Reaccionas emocionalmente? sí___ no___

¿Eres original? sí___ no___

¿Tienes imaginación? sí___ no___

Grupo 4

¿Te gusta trabajar con otras personas? sí___ no___

¿Eres líder cuando trabajas en grupo? sí___ no___

¿Hablas bien y convences a tus amigos? sí___ no___

¿Tienes ambiciones? sí___ no___

Grupo 5

¿Haces amistades fácilmente? sí___ no___

¿Tienes ideas sociales? sí___ no___

¿Eres muy responsable? sí___ no___

¿Te gusta trabajar con otras personas? sí___ no___

Grupo 6

¿Trabajas bien con números? sí___ no___

¿Organizas y cuidas bien las cosas? sí___ no___

¿Sabes seguir instrucciones fácilmente? sí___ no___

¿Te gusta ser eficiente? sí___ no___

Segunda parte

Grupo 1

Si has contestado afirmativamente a tres de las cuatro preguntas, probablemente podrás tener un empleo en mecánica, electricidad o ingeniería.

Grupo 2

Es probable que tengas un futuro en biología, química, geología o medicina, si has contestado afirmativamente a la mayoría de las preguntas.

Grupo 3

¿Te gustaría componer música, escribir novelas, pintar cuadros o enseñar arte? Entonces has contestado que sí a las preguntas de este grupo.

Grupo 4

Si has contestado con un sí muy seguro a las preguntas del grupo, podrás pensar en ser vendedor/a, jefe/jefa de empresa, comprador/a de grandes compañías, administrador/a de escuelas.

Grupo 5

Las personas que han respondido afirmativamente a este grupo de preguntas podrán llegar a tener un puesto en la enseñanza, en psicología, en teología, en derecho o en política.

Grupo 6

Podrás trabajar en un banco, de contador o en puestos administrativos si has contestado que sí a la mayoría de las preguntas de este grupo.

Pescadores españoles

223

A. Luisa Ortiz has prepared a graph based on her responses to the questions on page 222. Her affirmative responses are shown below.

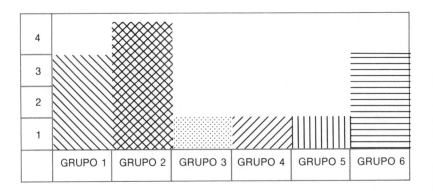

1. Di a la clase qué trabajos son los mejores para Luisa.
2. Di a la clase qué trabajos no son los mejores para Luisa.

B. Prepare a graph based on your responses to the questionnaire.

impresiones
y gustos

A. Prepare your own *currículum* by answering the following questions.

1. ¿Cómo te llamas?
2. ¿Dónde vives?
3. ¿Qué estás estudiando en este momento?
4. ¿Cuándo piensas graduarte?
5. ¿Cuáles son tus planes futuros? ¿Vas a la universidad? ¿Vas a conseguir empleo?
6. ¿Qué experiencia de trabajo tienes?
7. ¿Perteneces a algún club u otra organización?
8. ¿Tienes un vehículo propio?
9. ¿Tienes referencias?

Para un estudiante norteamericano no es difícil ni extraño tener un trabajo al mismo tiempo que estudia. Sin embargo, en los países hispánicos muy pocos estudiantes trabajan. Las razones son varias. En primer lugar es difícil encontrar un trabajo por horas[1]. En segundo lugar los cursos del bachillerato son de diez, once o doce asignaturas[2] y los estudiantes no tienen mucho tiempo libre. Y en tercer lugar la tradición obliga a los padres a pagar los estudios de sus hijos hasta que terminan sus carreras. Esta tradición hace que los lazos[3] familiares sean muy fuertes entre padres e hijos toda la vida.

1. part-time   2. courses   3. bonds

Estudio de palabras

Más oficios y trabajos

el cajero, la cajera

el, la guardabosque

el sastre, la modista

el, la programador/a

el plomero, la plomero

el veterinario, la veterinaria

A   Suggest to a friend what type of employment might suit her/his ability and personality.

▭▎   Quiero ganar mucho dinero.   *¿Por qué no piensas en ser jefe/jefa de una compañía?*

1. Me gusta estar al aire libre.
2. Me encantan las matemáticas.
3. Prefiero trabajar de noche.
4. Me gusta trabajar con la gente.
5. Quiero ayudar a los enfermos.
6. Me interesa reparar automóviles.

¡vamos a hablar!   ¿Cuáles son tus planes futuros? Dile a un compañero/una compañera de clase lo que quieres ser y por qué.

Quiero ser guardabosque porque me gusta la naturaleza.

Pasatiempos

coser   to sew
cocinar   to cook
coleccionar monedas (sellos)   to collect coins (stamps)
jugar al ajedrez   to play chess
pintar   to paint
dibujar   to draw
sacar fotos   to take pictures
hacer cerámica   to make pottery
reparar carros   to repair cars

tocar el piano   to play the piano
bailar   to dance
cantar   to sing
trabajar en jardines   to garden
escribir poesía (cuentos)   to write poetry (short stories)
ser aficionado/a (a)   to be a fan of
la fotografía   photography
los trenes de juguete   model trains
el ballet   ballet
el aeromodelismo   model airplane construction

B   Explain why the following people enjoy certain hobbies.

▪▮   David / pintar   *A David le gusta pintar porque tiene talento artístico.*

1. Anita / coser
2. Andrés / cocinar
3. Bárbara / jugar al ajedrez
4. Tomás / dibujar

5. Esteban / sacar fotos
6. Raúl / hacer cerámica
7. Ricardo / tocar el piano
8. Adela / trabajar en jardines

C   Ask five classmates whether they engage in some of the activities listed on this page. Ask why.

▪▮   ¿Te gusta cocinar?   *Sí, me gusta mucho cocinar porque es divertido. (No, no me gusta cocinar porque es aburrido.)*

Pronunciación y ortografía

diphthongs

In Spanish, the strong vowels are **a**, **e**, and **o**. When two strong vowels occur together, they are pronounced as two separate syllables.

A   Listen and repeat the following words after your teacher.

cae	veo	lea
leal	maestro	paella

In Spanish, the weak vowels are **i** (sometimes spelled **y**) and **u**. Diphthongs are formed when two weak vowels combine with each other within one syllable, or when a weak and a strong vowel are combined.

B Listen and repeat the following words after your teacher. Pronounce the strong + weak, weak + strong, and weak + weak vowel combinations as a single syllable.

ai, ay	ia	ie	ei, ey
baile	estudiante	bien	seis
hay	estudia	siete	treinta
aire	seria	diez	veinte
traigo	patria	tiene	ley

io	oi, oy	ua	ue
Julio	oigo	lengua	bueno
Mario	sois	Eduardo	pueblo
serio	hoy	cuanto	escuela
estudio	soy	agua	nuevo

C Read the following sentences aloud.

1. Hay seis estudiantes en el baile.
2. En este pueblo, Eduardo y Julio son los dos policías.
3. Hoy es el veintiséis de junio.
4. Oigo y veo bien.
5. ¿Hay una tienda por aquí?
6. Luisa habla italiano muy bien.
7. Jaime vive en un pueblo.

Antes que te cases, mira lo que haces.

Gramática

Present subjunctive in adjective clauses

INDICATIVE
Conozco a un joven que **puede** cocinar.
Pablo habla con alguien que **tiene** experiencia de vendedor.
Aquí hay una calculadora que **funciona**.

SUBJUNCTIVE
Busco un joven que **pueda** cocinar.
¿Dónde encuentro a alguien que **tenga** experiencia de vendedor?
¿No hay por aquí una calculadora que **funcione?**

The present subjunctive is used in an adjective clause that modifies a noun or pronoun referring to a person or a thing *unknown* to the speaker. The personal **a** is usually omitted when the modified noun refers to a person.

A You're a receptionist in an employment office. Explain to a caller what qualifications are needed for a certain position.

▪▥ ser bueno en matemáticas   *Buscamos un joven que sea bueno en matemáticas.*

1. ser puntual
2. saber de computadoras
3. escribir bien
4. tener experiencia de recadero
5. hablar español
6. saber escribir a máquina
7. ser bueno en biología
8. hablar inglés
9. ser inteligente

B Accept Alicia's application for a job as a cashier based on her qualifications.

▪▥ Es muy responsable.   *Necesitamos una persona que sea responsable.*

1. Es puntual.
2. Es buena en matemáticas.
3. Sabe hablar inglés, español y francés.
4. Tiene mucha paciencia.
5. Es simpática.
6. Puede trabajar los sábados.
7. Vive cerca de la tienda.
8. Es responsable.
9. Es inteligente.

C   Mr. González complains to his partner, Mr. Hernández, that none of the equipment in the office works. Mr. Hernández points out the equipment that is functioning. Take either role.

■⫙   la calculadora

Sr. González: *¿No hay en esta oficina una calculadora que funcione?*

Sr. Hernández: *Pues aquí hay una que funciona.*

1. un teléfono
2. una lámpara
3. una grabadora
4. una cafetera

¡vamos a hablar!   You're a personnel representative in a publishing company that is looking for a secretary. Specify the job qualifications an applicant must have. Interview a classmate, using expressions such as **Buscamos . . . , Necesitamos . . .**

Buscamos una persona que hable español.

La prensa diaria tiene como objeto informar a los lectores sobre los acontecimientos en política, economía, deportes o arte. Aunque cada país tiene un estilo diferente de escribir las noticias, siempre se encuentra la información política en las primeras páginas, las noticias culturales en el centro y los deportes y anuncios de trabajos al final. Quizás una de las mayores diferencias entre los periódicos de los Estados Unidos y los de los países hispánicos es la mayor cantidad de literatura que ofrecen los hispanos.

Subjunctive of stem-changing -ir verbs

Es necesario que **durmamos** ocho horas cada noche.	It's necesary that *we sleep* eight hours every night.
Tiene miedo de que **sigamos** por ese camino.	He's afraid *we'll follow* that road.

Stem-changing **-ir** verbs have an additional stem change in the **nosotros-** form of the present subjunctive that does not occur in the present indicative.

	DORMIR (u)	SENTIR (i)	SEGUIR (i)
yo	duerma	sienta	siga
tú	duermas	sientas	sigas
él, ella, usted	duerma	sienta	siga
nosotros, nosotras	**durmamos**	**sintamos**	**sigamos**
ellos, ellas, ustedes	duerman	sientan	sigan

Below is a list of common stem-changing **-ir** verbs, and the corresponding **nosotros**-forms of the present subjunctive.

INFINITIVE	**NOSOTROS**-FORM	INFINITIVE	**NOSOTROS**-FORM
divertirse	**nos divirtamos**	elegir	**elijamos**
preferir	**prefiramos**	pedir	**pidamos**
sentir	**sintamos**	servir	**sirvamos**
conseguir	**consigamos**	dormir	**durmamos**
despedir	**despidamos**	morir	**muramos**

D Deny what Simón says about you and your friends.

- ▪॥ Ustedes siguen hablando. *No es verdad que sigamos hablando.*

- ▪॥ Estudias la lección. *No es verdad que estudies la lección.*

1. Ustedes se divierten mucho.
2. Ustedes prefieren jugar al tenis.
3. Ustedes siempre piden dinero.
4. Ustedes sirven té a las cuatro.
5. Ustedes duermen en clase.
6. Ustedes se despiden de sus amigos.
7. Nunca dices la verdad.
8. Ustedes nunca siguen las instrucciones.
9. Hablas español y francés.
10. Tienes tres hermanos.
11. Ustedes van a Puerto Rico.
12. Piensas ir a la universidad.

E Say that your parents hope that you and your brother do or don't do the following things.

■ elegir un mal presidente (no) — *Esperan que no elijamos un mal presidente.*

1. servir pescado en la comida (sí)
2. pedir dinero a sus abuelos (no)
3. dormir hasta tarde el domingo (sí)
4. conseguir boletos para el concierto (sí)
5. divertirse en la playa (sí)
6. seguir sus instrucciones (sí)

Dos jóvenes programadoras en la Bolsa de México

More uses of the subjunctive

<table>
<tr><td>INDICATIVE</td></tr>
</table>

INDICATIVE
Creo que me **esperan**.
Es verdad que **vende** su coche.
Es cierto que **compran** una casa.

SUBJUNCTIVE
No creo que me **esperen**.
No es verdad que **venda** su coche.
No es cierto que **compren** una casa.

Verbs and expressions that reflect *certainty* on the part of the speaker require the use of the indicative. Verbs and expressions that reflect *doubt* or *uncertainty* on the part of the speaker require the use of the subjunctive.

The verbs and expressions below are usually followed by the subjunctive because they reflect doubt or uncertainty in the mind of the speaker about some situation or event.

dudo que	**es dudoso que**	**es probable que**
no creo que	**es posible que**	**es improbable que**
no estoy seguro/a que	**no es posible que**	**no es verdad que**

F   Tell Elena she is mistaken about many things. Use the impersonal expression *no es cierto que* or *no es verdad que*.

▪▮   Tú manejas un coche verde, ¿verdad?   *No, no es verdad que yo maneje un coche verde.*

1. Tú caminas todos los días al colegio, ¿no?
2. Carlos vive cerca del estadio, ¿verdad?
3. María siempre pasa por esta esquina, ¿no?
4. Tu hermana toca la guitarra, ¿verdad?
5. Tu mamá lee *La Prensa,* ¿verdad?
6. Tu primo Alberto trabaja en una tienda, ¿no?
7. Tu padre es profesor, ¿verdad?

G   Express your doubt that Rosa's statements are true. Use such expressions as *no estoy seguro/a que, no es probable que,* or *es dudoso que.*

▪▮   Roberto cumple dieciocho   *No estoy seguro/a que Roberto cumpla*
años en mayo.   *dieciocho años en mayo.*

1. El director busca un nuevo empleado.
2. Raúl quiere ser médico.
3. Teresa va a la universidad para estudiar ecología.
4. Los padres de Roberto piensan visitar El Coto de Doñana.
5. Tengo ahorrados mil pesos.
6. Anita quiere ser abogada.
7. Pepe y Elena van a México este año.
8. Tu prima trabaja en un restaurante.

Impersonal se-construction

Se cierran las tiendas a las ocho. *They close the stores (The stores are closed) at eight o'clock.*

Se necesita persona con experiencia. *We need a person with experience. (A person with experience is needed.)*

Se necesitan dos señoritas para cajeras. *We need two young ladies as cashiers. (Two young ladies are needed as cashiers.)*

Aquí **se habla** español. *Spanish is spoken here.*

The impersonal **se** is often used with the **él/ella/usted**-form of the verb when the subject is indefinite or not expressed. The verb form is singular when the subject is singular, and plural when the subject is plural.

H   Alberto comments to you about the prices he sees as he looks in the window of a second-hand shop. React appropriately.

■iii   esa bicicleta / $10,00   Alberto: *Mira, se vende esa bicicleta por diez dólares. ¿Qué piensas?*
Tú: *Bueno, es un buen precio.*

1. ese tocadiscos / $15,00
2. esos cuchillos / $2,00
3. esas pulseras / $4,00
4. esa nevera / $350,00
5. esos platos / $1,00 cada uno
6. esas cámaras / $20,00
7. esa grabadora / $35,00

I   Restate with the impersonal *se*-construction.

■iii   Preparo la paella con mariscos.   *Se prepara la paella con mariscos.*

1. Abro la tienda a las ocho y media.
2. Cierro la tienda durante el mes de junio.
3. Necesito dos secretarias.
4. Aquí hablan francés.
5. Venden muchos coches.

¡vamos a hablar!   Prepare a classified ad in which you indicate that someone is needed for a particular job. Include the name of the company, the address, the telephone number, and some of the requirements for the job.

Se necesita un programador/una programadora. Debe tener . . .

Tres grandes hispanoamericanos

LOCUTOR   La América hispana ha producido grandes hombres y mujeres a través° de sus casi quinientos años de historia. Vamos a imaginarnos una reunión de tres de esos grandes talentos para que nos expliquen lo que hicieron en su vida y lo que harían si vivieran° hoy en día. Primero, vamos a presentar a Sor Juana Inés de la Cruz. Díganos, Sor Juana, algo de su vida.

SOR JUANA   Empezaré por decirles que nací en México en 1651 y aunque no viví mucho pues morí en 1695 a los 44 años, puedo decir que tuve una vida bastante intensa, si consideramos la época que me tocó vivir°. Fui monja desde los dieciséis años, estudié en el convento y me di a conocer° en el mundo de las letras°.

LOCUTOR   Usted nos dice eso por los hermosos° versos que escribió.

SOR JUANA   No solamente por los versos sino por los ensayos y la música que compuse. Además, y esto es para mi lo más importante, luché° para que la mujer tuviese° la oportunidad de educarse. Como usted sabe en el siglo XVII a las mujeres no se les permitía estudiar mucho.

Glosses (right margin):
- **a través:** through
- they were living
- **que . . . vivir:** in which I happened to live
- I was known / literature
- beautiful
- I fought
- would have

25	LOCUTOR	Es cierto. El derecho a recibir una educación adecuada° no se logró° hasta este siglo.

adequate/no . . . logró: was not achieved

	SOR JUANA	Y todavía hoy en día no se les facilita estudiar algunas carreras en ciertas universidades.
	LOCUTOR	Veo que está usted enterada°. Pero vamos a
30		hacer una pausa y presentar a otro de nuestros invitados. ¿Qué nos puede decir, don Benito?

está . . . enterada: you are well-informed

	JUÁREZ	Me llamo Benito Juárez. Nací en 1806 en Oaxaca. Mis padres eran indios. Yo pude hacerme abogado y llegar a presidente de mi
35		país. Tuve que vencer muchas dificultades como Sor Juana, porque, todavía en el siglo XIX, no todas las personas tenían los mismos derechos. Ella, por ser mujer, y yo por ser indio tuvimos muchas dificultades en nuestras
40		vidas. Si Sor Juana hubiera vivido° durante el tiempo que fui presidente le hubiera sido más fácil recibir la educación que, a pesar de todo°, adquirió.

hubiera vivido: had lived

a . . . todo: in spite of everything

	SOR JUANA	Gracias, don Benito. Usted ha honrado a
45		México durante los años de su presidencia. La guerra de 1866 contra los franceses invasores fue prueba° de que usted tenía un espíritu fuerte y decidido a vencer.

proof

	JUÁREZ	Si pude vencer a los franceses fue por la voluntad° de nuestros compatriotas° que se unieron
50		tad° de nuestros compatriotas° que se unieron para expulsar a los invasores y terminar con el ridículo imperio de Maximiliano, que los franceses quisieron imponernos. Estoy seguro que el otro invitado a esta reunión nos podría
55		decir algo sobre las guerras de independencia.

will/compatriots

	LOCUTOR	Nuestro tercer invitado es el bravo general Antonio Maceo. ¿Quiere usted presentarse?
	MACEO	Con mucho gusto. Nací en Santiago de Cuba en
60		1845 y morí en el campo de batalla en 1895. Pasé la mayor parte° de mi vida adulta luchando contra el gobierno colonial español para independizar a Cuba. De los 23 a los 33 años luché en la Guerra de los Diez Años, que fue la primera gran guerra de independencia
65		de los cubanos, desde 1868 a 1878. Fui uno de los primeros generales negros de mi país. En 1895 volví a Cuba, organicé la segunda guerra de independencia con ese gran cubano que se llamó José Martí y cuando caí en el campo de
70		batalla ya casi teníamos libertada a Cuba.

la . . . parte: most of

SOR JUANA	Me hubiera gustado° conocer a José Martí. Veo que usted lo recuerda con cariño.	me . . . gustado: I would have liked
MACEO	Sí, fue poeta y espíritu apasionado como usted. A mí me han llamado el Titán de Bronce° pero sólo él es el Apóstol de la libertad de Cuba, lo mismo que don Benito en México.	el . . . Bronce: the Bronze Titan
JUÁREZ	Mi único dolor es que esa libertad que conseguimos para México en 1867 desapareció° poco a poco en manos del dictador Porfirio Diaz y los mexicanos tuvieron que esperar hasta 1910 para sentir un poco la esperanza° de vivir en un país libre°.	disappeared hope free
LOCUTOR	¿Y que dirían ustedes si vivieran° ahora?	si vivieran: if you were living
SOR JUANA	Es una pregunta difícil. Probablemente seguiría luchando por lograr mejor educación para la mujer, por lo menos que fuera° la misma que reciben los hombres.	por . . . fuera: at least that it be
MACEO	Yo creo que el mundo siempre ha necesitado hombres y mujeres que defiendan las libertades individuales. Esta época de ustedes no es excepción.	
JUÁREZ	Estoy de acuerdo con Maceo. En mi patria, como en la de Maceo, hay todavía muchas injusticias que reparar.	
LOCUTOR	Gracias, Sor Juana, don Benito y don Antonio. Se nos acaba el tiempo y el programa. La semana próxima les traeremos a tres figuras representativas de la vida puertorriqueña y colombiana en nuestro programa.	

actividades

A En tus propias palabras, describe a cada personaje: Sor Juana Inés de la Cruz, Benito Juárez y Antonio Maceo.

B Contesta las siguientes preguntas.

1. ¿Conoces a alguna mujer como Sor Juana Inés de la Cruz? ¿Quién? ¿Dónde vive? ¿Dónde trabaja?
2. ¿Conoces a algún hombre como Benito Juárez o Antonio Maceo? ¿Quién? ¿Dónde vive? ¿Dónde trabaja?

C Haz una lista de las cualidades de tu héroe o heroína.

■))) *Mi héroe/heroína es inteligente, bravo/a. . . .*

More uses of the subjunctive (A–C; F–G)

1. The subjunctive mood is used in an adjective clause that modifies a noun or a pronoun referring to a thing or a person unknown to the speaker: **¿No hay por aquí una radio que funcione bien?** The personal **a** is usually omitted when the modified noun refers to a person: **Busco unos jóvenes que naden bien.**
2. The subjunctive mood follows verbs and impersonal expressions that reflect doubt or uncertainty: **Dudo que lleguen a las tres. Es posible que tengan un buen empleo.**

Subjunctive of stem-changing -ir verbs (D–E)

	DORMIR	SENTIR	SEGUIR
yo	duerma	sienta	siga
tú	duermas	sientas	sigas
él, ella, usted	duerma	sienta	siga
nosotros, nosotras	**durmamos**	**sintamos**	**sigamos**
vosotros, vosotras	durmáis	sintáis	sigáis
ellos, ellas, ustedes	duerman	sientan	sigan

Stem-changing **-ir** verbs have an additional stem change in the **nosotros-** and **vosotros-**forms of the present subjunctive that does not occur in the present indicative: **Es posible que no durmamos bien en este hotel. Dudo que vosotros os sintáis mal.**

The verb **seguir** is irregular throughout the present subjunctive: **Quiero que ustedes sigan este camino.**

Impersonal se-construction (H–I)

The impersonal **se** is often used with an **él/ella/usted-**form of the verb when the subject is indefinite or not expressed. The verb form is singular when the subject is singular, and plural when the subject is plural: **Aquí se habla español. Se necesitan dos recaderos.**

Repaso

A Help Mr. Torres make Spanish signs for his store in El Paso, Texas. Restate the following sentences, using impersonal *se*-constructions.

■III Aquí hablamos español. *Aquí se habla español.*

1. Cambiamos su dinero.
2. Vendemos plata.
3. Compramos oro.
4. Abrimos a las nueve de la mañana.
5. Cerramos a las seis de la tarde.

B What will your life be like in the year 2000? Respond according to your expectations.

■III ¿En qué parte del mundo vas a vivir? *Viviré en California.*

1. ¿Vas a ser rico/a o pobre?
2. ¿Cómo va a ser tu casa o apartamento?
3. ¿Vas a vivir en un pueblo pequeño, en el campo o en la ciudad?
4. ¿Qué vas a hacer para ganarte la vida?
5. ¿Cuántos años vas a tener en el año 2000?

C Predict what your town or city will be like at the turn of the century. Use the appropriate future-tense forms of the verbs *tener* and *haber*.

■III tráfico *Tendremos más tráfico en [nuestra ciudad].*

1. contaminación
2. petróleo
3. gente
4. escuelas y colegios
5. problemas económicos
6. tiendas y almacenes

D You are organizing a crafts fair at your school and need exhibitors to show their wares. Indicate what specially skilled persons you are looking for. Use the present subjunctive.

■III Busco personas que (coser). *Busco personas que cosan.*

1. Busco personas que (hacer cerámica).
2. Busco personas que (pintar).
3. Necesito personas que (bailar).
4. Necesito una persona que (dibujar).
5. También busco personas que (cantar).
6. Necesito personas que (sacar fotos).
7. Necesito personas que (coleccionar trenes de juguete).
8. Y por fin, necesito una persona que (cocinar).

E   Mariana and Pedro's mother gives them certain advice about their vacation. Express her wishes, using the present subjunctive.

>   ▪ⅲ   Tienen que despedirse de la abuela.   *Quiero que se despidan de la abuela.*

1. Mariana y tú tienen que escribirme todos los días.
2. Ustedes tienen que dormir en un hotel y no en un camping.
3. Tienen que tomar el sol en la playa.
4. Tienen que divertirse mucho.

F   Prepare two want ads for a Venezuelan newspaper in which you advertise for a business that wants to hire a travel agent, a bilingual secretary, or a computer programmer. Follow the model.

>   ▪ⅲ   *Se necesita programador.*

**Se busca un intérprete
que hable inglés y español
y que tenga mucha experiencia.**

Salario a convenir.
Llamen el teléfono 3 45 25 67.
Referencia 15.

G   Make six logical sentences by combining an element from column one with column two. Join the phrases with *cuando* to express the fact that one activity was going on when another event interrupted it.

1	2
yo / preparar arroz con pollo	Felipe / llamar
Raquel y Linda / mirar televisión	papá / salir de casa
tú / estudiar	yo / entrar en la cocina
Tomás y yo / tocar la guitarra	sus hermanos / volver a casa
Cristina / hacer el trabajo	su mamá / empezar a tocar el piano
Vicente / jugar al tenis	ellos / llegar a casa
	mi hermano / gritar
	tú / empezar a discutir
	el niño / interrumpir

>   ▪ⅲ   *Yo preparaba arroz con pollo cuando papá salió de casa.*

>   ▪ⅲ   *Yo preparaba arroz con pollo cuando ellos llegaron a casa.*

H   What dreams do you have? Complete the following sentences so that they express your hopes for the future.

> ▪⫶   Quiero vivir en una casa que . . .   *Quiero vivir en una casa que tenga cinco cuartos grandes.*

1. Algún día quiero tener un automóvil que . . .
2. Quiero tener un profesor/una profesora que . . .
3. Algún día quiero un trabajo que . . .
4. Quiero hermanos que . . .
5. Quiero amigos que no . . .
6. Quiero asistir a un colegio que . . .
7. Quiero hablar con una persona que . . .
8. Quiero escribir un libro que . . .

I   Raúl Benítez is applying for a job at *Restaurante Las Brisas*. Describe in five sentences what is happening in the drawing below.

Vocabulario

SUSTANTIVOS

el administrador, la administradora   administrator

el aeromodelismo   model airplane construction

el ajedrez   chess

el anuncio clasificado   classified advertisement

el apartado de correos   post office box

el arte   art

el cajero, la cajera   cashier

la capacidad   ability, capacity

la ciencia   science

el comprador, la compradora   buyer

la computadora   computer

el conocimiento   knowledge

el contador, la contadora   accountant

el cuadro   picture

el cuento   short story

el currículum (vitae)   résumé, curriculum vitae

el derecho   law

la empresa   company

el entrevistador, la entrevistadora   interviewer

la época   time, epoch, season

la electricidad   electricity

la experiencia   experience

la fotografía   photography

el gráfico   graph

el, la guardabosque   forest ranger

el grupo   group

la habilidad   ability

el horario   schedule

la ingeniería   engineering

el interesado, la interesada   interested person

el jefe, la jefa   boss, head

el, la líder   leader

la limpieza   cleaning

la mayoría   majority

la modista   seamstress

el, la plomero   plumber

la poesía   poetry

la programación   programming

el programador, la programadora   programmer

el puesto   position

la química   chemistry

el recadero, la recadera   delivery boy, delivery girl

el reparto   delivery, distribution

la respuesta   response, answer

el sastre   tailor

el sueldo   salary

el supermercado   supermarket

el tren de juguete   model train

el vendedor, la vendedora   salesperson

el veterinario, la veterinaria   veterinarian

VERBOS

analizar   to analyze

cantar   to sing

componer   to compose

convencer   to convince

coser   to sew

dibujar   to draw

dirigir (i)   to direct

hacer cerámica   to make pottery

presentarse   to appear, to present oneself

requerir (ie-i)   to require

sacar fotos   to take photographs

trabajar en jardines   to garden

OTRAS PALABRAS

ambos, -as   both

artístico, -a   artistic

diario, -a   daily

incluso   including

mínimo, -a   minimum

propio, -a   own

algo más

A   **Las letras.** In Chapters 8 and 9, two **greguerías** by Ramón Gómez de la Serna were introduced. Use your imagination and create your own **greguería**. First visualize an object or person, then compare it to some other object. Remember, for example, "**La S es el anzuelo de las letras.**" To what would you compare other letters of the alphabet? Share your **greguería** with the class.

B   **Una entrevista.** Simulate a job interview situation in which one student acts as the prospective employer and one or more students represent applicants. Each applicant should prepare a **currículum,** a written summary of her or his experience and qualifications. The employer should find out the future employee's address, work experience, hobbies, interests, and other relevant information. The employee should ask questions about the salary, hours, and co-workers. This activity can be serious or humorous depending upon your interpretation. You may wish to use the illustration on page 240 as a basis for your skit.

C   **Encuesta.** With a partner or in a small group, create a survey in Spanish about travel, educational, political, employment, or recreational preferences. Prepare at least ten questions for your survey. Request that your classmates respond to each question, then prepare a graph that illustrates their preferences. Model your graph and **encuesta** on the ones in Chapter 10.

D   **Campaña política.** Have a political campaign and election in your class. Form two political parties. Decide on a name for each party and what changes each group would like to institute. After the issues have been chosen, select members from each group to explain their party's position and goals. Follow the debate format that is presented on pages 149 and 150. You may also wish to create a slogan or poster for your campaign.

E **La naturaleza.** In the reading, *El Coto de Doñana*, you learned about several endangered animal species that are protected by the game preserve. Through your school or public library, locate more information on the imperial eagle or Spanish lynx. In English or Spanish explain to your classmates what these animals look like and how many are currently in existence. You may also wish to mention any other animal that is being protected by the **Coto.** Make a poster that encourages the protection of wild life. See the posters on page 151 for ideas.

F **El tránsito.** In teams of two, draw three international road signs and three street signs on separate sheets of paper or cardboard. Position your street and traffic signs at simulated intersections throughout the classroom. With your partner, make directions to a particular street in the classroom and challenge an opposing team to arrive at the destination within a certain amount of time. Upon arriving at a road sign, a team member must state what the sign represents and what the driver should do before proceeding toward the final destination.

G **Guía.** Select a city or region of Spain that attracts international visitors, such as Salamanca, Burgos, Toledo, Barcelona, Granada, Valencia, or Andalucía. Use reference books that tell what the principal points of historical and cultural interest are, for example the University of Salamanca or La Alhambra, Granada. Then, with other classmates, designate different areas in your classroom to represent each city. Display relevant photos, post cards, and maps for each city. Accompany a group of two or three classmates to your city and share with them the cultural and historical information you have learned. As a tour guide, you should tell them about the city's residents, principal streets, attractions, and climate. In turn, each tourist should ask at least three questions.

El alma hispánica

El arte del pueblo hispano ofrece una
rica variedad de estilo, color y
tamaño. Izquierda: un artesano
hondureño y tejedoras mexicanas.
Derecha: pinturas murales de México y
una mola — vibrante tela panameña
con figuras interesantes.

Las canciones melodiosas y los bailes movidos del
pueblo hispano reflejan su espíritu sincero y creativo.
Izquierda: músicos peruanos del altiplano, danzantes
argentinos y un músico mexicano en traje azteca.
Derecha: miembros del ballet folklórico de México
presentan un baile regional.

Los festivales abundan en los países de habla española. Los trajes son brillantes y el ambiente es alegre. Izquierda: trajes típicos de México. Derecha: Una pareja panameña. Abajo: Un desfile en Cuzco, Perú.

251

capítulo 11

¡Hoy hay fiesta!

Panamá es famoso por su Carnaval, una fiesta popular que se celebra antes del Miércoles de Ceniza *(Ash Wednesday)*. En Panamá el Carnaval tiene lugar los cuatro días anteriores al Miércoles de Ceniza. El Carnaval tiene su origen en la cultura de la antigua Roma y consiste en fiestas callejeras de gran alegría con bailes y desfiles de disfraces.

Carnaval en Panamá

La televisión panameña está transmitiendo en vivo° el desfile de Carnaval. Oigamos a los dos locutores.

transmitiendo en vivo: broadcasting live

LOCUTOR 1	Amables televidentes, desde las dos de la tarde están desfilando frente a nuestras cámaras las mejores comparsas°. Hoy, el tiempo contribuye al éxito de las festividades. No llueve, hace sol y la temperatura es agradable. ¡Qué día más bonito!	costumed musical groups

5

LOCUTOR 2   El desfile de polleras está resultando un éxito. La Reina de Carnaval, la mujer más guapa de Panamá, preside, desde el trono de su carroza° el paso de las comparsas y los danzantes.

float

10

LOCUTOR 1   ¡Aquí viene otro grupo de señoritas con sus tembleques brillantes y sus polleras bordadas! ¡Observen el ritmo de su baile al pasar! La alegre música del trópico contagia a todos.

15

LOCUTOR 2   Junto a ellas, desfilan los hombres vestidos con montunos. Espero que nuestras cámaras puedan mostrar la riqueza de los bordados de las camisas y de los pantalones.

LOCUTOR 1   Este año han venido muchos turistas de los hermanos países de nuestra América a presenciar estos desfiles.

20

LOCUTOR 2   Nuestro corresponsal en el aeropuerto nos informa que constantemente llegan aviones cargados de° turistas procedentes de° Caracas, Miami, Nueva York y otras ciudades.

cargados de: full of / procedentes de: from

25

LOCUTOR 1   Y así seguirá este desfile. Esperamos que hayan disfrutado° esta transmisión desde la Plaza Cinco de Mayo. Señoras y señores, muy buenas tardes.

hayan disfrutado: you have enjoyed

A. Di si las siguientes oraciones son ciertas o falsas. Corrige los errores.

1. En el Carnaval panameño no hay desfiles.
2. Las comparsas cantan y tocan música.
3. Los muchachos van al desfile con polleras.
4. Las polleras son camisas y pantalones con bordados muy elegantes.
5. Las jóvenes van al desfile vestidas con montunos.
6. Los montunos son trajes masculinos.
7. Las muchachas llevan tembleques muy bonitos en la cabeza.

A. Resume la información ofrecida en la transmisión televisada de la página 253. Recuerda que debes incluir respuestas a preguntas como ¿quién?, ¿qué?, ¿cuándo?, ¿dónde?, ¿por qué?

■⫶ *Esta tarde en la ciudad de Panamá, la reina de Carnaval . . .*

B. En una transmisión de televisión el locutor debe hacer una descripción de una escena o situación. Haz el papel de locutor y resume un hecho (*event*) real o imaginario. Las palabras de estas listas te ayudarán.

la gente	hay/había	el terremoto	fatal	horrible
la persona	morir	el accidente	feo/a	imposible
el hombre	pasar	el atraco	muerto/a	elegante
la mujer	ser	la fiesta	herido/a	rico/a
el joven	bailar	la catástrofe	divertido/a	guapo/a
el policía	cantar	el desfile	interesante	increíble

■⫶ *Señoras y señores, hubo un horrible terremoto en Guatemala hoy. Murieron cien personas. Fue una catástrofe increíble.*

C. Compara el carnaval o la fiesta de este año con el/la del año pasado. Empieza tus frases con una de las expresiones siguientes.

Este año . . .   Me parece . . .
El año pasado . . .   Es posible que . . .

■⫶ *El carnaval de este año fue más divertido que el del año pasado.*

El Entierro de la Sardina es el último desfile de las fiestas panameñas de Carnaval. Se celebra en la madrugada[1] del miércoles. En este desfile se imita el ritual de un entierro[2]. Se lleva un ataúd[3] hasta la playa y se le entierra en la arena, como símbolo del final de las fiestas de Carnaval.

1 early morning hours   2 funeral   3 coffin

Carnaval de Panamá

Baile de disfraces

Alberto, el novio de Luisa, vive en Colón pero ha venido al carnaval de la ciudad de Panamá. Está hablando con los amigos de Luisa sobre su disfraz para la fiesta de mañana. Luisa no sabe que Alberto irá a la fiesta.

ALBERTO	¿Qué te parece mi disfraz? ¿Crees que puedo llevarlo al baile?
MANUEL	Sí, cómo no. Estás muy bien con tu sombrero y botas de vaquero.
NIEVES	Y ¿qué me dicen de mi traje de princesa?
ALBERTO	Te queda muy bien. Estás muy bonita. Y tú, Manuel ¿qué vas a llevar?
MANUEL	No sé todavía. Tengo un disfraz de pirata que no está mal.
NIEVES	Alberto, yo creo que el de pirata es mejor para ti, así puedes cubrirte la cara y Luisa no te reconocerá.
MANUEL	Eso sí, déjame tu disfraz de vaquero a mí. ¡Tenemos que engañar a Luisa hasta el final del baile!
NIEVES	¡Cómo vamos a divertirnos!
ALBERTO	¡Cuando Luisa se entere, me mata!

comprensión

1. ¿A dónde van los tres jóvenes?
2. ¿Qué va a llevar Manuel? ¿Alberto? ¿Nieves?
3. ¿A quién van a engañar Manuel, Alberto y Nieves?

A. Explica a un compañero/una compañera cómo se celebra tu festival favorito. Contesta las siguientes preguntas.

1. ¿Cómo se llama el festival?
2. ¿Cuándo se celebra?
3. ¿Dónde se celebra?
4. ¿Cuáles son los aspectos más importantes del festival?
5. ¿Qué hace la gente?
6. ¿Cómo se viste la gente?
7. ¿Cuándo empieza y cuándo termina el festival?

B. Reacciona a las siguientes preguntas, dando tu opinión.

¿Qué te parece mi [disfraz]?	¡Qué bonito!
¿Qué me dicen de mi [traje]?	Estás muy bien con [tu traje].
¿Qué crees de mi [traje de vaquero]?	Me parece que [tu traje está un poco largo].
	No sé qué decirte.
	¡Qué guapo/a estás!
	¡Qué traje!

C. Pídele un favor a un amigo. Pídele prestado un disfraz para el carnaval o una fiesta de disfraces. Usa en tu petición frases como las de la columna derecha.

¿Qué necesitas?	¿Podrías dejarme tu [traje de vaquero]?
¿Qué quieres?	¿Me puedes prestar tu [sombrero negro]?
¿Te puedo ayudar?	¿Te importa dejarme tus [gafas negras] esta noche?
¿Quieres que te preste un disfraz?	Préstame tu [disfraz de princesa], por favor.

Describe la fiesta perfecta. Haz oraciones completas usando elementos de cada columna.

Me gusta(n)	las fiestas	donde hay juegos
No me gusta(n)	los bailes	alegre
Prefiero	la música	donde nadie habla
Me encanta(n)	los discos	de disfraz
Me aburre(n)	hablar	de despedida
	bailar	por la noche
	cantar	clásico/a
	los conciertos	popular

Me encanta la música clásica.

En los desfiles panameños de Carnaval las mujeres llevan la pollera, un traje femenino típico que consiste en un vestido con larga falda llena de bordados (*embroidery*) y adornos. En el pelo usan tembleques. Estos ornamentos consisten en joyas que cubren parte del pelo. También los hombres llevan un traje típico que es el montuno, una camisa blanca, de algodón de manga larga muy ancha y con bordados y un pantalón también de algodón blanco con adornos a los lados.

impresiones y gustos

1. ¿Te has puesto alguna vez un disfraz? ¿Por qué?
2. ¿Cuál es tu disfraz favorito?
3. ¿Dónde consigues el disfraz? ¿en una tienda? ¿te lo dan tus padres? ¿un amigo/una amiga?
4. ¿Has asistido alguna vez a una fiesta de disfraces?
5. ¿Quieres asistir a un carnaval? ¿Cuál?
6. Cierra los ojos e imagina un carnaval. Descríbelo.
7. ¿Cuál es el mejor disfraz para dar una sorpresa a un amigo/una amiga?
8. ¿Cuál es tu festival favorito?

Estudio de palabras

Expresiones de tiempo

ayer   yesterday
anteayer   the day before yesterday
la semana pasada   last week
el mes pasado   last month
el año pasado   last year
hoy   today
hoy mismo   this very day
hoy en día   these days, nowadays

mañana   tomorrow
pasado mañana   the day after tomorrow
dentro de dos semanas   within two weeks
la semana que viene   next week
a principios de [mayo]   at the beginning of [May]
a mediados de [junio]   in the middle of [June]
al fin de [julio]   at the end of [July]

A   Di cuándo se celebraron o se celebrarán las siguientes fiestas en relación con el tiempo actual. Usa expresiones de tiempo de la lista que está arriba.

■⑴   la Navidad   *La Navidad se celebró [la semana pasada].*

1. el Año Nuevo
2. el Carnaval
3. el Día de la Independencia
4. el día del Descubrimiento de América
5. tu cumpleaños

B   Usa las expresiones de tiempo para describir una cosa que haces hoy, una que hiciste en el pasado y otra que harás en el futuro.

■⑴   *Ayer no trabajé, por eso hoy estoy estudiando todo el día y mañana no estudiaré.*

Enriquece tu vocabulario

Many Spanish words ending in the suffixes **-al, -or, -ar, -sis, -ble,** or **-sión** have close or exact English cognates. Remember, however, that the words are pronounced differently in the two languages.

-al	-or	-ar	-sis	-ble	-sión
carnaval	actor	circular	crisis	noble	tensión
festival	tractor	angular	diagnosis	terrible	confusión
animal	conductor	triangular	hipnosis	horrible	extensión
criminal	autor	solar	sinopsis	responsable	ocasión

A   Lee las frases siguientes que contienen palabras que terminan en *-al, -or, -ar, -sis, -ble,* o *-sión.* Traduce las frases al inglés.

1. En mi opinión, ese actor es terrible.
2. ¿Es usted responsable del desastre?
3. La música es el elemento principal en el Carnaval.
4. Esa pintura de Picasso es muy original.
5. La silla tiene una rara forma circular.
6. La confusión de la gente durante el terremoto fue grande.

B   Busca diez cognados que terminen en *-al, -or, -ar, -sis, -ble,* o *-sión* en los vocabularios de los capítulos 1–11. Pide a un compañero o a una compañera de clase que haga una frase completa con cada uno de los cognados.

Blanca como la nieve,
negra como la pez;
habla sin tener boca,
y anda sin tener pies.

C Lee el párrafo siguiente y di cuántas palabras ya conoces. Luego, expresa en tus propias palabras lo que ha dicho este anuncio.

¡Atención! Esta circular, amigo lector, está escrita por la comisión local de Pamplona para anunciar un acto cultural al que queremos invitarte. El lunes, después del Encierro, habrá un programa cultural en el local musical, frente al Palacio Real en el que la Orquesta Rural de Rioja tocará obras de su repertorio durante tres días sin interrupción. ¡Te esperamos! ¡No faltes!
                  La Comisión

Gramática

Present subjunctive in adverbial clauses

Le daré el trabajo **con tal que sea honrado.**	I'll give him the job *provided he's honest.*
Antes de que salgas, llámame.	*Before you leave,* call me.
Hablo despacio **para que me entiendas.**	I'm speaking slowly *so that you will understand me.*

The conjunctions **con tal (de) que, antes (de) que,** and **para que** always require a verb in the subjunctive.

A Dile a Roberto que le harás el favor que él pide sólo bajo ciertas condiciones. Usa la expresión *con tal (de) que.*

  ■⫶ Eduardo llega temprano. *Lo haré con tal que Eduardo llegue temprano.*

1. No tengo nada que hacer.
2. Marta puede venir también.
3. No llueve mañana.
4. Me compras la gasolina.
5. Salimos a las ocho.
6. Encontramos la dirección.

B Explícale a Luisa que tienes que decirle algo antes de que ella haga las cosas mencionadas.

  ■⫶ antes de salir *Antes de que salgas, tengo que decirte algo.*

1. antes de invitar a Elena
2. antes de escribirle a Juan
3. antes de volver a tu casa
4. antes de escuchar las noticias
5. antes de comer en ese restaurante

C Completa las frases siguientes con los verbos indicados.

> ▪▥ Hablaré con Alberto para que él (abrir la tienda).
>
> *Hablaré con Alberto para que él abra la tienda.*

1. Invitaré a María a casa para que (ver mi colección de sellos).
2. Iré con mis tíos a San Diego para que ellos (conocer la ciudad).
3. Le contaré mis planes a Inés para que ella (venir también).
4. Hoy estudiaré matemáticas para que el profesor (creer que soy estudioso/a).
5. Le escribiré a Juan para que (traer su ropa de invierno).

D Completa las frases siguientes con un verbo apropiado de la lista.

salir	llegar	hacer
ir	estudiar	poder

> ▪▥ Federico me llama antes de que _____ yo.
>
> *Federico me llama antes de que salga yo.*

1. Pienso salir antes que _____ Marcos.
2. Mis tíos van a México con tal que _____ mis papás.
3. Nuestra vecina trabaja para que _____ sus hijos.
4. Con tal que Carlos _____ el trabajo, tendrá el puesto.
5. Quiero ir contigo a la biblioteca para que tú _____ sacar unos libros.
6. Preparo la comida para que mamá _____ a la universidad.

Los panameños dividen el año en dos estaciones, invierno y verano, que coinciden con las épocas de sequía[1] y de lluvia respectivamente. El invierno, o época de sequía, empieza a mediados de diciembre y dura hasta la mitad de mayo. El verano, o época de lluvias, empieza en mayo y termina en diciembre. El calor más intenso es en verano.

1. dry season

Cuando in adverbial clauses

Cuando llegue, lo llamaré.	*When I arrive,* I'll call him.
Cuando llego, siempre lo llamo.	*When(ever) I arrive,* I always call him.
Cuando llegué, lo llamé.	*When I arrived,* I called him.

The subjunctive is used in an adverbial clause introduced by **cuando** when the verb expresses an action that will take place in the future. When the action is habitual or if it took place in the past, the indicative is used.

E Dile a Joaquín algunos de tus planes futuros. Empieza cada respuesta con *cuando.*

■⫶ Siempre llamo a Marcos cuando llego. *Cuando llegue, voy a llamar a Marcos.*

1. Siempre compro ropa cuando voy a ese almacén.
2. Siempre llevo flores cuando visito a tu familia.
3. Siempre invito a Carmen cuando voy a un baile.
4. Siempre me levanto temprano cuando corro con mis amigos.
5. Siempre juego al básquetbol cuando llegan mis primos.
6. Siempre enciendo la radio cuando estudio.

F Combina las dos frases con *cuando.* Usa el subjuntivo o el indicativo, según el sentido.

■⫶ Pepe estaba enfermo / lo vi ayer *Pepe estaba enfermo cuando lo vi ayer.*

1. nunca está en casa / lo llamo
2. te llamaré / lo encuentro
3. estaba llorando / nos despedimos
4. les diré la noticia / les escribo
5. quiero un coche bueno / compro un coche

G Vas a Panamá para Carnaval. Di cuáles son tus planes.

■⫶ llegar / llamaré a Marcos *Cuando llegue, llamaré a Marcos.*

1. visitar a tu familia / llevaré flores
2. ir de compras / buscaré una pollera y un montuno
3. ver a Carmen / sacaré una foto
4. volver a los Estados Unidos / te llamaré

¡vamos a hablar! Dile a un compañero/una compañera tres cosas que esperas hacer después de graduarte. Menciona las condiciones para cada una.

Pienso ir a España con tal que tenga suficiente dinero.

La costumbre de enviar tarjetas en ocasiones señaladas es internacional, pero sólo en los Estados Unidos se puede comprar tarjetas con gran variedad de mensajes. Hay tarjetas para el cumpleaños, Navidad[1], Pascua Florida[2], el día de San Valentín, el día de las Madres y de los Padres. En los países hispanos no se encuentran todavía esta variedad de mensajes impresos, pero el negocio se ha introducido y se hace más popular cada año.

1. Christmas   2. Easter

Irregular verbs in the present subjunctive

	ESTAR	SER
yo	esté	sea
tú	estés	seas
él, ella, usted	esté	sea
nosotros, nosotras	estemos	seamos
ellos, ellas, ustedes	estén	sean

The verbs **estar** and **ser** are irregular in the present subjunctive. Remember that in Chapter 8 you learned the present subjunctive forms of **dar** and **ir** as well as **ser.**

H   Di que cuando las siguientes personas estén mejores, vas al parque con ellos.

■⫞   Raúl   *Cuando Raúl esté mejor voy al parque con él.*

1. Teresa y Francisco
2. Tomás y tú
3. Alicia
4. Pepe
5. ustedes
6. mi hermana
7. tú

I   La profesora les recomienda a los alumnos que sigan ciertas carreras. Haz su papel.

■⫞   tú / médico   *Recomiendo que tú seas médico.*

1. Roberto / plomero
2. Juan y Elena / intérpretes
3. ella / abogada
4. José / chófer
5. Delia y Carmen / secretarias
6. Teresa / dentista
7. tú / enfermera
8. Anita / profesora
9. Raúl / policía
10. tú / guardabosque

Festival de Mendoza, Argentina

Superlative of adjectives

Elena es inteligente. En efecto, es **la más inteligente** de la clase.

Elena is intelligent. In fact, she is *the most intelligent person* in the class.

Jorge es alto. En efecto, es **el más alto** de todos los muchachos.

Jorge is tall. In fact, he is *the tallest* of all the boys.

The superlative of adjectives is often expressed with the pattern **el (la, los, las)** + **más (menos)** adjective + **de.** Note that **de** may mean *in* or *of*, depending on the context.

j Estás preparando una lista de los graduados de tu colegio y de sus cualidades. Combina las frases como en el ejemplo.

▪▐ Joaquín / inteligente   *Joaquín es el más inteligente.*

1. Luisa / bonita
2. Carlos / guapo
3. José Luis / artístico
4. Anita / estudiosa
5. Cecilia / flexible
6. Antonio / serio

K Jorge y Luis discuten acerca de unos compañeros de clase. Luis exagera todo lo que dice Jorge. Haz el papel de Luis.

■||| Carlos es pesimista, ¿no?

Sí, hombre, es el más pesimista de todos. (No, hombre, es el menos pesimista de todos.)

1. María es rubia, ¿verdad?
2. Felipe es simpático, ¿no?
3. Juan es deportista, ¿verdad?
4. Paquita es optimista, ¿no?
5. Alberto es serio, ¿no?
6. Nieves es artística, ¿verdad?

¡vamos a hablar! ¿Cuáles son las cinco mejores experiencias de tu vida?

El viaje más interesante de mi vida fue cuando fuimos a Panamá.

Reciprocal reflexive

Los jóvenes **se felicitan** por sus disfraces.

The young people *compliment each other* on their disguises.

Alberto y Luisa **se ven** todos los días.

Alberto and Luisa *see one another* every day.

The plural reflexive forms **se** and **nos** may be used with a reciprocal meaning equivalent to *each other* or *one another.*

The following verbs are often used with a reciprocal meaning:

ayudarse to help each other
comprenderse to understand one another
conocerse to know one another; *(preterit)* to meet each other

escribirse to write to each other
quererse to love one another
saludarse to greet one another
verse to see one another
encontrarse to meet one another

L Guillermo y Felipe, Isabel y Marta siempre están peleando. Dales consejos.

■||| Un hermano debe querer al otro.

Los hermanos deben quererse.

1. Un hermano debe comprender al otro.
2. Una hermana debe ayudar a la otra.
3. Un hermano debe proteger al otro.
4. Una hermana debe cuidar a la otra.
5. Un hermano debe escribir al otro.

M   Pepe y Alicia se ven con frecuencia. Expresa sus actividades usando una
oración recíproca.

▪▥   Pepe ve a Alicia.   *Pepe y Alicia se ven.*

1. Pepe saluda a Alicia en clase. Pepe y Alicia _____.
2. Encontré a Pepe y Alicia en el museo. Nosotros _____ en el museo.
3. Alicia verá a Pepe mañana. Alicia y Pepe _____ mañana.
4. Pepe escribe cartas a Alicia todos los días. Pepe y Alicia _____ todos los
   días.
5. Conocí a Pepe y Alicia en una fiesta. Nosotros _____ en una fiesta.
6. Pepe no comprende a Alicia. Alicia y Pepe no _____.
7. Pepe no ayuda a Alicia. Alicia y Pepe no _____.

¡vamos a hablar!   Di cuándo fue la última vez que tú y otro amigo u otra amiga se vieron, se
escribieron, etc. Usa expresiones como **ayer, anoche, la semana pasada, el
año pasado, en julio,** etcétera.

Marta y yo nos saludamos ayer en el mercado.

More uses of the subjunctive (A–G)

1. The conjunctions **antes (de) que, con tal (de) que,** and **para que** always require a verb in the subjunctive: **Antes (de) que salgas, llámame. Lo haré con tal (de) que me des tres pesos. Lo repito para que aprendas.**
2. The present subjunctive is used in an adverbial clause introduced by **cuando** when the verb expresses an action that will take place in the future: **Cuando termines la lectura, puedes salir.** When the action is habitual or if it took place in the past, an indicative tense is used. **Cuando tengo hambre, como.**

Irregular verbs in the present subjunctive (H, I)

	ESTAR	SER
yo	esté	sea
tú	estés	seas
él, ella, usted	esté	sea
nosotros, nosotras	estemos	seamos
vosotros, vosotras	estéis	seáis
ellos, ellas, ustedes	estén	sean

Superlative of adjectives (J, K)

SINGULAR	PLURAL
Es el más (menos) inteligente de la clase.	Son los más (menos) inteligentes del colegio.
Es la más (menos) inteligente de los chicos de mi clase.	Son las más (menos) inteligentes de los chicos de la universidad.

The superlative of adjectives is often expressed with the pattern outlined above. **De** may mean *in* or *of,* depending on the context.

Reciprocal reflexives (L, M)

1. The plural reflexive forms **se** and **nos** may be used with a reciprocal meaning equivalent to *each other* or *one another:* **Se ven todos los días. Nos hablamos los sábados.**

Repaso

A Combina expresiones de las tres columnas y construye tantas oraciones lógicas como puedas.

1	2	3
1. Prepararé el desayuno		te despiertes
2. Toco el piano		estés contento/a
3. Me levantaré temprano	antes (de) que	vayamos al parque
4. Estudio mucho	con tal (de) que	veas a tu padre
5. Llamaré a María	para que	salgas de casa
6. Venimos aquí		vengas
7. Compraremos la casa		te vayas
		esté más cara

■⫶ *Toco el piano para que estés contento, no para que salgas de casa.*

B Escoge la palabra de la columna de la derecha que esté asociada con cada palabra de la columna de la izquierda.

1. bailar	la televisión
2. pollera	la reina
3. tembleque	la chica
4. montuno	la música
5. trono	el chico
6. transmisión	el pelo
7. disfraz	el carnaval
8. música	el concierto

C Completa las oraciones siguientes con la forma apropiada de uno de los verbos de la lista. Usa el presente de subjuntivo.

llamar	**llegar**	**querer**	**venir**	**estar**
terminar	**encontrar**	**ir**	**comprar**	**saber**

■⫶ Cuando ____ tu trabajo, puedes mirar televisión. *Cuando termines tu trabajo, puedes mirar televisión.*

1. Cuando ____ a salir, ustedes deben avisarme.
2. Cuando ____ un traje de baño, iremos a la piscina.
3. Cuando ____ la abuela, vamos a almorzar.
4. Cuando ____ al supermercado, cómprame pan y mantequilla.
5. Cuando ____ a Jorge, dile que quiero jugar al tenis con él esta tarde.
6. Cuando ____ la respuesta, puedes cerrar el libro.
7. Cuando ____ mejor, podemos correr por el parque.
8. Cuando ____ a España, puedes visitar Toledo.

D   Describe a las personas siguientes, usando la construcción superlativa.

■⫶⫶   ¿Es generoso Carlos?   *Sí, es muy generoso. Es el más generoso de todos mis amigos.*

1. ¿Es inteligente Maricarmen?
2. ¿Son responsábles Federico y Alicia?
3. ¿Es serio Enrique?
4. ¿Son flexibles Silvia y Teresa?
5. ¿Es puntual Guillermo?
6. ¿Es simpática Bárbara?

E   Describe la escena en el dibujo siguiente. Luego prepara tres diálogos cortos que expresen lo que está diciendo cada par de jóvenes.

■⫶⫶   —¿Quieres bailar?
      —Sí, con tal que la música sea buena.
      —¿Qué clase de música prefieres?
      —La música latina.

F   Escoge la expresión de tiempo más apropiada.

       ▣‖   (Anteayer, Mañana) asistí al   *Anteayer asistí al concierto con*
                concierto con Luis.   *Luis.*

1. (La semana que viene, La semana pasada) pienso ir en tren a Miami.
2. (El año pasado, La semana que entra) empiezan las vacaciones.
3. (Pasado mañana, El mes pasado) todos iremos al campo.
4. (Dentro de dos semanas, Anteayer) decidí comprar una motocicleta.
5. (A principios de enero, A fines de mayo) hace mucho frío aquí.

G   Haz oraciones originales con los verbos indicados, usando la construcción recíproca.

       ▣‖   escribir una vez al mes   *Pepe y Laura se escriben una vez al mes.*
                                      María y yo nos escribimos una vez al mes.

1. comprender perfectamente
2. ayudar mucho
3. proteger
4. ver todos los días
5. hablar mucho
6. querer mucho

H   Haz frases completas con las expresiones siguientes.

       ▣‖   ¿Es posible que / tú / ir al carnaval?   *¿Es posible que tú vayas*
                                               al carnaval?

1. Espero que / Raúl / observar el reglamento de tránsito
2. Dudo que / Antonio y Rafael / ir a la fiesta
3. Temo que / Lucía / no venir con Juan
4. Deseo que / Hortensia y Marta / ir juntas de vacaciones
5. Prefiero que / Luis / comprar el coche
6. No creo que / Irene y Lucas / tener dinero para el cine
7. Dudo que / mis padres / no tener razón
8. Es posible que / Pepe / vender la bicicleta

I   Complete each sentence with *por* or *para,* depending on the meaning of the sentence.

1. Jorge, ¿vas a estar listo _____ las tres?
2. Le doy dos dólares _____ ese cinturón.
3. Te doy mi lápiz _____ tu bolígrafo.
4. El tren de Madrid no pasa _____ Burgos.
5. Te prometo que terminaré el trabajo _____ las ocho.
6. El autobús número 8 pasa _____ la plaza de San Martín.
7. Este cassette es un regalo _____ Andrés.
8. Voy a la oficina _____ trabajar.

Vocabulario

SUSTANTIVOS

la bota   boot
el carnaval   carnival
el, la danzante   dancer
el disfraz   disguise, costume
la novia   girlfriend
el novio   boyfriend
el paso   passing
la princesa   princess
la reina   queen
la riqueza   richness
el ritmo   rhythm
el vaquero   cowboy

VERBOS

cubrir(se)   to cover
desfilar   to parade, to march
engañar   to trick
enterarse (de)   to find out (about)
matar   to kill
  me mata   he'll/she'll kill me
observar   to observe
quedar   to be, to remain
  te queda bien   it fits you well
reconocer   to recognize
transmitir   to broadcast

OTRAS PALABRAS

bordado, -a   embroidered

EXPRESIONES

a mediados de (junio)   in the middle of (June)
el año pasado   last year
anteayer   day before yesterday
antes (de) que   before
a principios de (mayo)   at the beginning of (May)
con tal (de) que   provided that
dentro de (dos semanas)   in (two weeks)
hoy en día   these days, nowadays
hoy mismo   this very day
el mes pasado   last month
para que   in order to
pasado mañana   the day after tomorrow
la semana pasada   last week

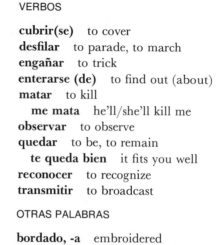

capítulo 12

La vida deportiva

En el área del Caribe (Cuba, la República Dominicana, Puerto Rico, Venezuela, Panamá, Costa Rica, Nicaragua, Honduras, la costa mexicana del Golfo de México), el béisbol es el deporte más popular y el que recibe mayor atención por parte de los medios informativos. Durante la temporada de béisbol, la radio y la televisión dan una información completa sobre los equipos y los campeonatos. Toda esta actividad deportiva culmina en una serie de finales para elegir al ganador, como en los Estados Unidos.

El último juego

César y Ernesto están mirando en televisión la final del campeonato de béisbol.

CÉSAR — Ya verás cómo los Alacranes van a ganar este último juego de la serie ... y ... ¡seremos campeones!

ERNESTO — Eso es lo que tú crees, pero ... mira a nuestro pícher Romerito ... ¡cómo lanza! Y tu bateador tiene dos estraiks ... Y ahí va el tercero ... ¡out!

CÉSAR — Bueno, pero hicimos tres sencillos°.

base hits

ERNESTO — Eso no vale. No podrían ganar con sencillos solamente. ¡Hay que meter carreras°!

meter carreras: to score some runs

CÉSAR — Ahora vas a ver como nuestro pícher Muñoz pone fuera de combate° a los tres primeros Llaneros.

pone ... combate: strikes out

ERNESTO — ¡Ja, Ja, Ja! Mira, ya tenemos un sencillo de Ángel Gómez. Y ahora viene Chico Fernández al bate. Tiene un average de 390. ¡No tiembles! ... ¡Qué batazo°! Es un doble, por lo menos. Ya tenemos hombres en segunda y tercera base.

hit

CÉSAR — Pero te aseguro que de ahí no pasarán.

ERNESTO — ¿Qué dices? Mira quién viene ahora, Rubén Cordero, nuestro jugador estrella°. ¿Qué dirías si metiera° un jonrón?

star

if he made

CÉSAR — Nada. No podrá, ya verás.

ERNESTO — Ahí viene la bola ... estraik ... el primero.

CÉSAR — Y ahí viene el segundo. ¿Qué dirías si se ponchara°?

si ... ponchara: if he strikes out

ERNESTO — ¿Poncharse? ¿Estás loco? El pícher ya se prepara ... mira a segunda y tercera ... lanza ... ¡es un tremendo batazo por el jardinero derecho! ¡ ... la bola sube ... sube ...! ¡pasa la cerca! ¡es un jonrón! ¡jonrón! ¡jonrón! ¡Tres carreras! ¿Qué me dices ahora?

CÉSAR — Nada. Espera a que nosotros vayamos al bate.

ERNESTO — ¡Eso es si los dejamos ...! ¡Qué juego!

comprensión

1. ¿Qué miran César y Ernesto?
2. ¿Cómo se llaman los dos equipos?
3. ¿Cómo se llama el pícher de los Llaneros? ¿de los Alacranes?
4. ¿Qué equipo metió un jonrón?

A. Haz una breve narración sobre las cuatro primeras entradas de un partido de béisbol entre los Llaneros y los Alacranes. Basa tu narración en un cuadro de resultados imaginario.

▪▮ *Los Alacranes están al bate. El pícher de los Llaneros los pone fuera de combate muy rápidamente.*

B. Imagínate que tu equipo favorito de pelota está jugando su último juego para determinar el campeonato nacional. Tú estás mirando el juego en la televisión con un amigo/una amiga que está a favor del equipo contrario. Tu amigo/amiga dice cosas que a ti no te gustan y tú respondes.

Amigo/a: Ya verás cómo mi equipo ganará el juego.

Tú: Eso es lo que tú crees, pero [no lo verás nunca].
Te aseguro que [estás equivocado/a].
No podrán. Ya verás tú.
¿Qué dirás si [ustedes pierden]?
¡Estás loco/a!

Página deportiva

Resumen deportivo de las Américas

Fútbol

San Cristóbal, Venezuela, 21 abril
En la mejor actuación° de su historia, el equipo
Galicia de Caracas continúa a la cabeza del tor-
neo° de fútbol Copa Libertadores de América.
El Galicia venció al otro equipo venezolano, De-
portivo Táchira.

playing

tournament

Ciclismo

Ibagué, Colombia, 19 de abril
Luis Enrique Murillo pasó al primer lugar de la
Vuelta Ciclística Nacional al ganar la cuarta
etapa° del recorrido° en 22 minutos y 17 se-
gundos. Esta etapa de 17 kilómetros fue corrida
entre las ciudades de Girardot y El Espinal.

lap/course

Ajedrez

Torremolinos, Málaga, España, 15 de abril
El peruano José Rodríguez encabeza° el Torneo
Internacional de Ajedrez Costa del Sol. Le ganó
al español Diego Polo en la jugada° 49.

is leading

move

Básquetbol preolímpico

San Juan, Puerto Rico, 26 de abril
Brasil derrotó° anoche a Puerto Rico 99-93,
quitándole el primer lugar que tenía en el torneo
preolímpico de básquetbol.

defeated

Tenis

Córdoba, Argentina, 17 de abril
La tenista argentina Dolores Ibaru ha derro-
tado° a su oponente chilena Lucía Torres con
una anotación de 6-3, 6-2, 6-0 en la final del torneo sobre hierba que se disputó° anoche en la
ciudad argentina de Córdoba. Dolores Ibaru
mostró su superioridad en la cancha° en todo
momento, proporcionando una de las veladas°
de tenis más emocionantes de la temporada°.

ha derrotado: has defeated

se disputó: took place

court

evenings

season

1. ¿Qué equipo venció al equipo venezolano?
2. ¿Quién ganó la Vuelta Ciclística Nacional?
3. ¿Cómo se llama el señor que encabeza el Torneo Internacional de Ajedrez? ¿De qué país es? ¿A quién le ganó?
4. ¿Quién derrotó a Puerto Rico en el torneo preolímpico de básquetbol?
5. ¿A quién derrotó la tenista Dolores Ibaru?

extensión   **A.**   Imagínate que estás en el estadio mirando un juego de fútbol americano. La situación es tensa. Es el primer *down* para tu equipo favorito. Están a quince yardas de la meta *(goal)*. Tu amigo/a, que está a favor del equipo contrario, está preocupado/a y trata de darse ánimo. Contéstale, indicando posibilidades de éxito o de fracaso *(success or failure)*.

Ya verás cómo no pasarán de
la yarda° quince.
La situación es difícil,
¿qué pasará?

Puede ser, pero [podremos hacer gol].
Quizás las defensas° de tu equipo
[sean débiles°] y ni pueden
vencernos°.
¿Es posible que [hagamos un pase]
sensacional?

B.   Tú estás mirando un juego de béisbol y el locutor/la locutora de televisión describe una jugada muy buena de tu equipo favorito. Expresa tu alegría y satisfacción.

El equipo de *los Alacranes*
acaba de hacer tres
carreras.

¡Magnífico, ya lo esperaba!
¡Excelente! ¡No es raro! ¡Somos los
mejores!
¡Fantástico! No podríamos hacerlo
de otra manera.
Así se hace. No me extraña° que
seamos los campeones.

Existen deportes internacionales, como el fútbol, el básquetbol y el balonmano, el tenis, el golf o el béisbol. Todos estos deportes usan reglas[1] y palabras procedentes del inglés. A veces, sólo se cambia la pronuciación de la palabra original, por ejemplo, el golf. Como ya sabes, en general, el español se escribe como se pronuncia y por lo tanto ha modificado la ortografía de muchas palabras deportivas, como las siguientes: el gol, el jonrón, y el pícher.

1. rules

impresiones y gustos

Completa estas oraciones para expresar tus preferencias deportivas.

1. Mi deporte favorito es . . .
2. Me gusta jugar con . . .
3. Me gusta jugar en . . .
4. Cerca de casa, hay un parque que es . . .
5. (No) Participo en los deportes del colegio, especialmente en . . .
6. Generalmente gano (pierdo) los juegos . . .
7. (No) Me gusta correr porque . . .
8. (No) Me gusta estar sentado/a porque . . .
9. Prefiero los deportes de (invierno, primavera, verano, otoño) porque . . .

Más deportes y pasatiempos

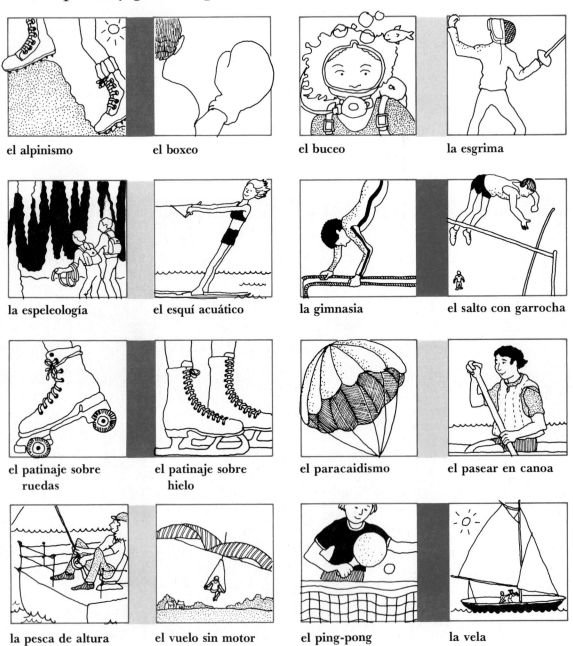

el alpinismo

el boxeo

el buceo

la esgrima

la espeleología

el esquí acuático

la gimnasia

el salto con garrocha

el patinaje sobre
ruedas

el patinaje sobre
hielo

el paracaidismo

el pasear en canoa

la pesca de altura

el vuelo sin motor

el ping-pong

la vela

A   Contesta las preguntas siguientes.

1. ¿Qué deporte de la lista prefieres? ¿Lo practicas o lo miras en la televisión?
2. ¿Cuáles de los deportes son más populares en los Estados Unidos?
3. ¿Cuáles de los deportes se pueden practicar sin compañeros? ¿con otro amigo/otra amiga? ¿en grupos de tres o más?
4. ¿Hay algún deporte de la lista que pueda practicarse a cualquier edad?
5. ¿En qué deporte te gustaría ser muy bueno/a?
6. ¿Quiénes son tus héroes deportivos?

B   Haz una encuesta con tus compañeros de clase. Pregúntales cuáles son sus deportes o pasatiempos preferidos. ¿Es posible practicar esos deportes o pasatiempos en la zona donde ustedes viven? ¿Cuesta mucho practicarlos? ¿Creen ustedes que sus padres les permitirían practicar esos deportes? Si no, ¿por qué no?

Gracias a las películas y a la televisión, el interés en los deportes y entretenimientos crece en los países de habla hispana. Por ejemplo, en el norte de España, muchos jóvenes sueñan con hacerse espeleólogos para explorar las cuevas de los Pirineos donde quedan muchos artefactos y pinturas de la época prehistórica. En Venezuela y en México, muchos jóvenes sueñan con hacerse expertos en el buceo para explorar la flora y la fauna submarina del Mar Caribe.

1. Many Spanish words beginning with **inm-** and **es-** have close or exact English equivalents beginning with *imm-* or *s-*.

   inmediato   **inm**enso   **inm**inente   **inm**igración
   español   **es**pacio   **es**pecial   **es**tricto

2. Many Spanish words beginning with or containing **f** have English equivalents beginning with or containing *ph*.

   farmacia   filosofía   fotografía   teléfono

3. There are no double consonants in Spanish except **cc.** When **cc** occurs, the first **c** is pronounced [k], and the second **c** is pronounced [s].

   lección   acción   dirección   colección

   Remember that **11** and **rr** are considered single letters in Spanish.

4. Some Spanish words beginning with or containing **t** have English equivalents beginning with or containing *th*.

   teatro   tema   atleta   catedral

A   Lee en voz alta las palabras siguientes. ¿Qué quieren decir en inglés?

   inmortal   escape   geografía   teoría
   inmóvil   escolar   fenomenal   termómetro

B   Da otras palabras para cada grupo. Busca en los vocabularios de los capítulos 1-11 o en un diccionario español-inglés.

Fui al mar y me bañé,
toqué el agua y no me mojé.

Gramática

Conditional of regular verbs

Creí que tú nos **acompañarías.**	I believed that you *would accompany* us.
Marta dijo que no **saldría** conmigo.	Marta said she *would not go out* with me.

The conditional is used to express or report an action, event, or situation that is future in relation to another action in the past. The English equivalent consists of the auxiliary *would* + verb.

	MIRAR	CORRER	ABRIR
yo	miraría	correría	abriría
tú	mirarías	correrías	abrirías
él, ella, usted	miraría	correría	abriría
nosotros, nosotras	miraríamos	correríamos	abriríamos
ellos, ellas, ustedes	mirarían	correrían	abrirían

The conditional of most Spanish verbs is formed by adding the conditional endings to the whole infinitive. A written accent occurs on the stressed vowel of all conditional endings. The conditional *stem* is identical to the future stem.

A   Di que pensabas que las siguientes personas jugarían al béisbol.

    ▪▮   Marta   *Pensaba que Marta jugaría al béisbol.*

1. mi papá
2. mi mamá
3. Jorge y Eduardo
4. mis hermanos mayores
5. Teresa y David
6. la señora Campos
7. nosotros
8. tú

B   Luis y Vicente están discutiendo unos problemas en el trabajo. Luis quiere consejos y Vicente se los ofrece. Haz cualquier papel.

    ▪▮   hablar con el jefe   Luis: *¿Me dijiste que hablarías con el jefe?*

                 Vicente: *Sí, dije que hablaría con él. (No, no dije que hablaría con él.)*

1. vender la computadora
2. pagar la cuenta
3. reparar la máquina de escribir
4. comprar la calculadora

C   Informa a qué hora dijeron los personajes siguientes que volverían a casa.

■III   Pepe dice que volverá a la una.   *Pepe dijo que volvería a la una.*

1. Tú dices que volverás a las dos.
2. Anita dice que volverá a las tres.
3. Yo digo que volveré a las cuatro.
4. El señor Gómez dice que volverá a las cinco.
5. Mis primos dicen que volverán a las seis.
6. Nosotros decimos que volveremos a las siete.

¡vamos a hablar!   Están llevando una encuesta de una estación de televisión. Quieren saber tus opiniones sobre los programas para el año que viene. Dales cinco ideas originales.

Me gustarían más (menos) programas de deportes.

Conditional of irregular verbs

Yo creí que tú **vendrías** solo.   I believed that you *would come* alone.

Paco dijo que no **podría** ir.   Paco said he *wouldn't be able* to go.
¿Qué **harías** tú en ese caso?   What *would you do* in that case?

Irregular verbs that have a modified stem in the future also have a modified stem in the conditional.

INFINITIVE	STEM	YO-FORM
decir	dir–	diría
haber	habr–	habría
hacer	har–	haría
poder	podr–	podría
querer	querr–	querría
saber	sabr–	sabría

INFINITIVE	STEM	YO-FORM
poner	pondr–	pondría
salir	saldr–	saldría
tener	tendr–	tendría
valer	valdr–	valdría
venir	vendr–	vendría

D   Elisa quiere saber qué dijeron las personas siguientes. Contéstale, empleando el verbo entre paréntesis en el condicional.

■III   ¿Qué dijo Rogelio? (venir a la una)   *Dijo que vendría a la una.*

1. ¿Qué dijeron ustedes? (hacer el trabajo)
2. Y Marcos, ¿qué dijo él? (no poder salir contigo)
3. ¿Qué dijo Julia? (ponerse un abrigo)
4. ¿Qué dijeron tus vecinos? (hacer un viaje a Venezuela)
5. Y tus hermanos, ¿qué dijeron ellos? (tener que llegar temprano)

E ¿Qué sentirían las personas mencionadas bajo las circunstancias siguientes? Usa las expresiones de la lista en tus respuestas.

tener fiebre   **tener hambre**   **tener sed**
tener razón   **tener suerte**   **tener dolor de estómago**
tener miedo   **tener prisa**   **tener frío**

■⫿   Hoy hace calor y has estado caminando   *Tendría sed.*
      todo el día.

1. Los niños no han comido durante todo el día.
2. No hemos dormido en dos días.
3. Has visto un ladrón en tu casa.
4. Tu hermano ha comido demasiado.
5. Tú tienes la cabeza muy caliente.

F Tu madre estuvo de compras todo el día. Dile quién la llamó por teléfono durante el día y qué le dijeron.

■⫿   el señor López / venir esta tarde   *El señor López dijo que*
                                          vendría esta tarde.

1. la señora González / hacer la paella
2. Rafael / poder ayudarte mañana
3. Isabel / no tener tiempo para ir de compras
4. los abuelos / venir el domingo
5. tía Juanita / salir para Venezuela en mayo
6. papá / no poder llegar hasta las siete

Review of comparatives and superlatives

equality	Ernesto es **tan** simpático **como** César.
	Miro **tantos** programas de televisión **como** tú.
inequality	Esta comedia es **más** romántica **que** la otra.
	Esa película es **menos** interesante **que** la que vi ayer.
superlative	Chico Fernández es **el mejor pícher** de todos.
	María Gómez es **la ciclista más rápida** del equipo.
	Ese pícher es **buenísimo.**

G Compara a las personas siguientes, diciendo que ambas tienen las mismas cualidades.

■⫶ Elena y Marta son pesimistas. *Elena es tan pesimista como Marta.*

1. Jorge y Ricardo son inteligentes.
2. Tú y yo somos puntuales.
3. Mi primo y mi prima son perezosos.
4. Ese niño y esa niña son estudiosos.
5. Mi tía y mi abuela son altas.

H Expresa las siguientes oraciones, usando comparativos de igualdad.

■⫶ Hay diez sillas y diez mesas. *Hay tantas sillas como mesas.*

1. He comprado tres bolígrafos y tres lápices.
2. Me han vendido dos pulseras y dos collares.
3. Juan ha comido dos manzanas y Ricardo ha comido dos manzanas.
4. Mi papá tiene tres mochilas y tres navajas.

I Describe a varios miembros de tu familia, usando una forma del superlativo.

■⫶ Ricardo es fuertísimo, ¿no? *Sí, es el más fuerte de la familia.*

1. Carlota es simpatiquísima, ¿verdad?
2. Pablo es guapísimo, ¿no?
3. Ángela es altísima, ¿verdad?
4. Tu papá es amabilísimo, ¿no?

¡vamos a hablar! Habla de varias personas y cosas con compañeros de tu clase. Usa formas apropiadas del comparativo y del superlativo.

—¿Tú conoces a [Gilberto]?
—Sí, lo conozco muy bien. Es tan simpático como tú. Estudia más que Ricardo. En mi opinión, es el más estudioso de la clase.

Possessive pronouns

¿Tienes tu libro?	Do you have your book?
—No. Préstame **el tuyo,** por favor.	No. Lend me *yours*, please.
—No tengo botas.	I don't have any boots.
—¿Quieres llevar **las mías?**	Do you want to wear *mine?*
—¿De quién es ese traje?	Whose suit is that?
—Es **mío.**	It's *mine.*

Possessive pronouns agree in gender and number with the noun to which they refer. They are usually preceded by a definite article except after the verb **ser.** The chart below shows the singular and plural forms of the possessive pronouns.

OWNER	POSSESSIVE PRONOUNS
yo	mío, mía, míos, mías
tú	tuyo, tuya, tuyos, tuyas
él, ella, usted	suyo, suya, suyos, suyas
nosotros, nosotras	nuestro, nuestra, nuestros, nuestras
ellos, ellas, ustedes	suyo, suya, suyos, suyas

J Pídele a tu amigo Enrique que te preste las cosas mencionadas.

▪▥ reloj *No tengo reloj. Préstame el tuyo, por favor.*

1. mochila
2. radio
3. tambores
4. cassette
5. navaja
6. sellos

K Identifica el dueño o la dueña *(owner)* de la ropa siguiente.

▪▥ ¿De quién es esa corbata? ¿de Luis? *Sí, es suya.*

1. ¿De quién es ese saco? ¿de Felipe?
2. ¿De quién son estos guantes? ¿de Mercedes?
3. ¿De quién son esas camisas? ¿de Carlos?
4. ¿De quién es este impermeable? ¿de Bárbara?
5. ¿De quién es esta chaqueta? ¿de Ricardo?

¡vamos a hablar! Acabas de ganarte un millón de pesetas en la lotería española. Di lo que harías y lo que no harías con el premio.

Le daría mil pesetas al hospital San Clemente porque mi hermana es enfermera en ese hospital.

Ser and estar with adjectives

El señor Ramos **es aburrido.**   Mr. Ramos *is boring.*
En este momento **estoy**   *I'm bored* right now.
   aburrido/a.

Some adjectives change meaning when they are used with the verb **ser** or **estar.** The use of **ser** or **estar** with certain adjectives depends on the speaker's intended meaning for these adjectives.

	WITH SER	WITH ESTAR
aburrido/a	boring	bored
bueno/a	good	tasty
listo/a	smart	ready
triste	sad, deplorable	sad, gloomy
verde	green	unripe

L   Reacciona a las siguientes cosas o condiciones, usando *ser* o *estar* según tu perspectiva.

▪⫶⫶   la sopa / buena   *La sopa está muy buena.*

1. este concierto de música / aburrido
2. yo / aburrido(a)
3. el traje / verde
4. estas manzanas / verdes
5. mi profesor(a) / muy listo (lista)
6. nosotros(as) / listos (listas) para salir

En resumen

Conditional tense (A–F)

	JUGAR	VENIR	SUBIR
yo	jugaría	vendría	subiría
tú	jugarías	vendrías	subirías
él, ella, usted	jugaría	vendría	subiría
nosotros, nosotras	jugaríamos	vendríamos	subiríamos
vosotros, vosotras	jugaríais	vendríais	subiríais
ellos, ellas, ustedes	jugarían	vendrían	subirían

1. The conditional tense of most Spanish verbs is formed by adding the conditional endings to the whole infinitive.
2. The conditional *stem* is identical to the future stem.
3. A written accent occurs on the stressed vowel of all conditional endings.
4. Irregular verbs that have a modified stem in the future also have a modified stem in the conditional: **Dijo que pondría la mesa. Nos aseguraron que dirían la verdad.**

Review of comparatives and superlatives (G–I)

equality	Ésta entrada es **tan** aburrida **como** la primera. Tú hiciste **tantos** goles **como** él.
inequality	El transporte público es **más** conveniente **que** el coche. Mi anillo es **menos** valioso **que** mi collar.
superlative	Ella quiere ser **la mejor tenista** del mundo. Esta es **la carrera más importante** del campeonato. El tema de esa película es **rarísimo.**

The forms **tan ... como, más ... que,** and **menos ... que** modify adjectives, so their forms never change. The forms **tanto/a ... como** and **el/la más ... de** modify nouns, and must agree in gender and number.

287

Possessive pronouns (J, K)

OWNER	POSSESSIVE PRONOUNS
yo	mío, mía, míos, mías
tú	tuyo, tuya, tuyos, tuyas
él, ella, usted	suyo, suya, suyos, suyas
nosotros, nosotras	nuestro, nuestra, nuestros, nuestras
vosotros, vosotras	vuestro, vuestra, vuestros, vuestras
ellos, ellas, ustedes	suyo, suya, suyos, suyas

Possessive pronouns agree in gender and number with the noun they refer to. They are usually preceded by a definite article except after **ser.**

Ser and estar with adjectives (L)

	WITH **SER**	WITH **ESTAR**
aburrido/a	boring	bored
bueno/a	good	tasty
listo/a	smart	ready
triste	sad, deplorable	sad
verde	green	unripe

The speaker's intention determines whether certain adjectives should be used with **ser** or **estar.**

_____ Repaso _____

A   Tu compañero/a no oye bien. Repítele la siguiente información.

    ▪▮   Raúl dijo que / venir mañana   _Raúl dijo que vendría mañana._

1. José y yo dijimos que / poner la mesa
2. yo dije que / ir al partido de fútbol
3. ellos dijeron que / no poder salir con nosotros
4. Ana dijo que / no hacer el trabajo hoy
5. Pepe y Lola dijeron que / tener mucho cuidado
6. yo dije que / aprender todo para hoy
7. Elena dijo que / preparar la cena
8. yo dije que / no ir al cine

B La familia Hernández está en un partido de béisbol. Describe lo que está pasando en la escena de abajo.

C Juan y Fernando están perdidos en las montañas. Cuentan y comparan los alimentos que les quedan hasta que el guardabosque venga a buscarlos.

■||| Tengo un pan.   *Tengo tanto pan como tú.*
                                        (No tengo tanto pan como tú.)

1. Tengo dos huevos.
2. Tengo café.
3. Tengo agua.

4. También tengo verduras.
5. Además tengo arroz.

D Completa las siguientes oraciones con la forma apropiada de *ser* o *estar*.

1. Los jóvenes nunca _____ listos para la reunión.
2. Mi hermano estudia mucho. _____ muy listo.
3. La jefa de la compañía _____ aburrida porque habla demasiado.
4. Esta paella _____ muy buena. ¿Cómo la hiciste?
5. Mis profesores _____ muy buenos este año.
6. Perdí mi gato ayer, por eso todavía _____ triste.
7. No me gusta esta novela. Es muy larga y el tema _____ aburrido.

E Compara los deportes siguientes. Di tus preferencias.

■⫶ el alpinismo / la gimnasia   *El alpinismo me gusta más (menos) que la gimnasia.*

1. el boxeo / el buceo
2. la esgrima / la espeleología
3. el esquí acuático / la gimnasia
4. el béisbol / la lucha
5. el fútbol / el patinaje sobre ruedas
6. el patinaje sobre hielo / el paracaidismo
7. el vuelo sin motor / el ping-pong
8. el salto con garrocha / el tenis

F Describe una excursión a las montañas la semana pasada. Usa el pretérito o el imperfecto, según el significado.

■⫶ Vamos a las montañas.   *Fuimos a las montañas.*

1. Salimos de casa a las once de la mañana.
2. Caminamos por seis horas.
3. Por fin llegamos al campamento.
4. Ya es de noche.
5. Preparamos la cena.
6. A las nueve empieza a llover.
7. Llueve durante dos horas.
8. Para no tener miedo, cantamos.
9. A las doce nos acostamos en los sacos de dormir.

G Tú has perdido varias cosas, como por ejemplo una tienda *(tent)* o un saco de dormir. Trata de convencer a un amigo o a una amiga que te preste los suyos. Escribe el diálogo.

■⫶ *— Pepe, ¿tienes una tienda?*
— Sí. ¿Por qué quieres saberlo?
— Quiero que me la prestes.
— ¿Dónde está la tuya?
— No sé. La he perdido.

H Menciona por lo menos una característica de los deportes siguientes.

■⫶ el ping-pong   *El ping-pong es un deporte rápido.*

1. el tenis
2. la esgrima
3. el boxeo
4. el vuelo sin motor
5. el salto con garrocha
6. el buceo

Vocabulario

SUSTANTIVOS

el campeonato championship
la defensa defense
el gol goal
la hierba grass
el jugador, la jugadora player
la manera way
el, la tenista tennis player
el torneo tournament
la yarda yard

VERBOS

derrotar to defeat
extrañar to surprise, to seem strange
no me extraña it doesn't surprise me
temblar(ie) to tremble; to be afraid
vencer to beat, to conquer

OTRAS PALABRAS

disgustado, -a annoyed, displeased
raro, -a strange
sensacional sensational
tremendo, -a tremendous

EXPRESIÓN

¡ja, ja! ha! ha!

DEPORTES

el alpinismo mountain climbing
el boxeo boxing
el buceo scuba diving
la esgrima fencing
la espeleología cave exploration
el esquí acuático water skiing
la gimnasia gymnastics
la lucha wrestling
el patinaje sobre ruedas roller skating
el patinaje sobre el hielo ice skating
el paracaidismo parachuting
el pasear en canoa canoeing
la pesca de altura deep sea fishing
el vuelo sin motor gliding
el ping-pong pingpong
el salto con garrocha pole vault
la vela sailing

BÉISBOL

el bate bat
el bateador batter
el doble double
la entrada inning
el equipo contrario opposing team
el estraik strike
el jardinero central center fielder
el jardinero derecho right fielder
el jardinero izquierdo left fielder
el jonrón home run
lanzar to pitch, to throw
meter un jonrón to hit a home run
la anotación score
el oponente opponent
el pícher pitcher
la serie series

capítulo 13

Arte popular

La influencia artística de las antiguas sociedades indias como la de los aztecas, los mayas y los tarascos es evidente en la artesanía mexicana de hoy día. Muchos artesanos mexicanos siguen usando los mismos diseños, colores, telas y estilos que aprendieron de sus antepasados. En la ciudad de México se puede comprar telas, cerámicas, sarapes, cestos y tejidos tradicionales en el Mercado de San Juan o en uno de los muchos otros mercados de artesanía que abundan en la capital.

Una visita al mercado

Lucía Centeno ha terminado su bachillerato en Hermosillo, México, y sus padres la han enviado a la ciudad de México a estudiar medicina. Lucía y Graciela, su prima, están compartiendo un cuarto en casa de sus tíos. Hoy van al Mercado de San Juan a comprar algunas cosas para su cuarto.

LUCÍA   No creía que este mercado fuera tan grande.

GRACIELA   Sí, no te dije nada porque quería que lo vieras con tus propios ojos.

LUCÍA   El de Hermosillo es mucho más pequeño y tiene menos variedad.

GRACIELA   Sí, lo recuerdo bien, aunque no he salido de la capital desde que me fui de Hermosillo hace dos años.

LUCÍA   Bueno, Graciela, ¿cómo arreglamos el cuarto? ¡Está tan vacío!

GRACIELA   ¿Qué te parece si colgamos unos cestos en la pared?

LUCÍA   ¡Buena idea! Mira, aquí hay unos cestos preciosos con diseños tradicionales de los aztecas.

GRACIELA   En el Museo Nacional de Antropología los he visto idénticos. Tengo que llevarte allí, es el mejor museo antropológico del mundo.

LUCÍA   ¡Qué bueno! Tengo muchas ganas de visitarlo.

GRACIELA   Mira, Lucía, ¿qué tal un tapete de los indios tarascos para el cuarto?

LUCÍA   Está bien. Yo también quisiera un tapete alegre para nuestro cuarto.

GRACIELA   Oye, Lucía, ven, quiero que veas estos sarapes.

VENDEDOR   Están hechos a mano, señorita, y se los vendo barato, 600 pesos.

LUCÍA   ¡Ay, Dios mío, están carísimos! En Hermosillo sólo cuestan 400 pesos.

GRACIELA   Estás en la capital, chica, y las cosas cuestan un poco más. Ya verás cómo le consigo una rebaja de cien pesos. *(Al vendedor)* ¿Ha dicho usted 600 pesos? Bueno, le doy 450 pesos.

VENDEDOR   No, señorita, no se puede.

GRACIELA   Bueno, para estar iguales le doy 500.

VENDEDOR   Bueno, 500 es el último precio.

GRACIELA   Está bien. Me lo llevo.

comprensión

A. Completa las siguientes oraciones.

1. Lucía es de . . .
2. Graciela es de . . .
3. El mercado es . . .
4. Lucía y Graciela van al mercado para comprar . . .
5. En la pared van a colgar unos . . .
6. Las dos jóvenes piensan ir al Museo . . .
7. Los sarapes están hechos a . . .
8. Graciela ofrece pagar . . .
9. Finalmente el vendedor vende el sarape por . . .

extensión

A. Reacciona a las preguntas de un vendedor. Escoge una reacción apropiada.

¿Qué le parece [este tapete]?

¿Le gustan [estos cestos]?

¿Cómo encuentra [este sarape]?

Me encanta [ese tapete].

Me parecen [horribles].

Detesto [los sarapes verdes].

Está carísimo/a.

Cuestan demasiado.

B. Reacciona afirmativa o negativamente a las opiniones de un amigo/una amiga.

Me gusta mucho [este diseño azteca].

[Estas camisas marrones] son muy populares este año.

Estoy de acuerdo contigo. [Este diseño] es . . .

Eso es exactamente lo que creo yo. [Ese diseño es . . .]

No estoy de acuerdo contigo. [Esas camisas] son . . .

Pues, yo pienso todo lo contrario. [Esas camisas] son . . .

El Polyforum Cultural de la Ciudad de México es una estructura de hierro capaz de resistir los efectos de terremotos. El museo consta de[1] cinco niveles[2] donde hay varias salas para exposiciones. En una de estas salas está instalada la obra gigantesca del muralista Siqueiros. La obra se titula *Marcha de la Humanidad* y hasta ahora es la pintura mural más grande que existe en el mundo.

1. consists of   2. levels

En el museo

Graciela quiere que Lucía vea una de las obras murales más grandiosas de la ciudad de México, y la lleva a ver el Polyforum Cultural de Siqueiros. Las dos jóvenes entran en el Polyforum.

EMPLEADO　　Ésta es una pequeña guía del Polyforum. Como ven en el mapa, tiene cinco pisos. El sótano° basement
es un estudio de pintura donde se dan clases y donde los alumnos venden sus obras. En el
5　　primer piso hay dos salas de conferencias. El segundo y tercero son salas de exposición y el cuarto es donde se encuentra el mural titulado *Marcha de la Humanidad.* Pueden subir en el ascensor si quieren.

10　　GRACIELA　　Muchas gracias. Y ¿a qué hora cierran?

EMPLEADO　　A las siete de la noche, señorita.

GRACIELA　　Gracias. Vamos a subir por las escaleras. Lucía, desde aquí sólo son tres pisos. *(Suben las escaleras.)*

15　　LUCÍA　　Estoy cansadísima y voy a sentarme en este banco°. Escuchemos a esa profesora que bench
habla a su clase.

PROFESORA　　La pintura que ustedes admiran es la *Marcha de la Humanidad,* la pintura mural más grande del
20　　mundo hasta el momento. David Alfaro Siqueiros la pintó. Es tres veces mayor que la Capilla Sixtina°. Capilla Sixtina: Sistine Chapel
David Alfaro Siqueiros nació en México en el año 1898 y murió en 1974. Junto con Orozco
25　　y Rivera es uno de los más grandes muralistas del mundo. La idea de esta pintura la concibió° cuando estuvo en la cárcel° por motivos he conceived / jail
políticos.
El muralismo actual mexicano tiene su origen en las culturas aztecas y mayas, pero Orozco,
30　　Rivera y Siqueiros le han dado una dimensión popular. La *Marcha de la Humanidad* representa la marcha del pueblo hacia una sociedad más libre y democrática.

35　　LUCÍA　　No se puede negar que don Alfaro Siqueiros fue muy optimista.

GRACIELA　　¿Por qué dices esto?

LUCÍA　　Porque aunque su *Marcha* tiene fracasos° y do- failures
lores, también tiene triunfos° y alegrías. triumphs

Corrige cada oración que necesite corrección. Si la oración no está bien, explica brevemente por qué no está correcta.

1. El Polyforum es un museo que está en México.
2. En el Polyforum hay clases de arte.
3. La *Marcha de la Humanidad* es la pintura mural más grande que hay en el mundo.
4. Siqueiros concibió la idea de la pintura cuando estuvo en Europa.

Expresa tu opinión positiva o negativa sobre lo siguiente.

■⫼ *Vi la película* «Mamá cumple cien años» *anoche. Fue muy interesante y divertida. Me encantó la estrella.*

1. la última película que has visto
2. el programa de televisión que ves con más frecuencia
3. la canción que escuchas con más frecuencia
4. una pintura mural que has visto
5. un viaje a otro país

1. Si tuvieras que comentar la historia del pueblo mexicano viendo sus murales, ¿crees que necesitarías usar las palabras siguientes? ¿Por qué?

    guerra   **revolución**   **opresión**
    muerte   **libertad**   **pobreza**

2. ¿De quién reciben su influencia los muralistas mexicanos como Siqueiros, Rivera y Orozco?

Pintar enormes escenas en las paredes es una forma de expresión artística mexicana. Los murales aparecen en los Estados Unidos dondequiera[1] que haya un núcleo de población mexicana, como en Los Ángeles, San Antonio o Chicago. Es frecuente ver estas pinturas en los barrios donde viven los mexicanos.

1. wherever

Materiales

la **lana**   wool
el **acero**   steel
el **cuero**   leather
el **algodón**   cotton
el **plástico**   plastic
el **hierro**   iron
la **madera**   wood
el **ladrillo**   brick
el **barro**   clay
el **vidrio**   glass

A Di de qué materia están hechas las siguientes cosas. Usa la lista de arriba para seleccionar respuestas posibles.

■⫼   una casa   *Una casa se hace de [madera].*

1. un automóvil
2. los zapatos
3. una ventana

4. un suéter
5. una camisa
6. una taza

7. una escuela
8. un abrigo
9. un lápiz

Formas y direcciones

triangular   triangular
cuadrado, -a   square
rectangular   rectangular
redondo, -a   round

en medio de   in the middle of
en primer plano   in the foreground
al fondo   in the background

B Di qué forma tiene cada objeto.

■⫼   la casa   *La casa es rectangular.*

1. la escuela
2. la ventana

3. la señal de tráfico
4. la plaza

Enriquece tu vocabulario

Many Spanish words ending in the suffixes **-ismo, -ista, -mento, -ico** or **-ica** have close English cognates ending in the suffixes **-ism, -ist, -ment, -ical,** or **-ic(s).** Pronounce the following Spanish words aloud. You should be able to guess their meaning even if you have never seen them before. Remember that Spanish-English cognates may look alike, but they are pronounced differently.

-ismo	-ista	-mento	-ico	-ica
favoritismo	fatalista	momento	cómico	música
optimismo	optimista	fragmento	satírico	física
realismo	pesimista	monumento	lógico	cerámica
pesimismo	capitalista	suplemento	público	característica

A   Lee las frases siguientes que contienen palabras que terminan en *-ismo, -ista, -mento, -ico,* or *-ica.* ¿Las entiendes?

     1. Ése es el monumento del Libertador Simón Bolívar.
     2. No es lógico que aumenten los impuestos este año.
     3. ¿Por qué sientes tanto pesimismo cuando escuchas esas noticias?
     4. Felipe es optimista. Cree que va a ganar la lotería.

B   Escribe oraciones originales con cada uno de los siguientes cognados.

capitalismo	optimismo	fragmento	suplemento
cómico	física	público	característica

C   Consigue una revista o un periódico del mundo hispánico, si es posible. ¿Cuántos cognados puedes encontrar en los titulares *(headlines)?*

Sopla sin alas,
silba sin boca.
Tú no lo ves
ni lo tocas.

Gramática

Imperfect subjunctive of **-ar** verbs

No creía que **llegara** anoche.	I didn't believe *he arrived* last night.
Esperábamos que ustedes **llegaran** a la una.	We were hoping *you would arrive* at one o'clock.

The imperfect subjunctive is used in dependent clauses under the same circumstances that call for the present subjunctive. The verb in the main clause is usually in the preterit or imperfect tense. The imperfect subjunctive as well as the present subjunctive is used after verbs or expressions of influence, hope, emotion, doubt, or uncertainty.

	CANTAR
Preterit	cantaron
yo	cantara
tú	cantaras
él, ella, usted	cantara
nosotros, nosotras	cant**á**ramos
ellos, ellas, ustedes	cantaran

The imperfect subjunctive *stem* of all **-ar** verbs is based on the **ellos/ellas/ustedes**-form of the preterit. The imperfect subjunctive endings are added to the stem. A written accent occurs on the stressed vowel of the **nosotros**-form.

A Di que Pablo quería que las personas indicadas lo acompañaran al mercado.

▪▥▎ nosotros *Quería que nosotros lo acompañáramos al mercado.*

1. tú
2. yo
3. Emilia
4. ellos
5. todo el mundo
6. tú y yo
7. Susana y yo
8. ustedes
9. Roberto

B Ayer por la tarde Marta esperaba que ocurrieran muchas cosas que no ocurrieron. ¿Qué esperaba?

▪▥▎ Su amiga no la llamó. *Marta esperaba que su amiga la llamara.*

1. Ricardo no la invitó a salir.
2. Su mamá no le compró la blusa.
3. Su papá no regresó a casa temprano.
4. Su hermano menor no arregló su cuarto.

La ciudad de México tiene una población de 16 millones de habitantes, casi la quinta parte de toda la población del país. La ciudad está construida en el valle de México sobre una llanura[1] pantanosa[2] que ha sido desecada[3].

Como el subsuelo[4] pantanoso de la ciudad es muy poco firme y como el valle de México está en una región sísmica muy activa, los edificios modernos que construyen están diseñados especialmente para que no se hundan[5] en la tierra ni se derrumben[6] durante los terremotos.

La ciudad está a una altura de 2.500 metros sobre el nivel del mar. El visitante no acostumbrado a estas altitudes sufre de mareos y cansancio por unas horas hasta que el cuerpo se adapta a la baja presión atmosférica.

La ciudad de México es el centro cultural, económico, burocrático y político del país, por lo que mucha gente va a la capital en busca de trabajo o para seguir sus estudios.

1. plain   2. swampy   3. dried up   4. subsoil   5. sink
6. collapse

Imperfect subjunctive of -er and -ir verbs

Dudaban que **yo corriera** cinco
kilómetros.

They doubted that *I'd run* five
kilometers.

Esperábamos que **abrieran** todas
las ventanas.

We were hoping that *they'd open*
all the windows.

CORRER	
Preterit	corrieron
yo	corriera
tú	corrieras
él, ella, usted	corriera
nosotros, nosotras	corriéramos
ellos, ellas, ustedes	corrieran

ABRIR	
Preterit	abrieron
yo	abriera
tú	abrieras
él, ella, usted	abriera
nosotros, nosotras	abriéramos
ellos, ellas, ustedes	abrieran

The imperfect subjunctive *stem* of **-er** and **-ir** verbs is also based on the
ellos/ellas/ustedes-form of the preterit.

C   Explica que Jorge no creía las cosas siguientes.

■⫸   Yo corro rápido.   *Jorge no creía que yo corriera rápido.*

1. Alberto recibió el dinero.
2. María escribe muy bien.
3. Tú rompiste las gafas.
4. Nosotros salimos con Laura.
5. Ellos subieron a la montaña.
6. Tú vendes tu bicicleta.

D   Reacciona a las siguientes situaciones, expresando tu disgusto *(dismay)*. Usa
la expresión *fue una lástima.*

■⫸   Roberto no abrió el regalo.   *Sí, fue una lástima que Roberto no*
abriera el regalo.

1. Yo no conocí al actor.
2. Ustedes no asistieron a la función.
3. Ricardo recibió malas noticias.
4. El señor Campo no nos escogió para el equipo de béisbol.
5. Los hermanos Sánchez perdieron el partido de tenis.
6. Llovió por la tarde.

¡vamos a hablar!   Seguramente has ido alguna vez a algún mercado en tu pueblo o ciudad. Di
qué cosas te han gustado más y por qué.

Me gustaron mucho las joyas de oro porque son muy originales.

La ciudad de México posee excelentes museos de pintura, historia, ciencias y tecnología. Uno de estos museos es el Museo Nacional de Antropología. Es el museo de antropología más grande que existe en el mundo. Presenta cronológicamente el desarrollo de las distintas culturas de México.

Indicative vs. subjunctive in **si**-clauses

Si **compras** ese cesto, lo colgaré en la pared.

If *you buy* that basket, I'll hang it on the wall.

Si Elena **tiene** tiempo, va al museo.

If Elena *has* time, she'll go to the museum.

The indicative is used in a **si**-clause when the main clause describes a fact or a condition that is likely to exist or to happen.

Si **compraras** ese cesto, lo colgaría en la pared.

If *you should buy* that basket, I'd hang it on the wall.

Si Elena **tuviera** tiempo, iría al museo.

If Elena *had* the time, she would go to the museum.

The imperfect subjunctive is used in a **si**-clause when the main clause describes a fact or a condition that is contrary to fact or unlikely to exist or to happen. The conditional is often used in the main clause.

E   Explica a un amigo/una amiga qué pasará bajo las circunstancias indicadas.

▮▮ Marta estudia mucho para aprender la lección.

Si estudia mucho, aprenderá la lección.

1. Felipe trabaja para ganar dinero.
2. Yo vuelvo a las dos para comer contigo.
3. Tú corres todos los días para sentirte mejor.
4. Nosotros compramos unos boletos para ir al concierto.
5. Mi padre va a Chile para esquiar en las montañas.

F   Di a un amigo o una amiga que comprarías varios artículos para él/ella si te diera el dinero.

> ◼Ⅲ   ¿Me compras una chaqueta?   *Si me dieras el dinero, te compraría una chaqueta.*

1. ¿Me compras unos zapatos?
2. ¿Me compras una guitarra?
3. ¿Me compras un disfraz?
4. ¿Me compras un pantalón?
5. ¿Me compras una motocicleta?

Irregular Verbs in Subjunctive

VERB	PRETERIT	YO-FORM
dar	dieron	diera
decir	dijeron	dijera
estar	estuvieron	estuviera
hacer	hicieron	hiciera
ir, ser	fueron	fuera
poder	pudieron	pudiera
poner	pusieron	pusiera
querer	quisieron	quisiera

VERB	PRETERIT	YO-FORM
tener	tuvieron	tuviera
venir	vinieron	viniera
creer	creyeron	creyera
leer	leyeron	leyera
oír	oyeron	oyera
dormir	durmieron	durmiera
pedir	pidieron	pidiera

All verbs that are irregular in the preterit as well as spelling-changing verbs, and **-ir** stem-changing verbs show the same irregularity throughout the imperfect subjunctive.

G   Di lo que harías bajo ciertas circunstancias.

> ◼Ⅲ   No voy a México porque no tengo dinero.   *Iría a México si tuviera dinero.*

1. No salgo porque no hace buen tiempo.
2. No duermo porque no tengo sueño.
3. No manejo porque no tengo licencia.
4. No llamo a Carlota porque no está en casa.
5. No voy a las montañas porque hace frío.
6. No le escribo una carta a Daniel porque no quiero.

H   Di lo que harías si fueras rico/a.

> ◼Ⅲ   hacer un viaje   *Si yo fuera rico/a, haría un viaje.*

1. ir a Europa
2. comprar una casa
3. buscar un automóvil
4. estudiar en Argentina

Expressing requests courteously

¿Puedes ayudarme?	*Can* you help me?
¿Podrías ayudarme?	*Could you (would you be able to)* help
¿Pudieras ayudarme?	me?
¿Quiere usted sentarse?	*Do you want* to sit down?
¿Querría usted sentarse?	
¿Quisiera usted sentarse?	*Would you like* to sit down?

The present indicative is commonly used to express requests to friends and acquaintances in informal situations. The conditional of most verbs and the imperfect subjunctive of **poder** and **querer** are used to express requests in a more courteous or more formal way.

I   Expresa las peticiones siguientes de una manera muy cortés usando el condicional o el imperfecto de subjuntivo.

    ■⫶   ¿Puedes reparar mi reloj?   *¿Podrías reparar mi reloj?*
                                                    ¿Pudieras reparar mi reloj?

1. ¿Puede usted reparar mi coche?
2. ¿Puedes salir a las ocho?   4.   ¿Quieres bailar?
3. ¿Puede usted prestarme unos discos?   5.   ¿Quiere ir al centro?

Dos mexicanas miran un mural de Diego Rivera

305

En resumen

Imperfect subjunctive (A–D, G, H)

	PINTAR	BEBER	ABRIR
yo	pintara	bebiera	abriera
tú	pintaras	bebieras	abrieras
él, ella, usted	pintara	bebiera	abriera
nosotros, nosotras	pintáramos	bebiéramos	abriéramos
vosotros, vosotras	pintarais	bebierais	abrierais
ellos, ellas, ustedes	pintaran	bebieran	abrieran

1. The imperfect *stem* of all verbs is based on the **ellos/ellas/ustedes**-form of the preterit.
2. Like the present subjunctive, the imperfect subjunctive is used in dependent clauses, after verbs or expressions of influence, hope, emotion, doubt, or uncertainty: **Esperaba que vinieran al museo.**
3. Usually, the verb in the main clause is in the preterit or imperfect tense: **Querían que yo entrara más tarde.**
4. All verbs that are irregular in the preterit, as well as spelling-changing verbs, and **-ir** stem-changing verbs show the same irregularity in the imperfect subjunctive: **Esperaba que tuvieran tiempo. Era una lástima que no leyera la novela. Dudaban que pidiéramos ayuda.**

Indicative vs. subjunctive in **si**-clauses (E, F)

1. The indicative is used in a **si**-clause when the main clause describes a fact or a condition that is likely to exist or to happen: **Si llueve no voy al cine.**
2. The imperfect subjunctive is used in a **si**-clause when the main clause describes a fact or a condition that is contrary to fact or unlikely to exist or to happen. The conditional is often used in the main clause: **Si tuviera tiempo, iría al museo.**

Expressing requests courteously (I)

1. The present indicative is commonly used to express requests to friends and acquaintances in informal situations: **¿Puedes ir conmigo?**
2. The conditional of most verbs and the imperfect subjunctive of **poder** and **querer** are used to express requests in a more courteous or more formal way: **¿Podría usted ir conmigo? ¿Pudieras ir conmigo?**

Repaso

A Estás hablando de la fiesta de anoche que a nadie le gustó. Explica lo que tú querías.

■ⅲ nosotros / bailar   *Quería que bailáramos.*

1. mis amigos / ayudarnos a preparar todo
2. Mónica / tocar la guitarra
3. Bárbara / cantar
4. nosotros / escuchar la música
5. ustedes / quedarse hasta muy tarde

B Dile a tu hermano/hermana que quieres que haga ciertas cosas. Díselo sin usar el imperativo.

■ⅲ Te preparé el sandwich. Cómelo.   *Te preparé el sandwich para que lo comieras.*

1. Escogí este libro. Léelo.
2. Te expliqué el problema. Hazlo ahora.
3. Busqué el traje de baño. Nada ahora.
4. Te di la leche. Bébela.
5. Puse los juguetes allí. Limpia el cuarto.

C Rafael y Linda hablan del partido de béisbol de anoche. Completa las observaciones de Linda.

■ⅲ Quería que *(estar)* todos.   *Quería que estuvieran todos.*

1. Fue una lástima que tú no *(ir)* al partido.
2. Esperaba que nuestro equipo *(tener)* suerte.
3. Dudaba a veces que nosotros *(poder)* ganar.
4. Me alegraba de que el otro equipo *(hacer)* muchos errores.
5. Era una lástima que Roberto y Marcos *(tener)* que salir temprano.
6. Yo quería que mis amigos *(ir)* a una fiesta después del partido.

D Los Mendoza buscaban la casa perfecta. Expresa sus deseos.

■ⅲ Los Mendoza querían que no *(costar)* mucho la casa.   *Los Mendoza querían que no costara mucho la casa.*

1. Los Mendoza buscaban una casa que *(estar)* cerca de la playa.
2. Preferían una casa que no *(estar)* lejos del centro.
3. Buscaban una casa que *(ser)* sencilla.
4. Necesitaban una casa que *(tener)* dos pisos.
5. Buscaban una casa que *(ser)* barata.
6. Querían un jardín que *(tener)* árboles grandes.

E   Describe las cosas siguientes con dos adjetivos o más.

  ▪▥   *Mi casa es alta, rectangular y cómoda.*

1. tu casa
2. tu suéter favorito
3. una mochila
4. la calle donde vives
5. tu perro o gato u otro animal
6. tu colegio

F   Usa una expresión de cada columna para hacer una oración completa.

1	2	3
1. llamaría a mi mamá	con tal que	llegar mi hermana
2. la esperaría	para que	llover
3. mi papá salió	antes de que	salir con nosotros
4. yo no iría	cuando	perder los boletos
5. preferían salir ahora	si	ayudarme con la tarea
6. la invité		acompañarme

  ▪▥   *La invité para que me ayudara con la tarea.*

G   La familia Muñoz visita un mercado en México. Hablan de lo que ven, de lo que les gusta y de lo que quieren comprar. En ocho o diez líneas, expresa su conversación.

  ▪▥   *— Mira, mamá, este cesto tan bonito.*
       — Sí, hija, tiene diseños típicos.

Vocabulario

SUSTANTIVOS

el acero   steel
el algodón   cotton
la antropología   anthropology
el ascensor   elevator
el barro   clay
el cesto   basket
el cuero   leather
la dimensión   dimension
la exposición   exhibition
la guerra   war
la guía   guidebook
el hierro   iron
el ladrillo   brick
la lana   wool
la madera   wood
la marcha   march
la muerte   death
la opresión   oppression
la pared   wall
la paz   peace
la pintura mural   mural
el plástico   plastic
la pobreza   poverty
la revolución   revolution
la sociedad   society
el tapete   rug
la variedad   variety
el vidrio   glass

VERBOS

admirar   to admire
arreglar   to fix; to fix up
colgar (ue)   to hang
compartir   to share
detestar   to hate, detest
negar (ie)   to deny

OTRAS PALABRAS

actual   present-day
antropológico, -a   anthropological
claro, -a   light, bright, clear
cuadrado, -a   square
democrático, -a   democratic
frecuente   frequent
grandioso, -a   grandiose, grand
idéntico, -a   identical
libre   free
optimista   optimistic
oscuro, -a   dark
precioso, -a   pretty
rectangular   rectangular
redondo, -a   round
triangular   triangular

EXPRESIONES

al fondo   in the background
en medio de   in the middle of
en primer plano   in the foreground
hecho, -a a mano   handmade
para estar iguales   to compromise

Festival cultural

Es muy común en los países de habla española la costumbre de organizar festivales culturales. En estos festivales, se presentan una variedad de funciones artísticas, musicales y literarias. Generalmente estos festivales están patrocinados por las universidades, el Ministerio de Educación y las sociedades dedicadas a divulgar la cultura.

¡Al festival!

 Universidad de Oriente
Venezuela
presenta
Tercer Festival de Cultura Hispana

El Festival de Cultura Hispana se realizará del 14 al 18 de julio en la ciudad de Cumaná, presentando una variedad de actos culturales:

Festival de cine   Lunes, 14 Hora: 3 P.M.-12 P.M. Se proyectarán películas de los directores Carlos Saura y Luis Buñuel.

Lectura poética   Martes, 15 Hora: 4 P.M. La actriz española Nuria Espert leerá una selección de poemas de autores españoles y latinoamericanos. La lectura incluirá poemas de Pablo Neruda, Gabriela Mistral, Federico García Lorca y José Martí.

Ciclo de teatro Miércoles, 16 Hora: 4 P.M. Tomarán parte los grupos *Teatro Vivo, A Nuestra Manera* y *Taller Teatral Los Payasines,* quienes presentarán selecciones de obras de Fernando Arrabal, Rene Marqués y Federico García Lorca.

Exposición de pintura   Lunes — Viernes 10 A.M.-4 P.M. Los museos de Arte Contemporáneo de las ciudades de Buenos Aires, Quito, Bogotá, Madrid y México D. F. han cedido obras de los pintores Pablo Picasso, Salvador Dalí y Diego Rivera, que estarán expuestas al público a lo largo de toda la semana.

Concierto de música folklórica hispánica   Viernes, 18 Hora: 4 P.M. El Coro San Antonio de España presentará diez temas españoles entre los que se incluirán diferentes muestras de la música hispana, tales como la jota aragonesa y la serrana andaluza. Del Nuevo Mundo interpretarán dos corridos mexicanos y una canción peruana.

Para información llamar a los teléfonos:
228 1422   228 1423

comprensión

1. ¿Quién presenta el festival?
2. ¿Cuándo se realizará el programa? ¿En qué país? ¿En qué ciudad?
3. ¿Cómo se llaman los directores de las películas que se van a proyectar?
4. ¿De qué poetas van a leer selecciones de poemas?
5. ¿Cómo se llaman los grupos teatrales?
6. ¿Quiénes son los pintores de las obras que estarán expuestas al público?

extensión

Imagínate que eres parte del Coro San Antonio. Cuenta las actividades del viernes a un amigo/una amiga. Incluye la siguiente información:

1. De qué país eres
2. Cuántas personas hay en el grupo
3. El tipo de música que tocan
4. Cuánto tiempo vas a estar en Venezuela

Una Tuna de Guadalajara, México

¡Enhorabuena!

"Hablando de música" es una columna del periódico que comenta hoy el programa cultural de música folklórica del viernes.

Hablando de música
por Luis Alberto Gómez

5 El viernes pasado el *Coro San Antonio* ofreció un recital de música folklórica de las distintas regiones del mundo hispánico. Tuvo lugar en la Universidad de Oriente. El programa empezó con una jota aragonesa. Después saltó° al   moved on to Nuevo Mundo, a México, con dos corridos de la Revolución Mexicana. El coro dio después otro salto, esta vez al sur del continente, a Perú. Nos 10 brindó° una canción peruana, muy popular en toda la América, "El cóndor   offered pasa". El coro visitó musicalmente algunas tierras americanas hasta terminar en España con una serrana andaluza titulada "El amor es un niño".

    En el programa de ayer oímos melodías que hacía mucho tiempo no oíamos, melodías de nuestras tierras y de España. Todas distintas y sin 15 embargo, todas nuestras. Los intérpretes del programa lograron° comuni-   succeeded in car al público su contagiosa alegría. Desde este periódico damos la enhorabuena a quienes hicieron posible ese programa.

A continuación aparecen pares de oraciones sobre la columna del periódico en la página 312. Di cuál de las oraciones es correcta.

1. El periodista describe un festival de música aragonesa.
   El periodista escribe sobre un festival de música folklórica.
2. El periodista es Alfredo Gil.
   El periodista es Alberto Gómez.
3. La primera obra que cantó el coro fue "El cóndor pasa".
   El primer número que cantó el coro fue una jota aragonesa.
4. El tema del corrido mexicano es el amor.
   El tema del corrido mexicano es la Revolución Mexicana.
5. El programa presentado por el coro fue un programa de canciones latinoamericanas solamente.
   El programa presentado por el coro fue un recital de canciones españolas e hispanoamericanas.

A. Cuando vas a una función de teatro o a un concierto de música o a una película, casi siempre la gente te pregunta *¿Qué te pareció?* A ti te gusta decir algo más que *bueno* o *bien*, ¿verdad? Pues entonces mira estas sugerencias.

¿Qué te pareció [la película]?   Creo que el tema [era muy nuevo].
                                  Me parece que la acción era muy [lenta].
                                  El director [no] sabía lo que estaba haciendo.
                                  Todos [cantaban] con emoción.

B. Expresa tu opinión crítica sobre las siguientes actividades culturales. Puedes añadir algunas ideas personales.

1. ¿Has visto una película de misterio y acción sobre un tema del espacio? ¿Qué te pareció?
2. En el teatro un grupo da un concierto de música popular moderna. ¿Qué te pareció el grupo?
3. El club de teatro presenta su programa de primavera. Di qué te parecieron los actores y el director.

Hay películas y programas de televisión que te gustan más que otras. Pero, ¿existe un programa ideal para ti? ¿Podrías decir cómo debe ser este programa o película ideal?

1. Mi película favorita debe ser . . .
2. Los actores deben ser . . .
3. La música debe ser . . .
4. El lugar donde ocurre la acción debe tener . . .

Versos sencillos

José Martí (1853–1895) fue un escritor, periodista, maestro y revolucionario cubano. Vivió catorce años en Nueva York, donde publicó sus *Versos sencillos* y organizó la revolución para liberar a Cuba del dominio español en 1895.

Martí fue un innovador en poesía y en prosa. Sus obras, recogidas° en   collected
5   unos veinte volúmenes, están consideradas entre las mejores de la literatura hispanoamericana. Como periodista escribió crónicas en varios periódicos de la América española y en *The Sun,* antiguo periódico neoyorquino°.   New York

José Martí fue un hombre muy intenso que hacía con pasión cualquier obra que emprendía°. Murió en el campo de batalla luchando° por la   he undertook / fighting
10   libertad de su amada isla.

Versos sencillos es uno de los libros de poesía que escribió Martí. Consta de cincuenta y seis poemas que tratan del amor, la naturaleza, la poesía y la vida. La selección que aparece a continuación consta de tres estrofas. La primera estrofa nos dice cómo es el poeta: un hombre honrado "de donde
15   crece la palma," es decir, de Cuba. Este hombre quiere dar a conocer sus versos antes de morir. En la segunda estrofa, Martí explica su verso y lo compara a los colores verde y rojo y a un ciervo. En la última estrofa Martí se declara partidario° de la gente pobre y humilde°.   supporter / humble

En fin, estas estrofas le dan al lector una breve introducción a la per-
20   sonalidad y a la obra poética de José Martí, uno de los más valiosos escritores hispanoamericanos.

I

Yo soy un hombre sincero,
de donde crece° la palma,   grows
Y antes de morirme quiero
Echar mis versos del alma°.   echar . . . alma: to send my
                                poetry from my soul

V

Mi verso es de un verde claro
y de un carmín encendido°.   carmín encendido: flaming
Mi verso es un ciervo° herido   red / deer
que busca en el monte° amparo°.   mountain / protection

III

Con los pobres de la tierra
quiero yo mi suerte echar.
El arroyo° de la sierra°   stream / mountain
me complace° más que el mar.   pleases

José Martí

comprensión

Contesta las siguientes preguntas.

1. ¿Qué son los *Versos sencillos?*
2. ¿Qué crees que representa para Martí la palma en la primera estrofa?
3. ¿Qué colores menciona Martí en la segunda estrofa? ¿Qué crees que representan para Martí esos colores? ¿la naturaleza? ¿la vida? ¿el amor? ¿otra cosa?
4. ¿Qué animal menciona Martí en la segunda estrofa? ¿Cómo es ese animal? ¿Está herido o está bien? ¿Dónde vive? ¿Qué crees que representa el animal para el poeta?
5. ¿Cuál es más grande, el arroyo o el mar? ¿Qué crees que representa el arroyo para Martí? ¿Qué simboliza el mar? ¿Cuál prefiere el poeta?

extensión

Recita frente a la clase una de las estrofas de *Versos sencillos.* Di por qué la escogiste.

impresiones y gustos

A. Piensa en la poesía que acabas de leer. ¿En tu opinión, le gusta a José Martí la naturaleza? ¿la ciudad? ¿el campo? ¿la poesía? ¿la música?

B. Completa las siguientes oraciones según tu propia vida.

Yo soy un hombre/una mujer . . .
de donde . . .
y antes de morirme quiero . . .

C. Contesta las siguientes preguntas.

1. ¿Cuál es tu poema favorito o tu canción favorita?
2. ¿Quién lo/la escribió?
3. ¿Lo/la puedes recitar?
4. ¿De qué se trata el poema o la canción? ¿del amor? ¿de la naturaleza? ¿de la vida en general? ¿de la muerte? ¿de la alegría?

Antes de la llegada de los españoles al Nuevo Mundo, los aztecas, los mayas y los incas habían inventado muchos instrumentos musicales con los cuales produjeron melodías sencillas y misteriosas y para nosotros, encantadoramente exóticas. Los músicos indígenas usaban conchas[1], calabazas[2] secas, bambú y cañas[3] para fabricar sus instrumentos.

1. shells   2. gourds   3. reeds, cane

Estudio de palabras

Espectáculos

el programa cómico comedy	**las variedades** variety show
el programa deportivo sports show	**el programa de misterio** mystery show
el programa dramático drama	**la telenovela** soap opera
el programa musical musical	**el noticiero** news
el programa de detectives detective show	**el documental** documentary

A   Explícale a un compañero/una compañera qué programa mirarías si estuvieras en casa en este momento.

■⫽   *Si estuviera en casa ahora mismo miraría la telenovela "Día por día".*

B   Dile a otro compañero/otra compañera por qué te gustó o no te gustó cierto programa. Usa uno o dos de los adjetivos a continuación.

interesante	activo	sentimental
aburrido	tonto	horrible
bueno	malo	magnífico
superior	profesional	excelente

■⫽   *Me gustó el programa [deportivo] porque estaba excelente.*

Enriquece tu vocabulario

Many Spanish words ending in the suffixes **-ante, -ente, ano, -cto,** or **-oso** have English equivalents that end in *-ant, -ent, -an, -ct,* or *-ous.* Remember that Spanish-English cognates may look alike, but they are pronounced differently.

A Lee en voz alta las palabras siguientes. Adivina el significado de cada una.

-ante	-ente	-ano	-cto	-oso
instante	accidente	americano	perfecto	nervioso
abundante	excelente	cubano	conflicto	delicioso
dominante	presente	italiano	contacto	famoso
elegante	suficiente	mexicano	directo	riguroso

B Lee las frases siguientes que contienen palabras que terminan en *-ante, -ente, -ano, -cto* y *-oso.*

1. Nos pusimos en contacto directo con el presidente de la compañía.
2. El conflicto empezó con el accidente en la carretera dos.
3. La señora Vargas es una profesora excelente y rigurosa.
4. José Martí es un cubano famoso.
5. En aquel instante hubo un accidente.
6. El director italiano está nervioso.

C Prepara una oración original en la cual uses tres cognados.

▪▥ *El estudiante nervioso habló con la profesora famosa.*

Por aquel camino
vienen dos,
uno se moja
y el otro no.

Pablo Picasso nació en España, pero pasó la mayor parte de su vida en Francia. Su pintura está considerada entre la mejor de los últimos cien años. Picasso empezó a pintar desde muy joven y creó estilos de expresión pictórica que influyeron mucho en los artistas de todo el mundo.

Gramática

Probability

¿Quién **sabrá** la canción?
— La **sabrá** Laura.

I wonder who knows the song.
— Laura probably knows it.

¿Quién **compraría** los boletos?
— David los **compraría.**

I wonder who bought the tickets?
— David probably bought them.

In Spanish, the future tense may express conjecture or probability in the present. The conditional may express conjecture or probability in the past. The English equivalents of the Spanish sentences often include the words *I wonder, I suppose,* or *probably.*

A   Dile a tu padre dónde están posiblemente las siguientes personas.

■⑪   Luis / colegio   Padre: *¿Dónde está Luis?*
                                     Tú: *Estará en el colegio.*

1. Tomás / biblioteca	5. Francisco y Dolores / museo
2. Elena / hospital	6. Carmen y Anita / cuarto
3. Teresa / tienda	7. Pablo y José / teatro
4. Raúl / cine	8. Miguel y Francisco / aquí

B   Pepe va a dar una fiesta, pero nadie sabe bien los detalles. Contesta las preguntas que hacen sus amigos.

■⋮   ¿A qué hora empieza la fiesta? (a las ocho)   *Empezará a las ocho.*

1. ¿Quién va a escribir las invitaciones? (Marta)
2. ¿Dónde van a preparar las hamburguesas? (en casa de José)
3. ¿Quién va a traer discos? (Raúl)
4. ¿Quién va a comprar el regalo? (Fernando)
5. ¿Quiénes van a limpiar la casa? (Tomás y Mónica)
6. ¿A qué hora termina la fiesta? (a las doce)

C   Expresa de otra manera lo que posiblemente hicieron tus padres anoche.

■⋮   Probablemente fueron al teatro.   *Irían al teatro.*

1. Probablemente leyeron el programa.
2. Probablemente escucharon la música.
3. Posiblemente hablaron con sus amigos.
4. Creo que comieron en un buen restaurante.
5. Pienso que llegaron tarde a casa.
6. Probablemente no se acostaron hasta las dos.

D   Trata de explicar por qué las siguientes personas no fueron al cine.

■⋮   Miguel / no tener dinero   *Miguel no tendría dinero.*

1. mis abuelos / estar cansados
2. mi tía / estar enferma
3. mi padre / mirar la televisión
4. mi hermana / estudiar

Past participles as adjectives

La pintura está **terminada.**   The painting is *finished.*
Los museos están **cerrados.**   The museums are *closed.*

In Spanish, the past participle may be used as an adjective to indicate a state or condition that has come about as a result of some previous action. The past participle agrees in number and gender with the noun it modifies.

E   Pregúntale a un amigo/una amiga si están terminadas las siguientes acciones.

■⋮   ¿Han abierto la tienda ya?   *Sí, la tienda está abierta ya.*

1. ¿Han cerrado el teatro ya?
2. ¿Han escrito las cartas ya?
3. ¿Han hecho la maleta ya?
4. ¿Han preparado los paquetes ya?
5. ¿Han reparado la radio ya?
6. ¿Han pagado la cuenta ya?

Como si-clauses

Habla español **como si fuera** colombiano.	He speaks Spanish *as if he were* Colombian (but he isn't).
Comen **como si tuvieran** mucha hambre.	They eat *as if they were* very hungry (but they aren't).

Como si-clauses are in the subjunctive, since they introduce impossible or contrary-to-fact situations. The imperfect subjunctive is used when the main verb is in the present tense.

F   Expresa cada frase de nuevo, usando una cláusula con *como si.*

    ■⫸   María bebe agua aunque no tiene sed.   *Bebe agua como si tuviera sed.*

1. El señor Moreno entra en la clase aunque no es el profesor.
2. Luisa llega tarde aunque no es la jefa.
3. Tú escribes poesías aunque no eres poeta.
4. Mis hermanos hablan de fútbol aunque no les gusta.
5. Mis amigas escuchan el programa aunque no entienden italiano.

G   Di que las siguientes personas hablan como si fueran lo que no son.

    ■⫸   ¿Es Roberto capitán del equipo?   *No, pero habla como si fuera capitán.*

1. ¿Es Anita reina del Carnaval?
2. ¿Es Luisa la directora del periódico estudiantil?
3. ¿Es muy rico Pedro?
4. ¿Es el señor Rodríguez jefe de la compañía?
5. ¿Son de Madrid los Castaño?
6. ¿Son buenos cocineros Francisco y Adela?

Al llegar al Nuevo Mundo, los españoles trajeron consigo la guitarra y poco después de su llegada aparecieron variaciones de este instrumento. El **tiple** de Colombia es una guitarra de doce cuerdas y el **charango** es una especie de laúd[1] que se encuentra en el norte de Argentina y en otras regiones montañosas de la América del Sur. En Veracruz, México y en Bolivia se combina el arpa con la guitarra para formar un instrumento único[2].

Al hispanoamericano le gusta hacer música y su música es conocida universalmente.

1. lute   2. unique

En resumen

Probability (A–D)

In Spanish, the future tense can express probability or conjecture in the present: **Será la una.** The conditional may express probability or conjecture in the past: **Estarían en casa.** The English equivalents of the sentences often contain the words *probably, I wonder, I suppose.*

Past participles as adjectives (E)

In Spanish, the past participle may be used as an adjective: **La puerta está cerrada.**

Como si-clauses (F, G)

Como si-clauses are always in the subjunctive, since they introduce impossible or contrary-to-fact situations. The imperfect subjunctive is used when the main verb is in the present tense: **Habla como si fuera presidente.**

Repaso

A   Di que tus amigos probablemente están mirando ciertos programas.

▪⫸   Paco / el noticiero   *Paco estará mirando el noticiero.*

1. Andrés y Felipe / el programa deportivo
2. Elena / el programa dramático
3. José y Raúl / el programa musical
4. Pepe y Francisco / las variedades
5. José / la telenovela

B   Da tu opinión sobre las situaciones siguientes. Usa cláusulas con *como si.*

▪⫸   Raúl tiene mucho trabajo,   *Raúl tiene mucho trabajo, pero mira*
       pero mira televisión.   *televisión como si no tuviera*
                                     trabajo.

1. Raúl no comprende, pero responde.
2. Estos jóvenes no son mis amigos, pero me ayudan.
3. Estas señoritas no leen mucho, pero discuten las novelas.
4. Roberto no pinta, pero habla de los murales.

C   Di que a las siguientes personas les gustarían las siguientes cosas.

▪⫸   Roberto / los bailes folklóricos   *A Roberto le gustarían los bailes*
                                            folklóricos.

1. Pepe / el arte popular
2. Raquel / las pinturas murales
3. Roberto y Tomás / los bailes clásicos
4. Lucía y Teresa / las canciones cubanas
5. Juan / la poesía de José Martí

D   Describe la condición presente de las siguientes personas o cosas. Usa un participio pasado de la columna a la derecha.

1	2	3
1. el niño/la niña	está(n)	abierto/a
2. la pintura		muerto/a
3. los jóvenes		escrito/a
4. las ventanas		abandonado/a
5. el equipo		perdido/a
6. la carta		preparado/a
7. el perro		cerrado/a
8. la cena		expuesto/a

▪⫸   *El niño está perdido.*

E   Escribe las cinco cosas que te gustaría hacer si pudieras. Menciona tus planes presentes y los del futuro.

■⫶   *Me gustaría hablar español como si fuera argentino/a.*

■⫶   *Me gustaría jugar al fútbol como si fuera un jugador/una jugadora profesional.*

F   Escribe una reseña *(review)* de un programa imaginario de teatro. Completa las siguientes oraciones.

1. El programa empezó a . . .
2. Fue un programa de . . .
3. El grupo . . . cantó y bailó.
4. Había mucho/mucha . . .
5. Todos . . .
6. El programa terminó a . . .
7. En fin, el programa . . .

G   Describe a las siguientes personas usando una cláusula con *como si.* Sigue el modelo.

■⫶   *Raúl habla como si fuera capitán del equipo.*

Raúl

Anita

José

Teresa

Francisco

Lucía

Vocabulario

SUSTANTIVOS

el alma   soul
el amor   love
el arroyo   stream
la estrofa   stanza
el mundo   world
el noticiero   news
la personalidad   personality
el programa cómico   comedy
el programa de detectives   detective show
el programa de misterio   mystery show
el programa deportivo   sports program
el programa dramático   drama
el programa musical   musical
el recital   recital, concert
la región   region
la telenovela   soap opera
el título   title
las variedades   variety show
el verso   verse, poetry; line of a poem

VERBOS

comentar   to comment
comparar   to compare
echar   to cast out
presentar   to present
recitar   to recite

OTRAS PALABRAS

expuesto, -a   exhibited
folklórico, -a   folkloric
la cual   which
profesional   professional
sencillo, -a   simple, plain, natural
sentimental   sentimental
superior   superior

EXPRESIONES

por lo menos   at least
sin embargo   nonetheless

capítulo 15
Mundos
desconocidos

José Martí, Gabriela Mistral, Pablo Neruda y Rubén Darío

La literatura hispanoamericana

Desde que Cristóbal Colón llegó a la América y escribió sus primeras impresiones sobre lo que vio aquí hasta nuestros días, muchos escritores hispanoamericanos han escrito sobre lo que ven, sobre lo que imaginan y sobre lo que sienten.

Los escritores que siguieron a Colón usaron, durante varios siglos, una lengua y un estilo importados de España. La América española era colonia cultural tanto como colonia política y económica. A fines del siglo XIX, algunos escritores como José Martí y Rubén Darío, empezaron a ensayar[1] nuevas formas de expresión en poesía y también en prosa. Esas formas no se habían visto[2] antes en la literatura escrita en español. La América española empezaba a independizarse culturalmente de España y del resto de Europa. Esta independencia literaria y cultural se logró[3] en el siglo XX. Ahora los escritores de Hispanoamérica están liberados de los modelos españoles o franceses o ingleses. Hoy en día escriben novelas y poesía de una calidad[4] respetada en todo el mundo. Dos de estos escritores Gabriela Mistral y Pablo Neruda, recibieron el Premio Nobel de Literatura. En fin, la América española ha empezado a hablar con voz y estilo propios.

1. to try   2. had not been seen   3. was achieved   4. quality

Primer encuentro

La llegada

No hubo explosión alguna°. Se encendieron, simplemente, los retroco-
hetes°, y la nave° se acercó a la superficie del planeta. Se apagaron los
retrocohetes y la nave, entre polvo y gases, con suavidad poderosa°, se posó°.
   Fue todo.

5   Se sabía que vendrían. Nadie había dicho cuándo; pero la visita de
habitantes de otros mundos era inminente. Así, pues, no fue para él una
sorpresa total. Es más°: había sido entrenado°, como todos, para recibirlos.
"Debemos estar preparados — le instruyeron en el Comité Cívico —; un día
de estos (mañana, hoy mismo . . .), pueden descender de sus naves. De lo que
10 ocurra° en los primeros minutos del encuentro dependerá la dirección de las
futuras relaciones interespaciales . . . Y quizás nuestra supervivencia°. Cada
uno de nosotros debe ser un embajador dotado° del más fino tacto°, de la
más cortés de las diplomacias°"".

at all

retrorockets/spaceship

con suavidad poderosa:
  with powerful softness/
  landed

furthermore/trained

de . . . ocurra: whatever
  happens

survival

endowed/tact

very diplomatic

comprensión

A. Si contestas estas preguntas correctamente, has entendido bien lo que
   pasa en el cuento.

   1. ¿Cómo bajó la nave espacial a la superficie del planeta? ¿Hubo
      explosión o sólo se encendieron los retrocohetes y la nave bajó a la
      superficie?

   2. ¿Qué sabían los habitantes del planeta? ¿Fue una sorpresa o sabían
      que vendrían visitantes de otro planeta?

   3. ¿Qué hizo el Comité Cívico? ¿Entrenó a los habitantes del planeta
      o no les dijo nada?

   4. ¿Quién es *él?* ¿El presidente del Comité Cívico o una persona
      cualquiera?

   5. ¿Por qué todos debían ser buenos embajadores? ¿Porque los visi-
      tantes eran conocidos o porque las buenas relaciones interespaciales
      dependerían de cómo fueran recibidos los visitantes?

 Álvaro Menen Desleal nació en 1931 en El Salvador. Estudió
sociología en la Universidad de El Salvador y fue profesor
universitario. También fue fundador del noticiero televisado
en 1956.

   Álvaro Menen Desleal se dedica principalmente a la literatura y al
periodismo. Sus obras se han traducido a otras lenguas y son muy
estimadas por la crítica.

La nave

Por eso caminó sin titubear° el medio kilómetro necesario para llegar hasta
la nave. El polvo que los retrocohetes habían levantado le molestó un tanto;
pero se acercó sin temor alguno, y sin temor alguno se dispuso a° esperar la
salida de los lejanos° visitantes, preocupado únicamente por hacer de aquel
5 primer encuentro un trance grato° para dos planetas, un paso agradable y
placentero°.

    Al pie de la nave pasó un rato de espera°, la vista fija en el metal dorado
que el sol hacía destellar° con reflejos que le herían° los ojos; pero ni por eso
parpadeó°.

10   Luego se abrió la escotilla°, por la que se proyectó° sin tardanza una
estilizada escala de acceso.

    No se movió de su sitio, pues temía que cualquier movimiento suyo, por
inocente que fuera°, lo interpretaran los visitantes como un gesto hostil.
Hasta° se alegró de no llevar armas consigo°.

hesitating

se . . . a: began to
distant
un . . . grato: a pleasant experience/pleasing

waiting
sparkle/hurt
blinked
hatchway/se proyectó: appeared
por . . . fuera: regardless how innocent it was
even/with him

comprensión   Lee las oraciones siguientes y corrige las incorrectas.

1. Entre el hombre y la nave había una distancia de un kilómetro.
2. El hombre caminó sin miedo hacia la nave.
3. El hombre llegó hasta muy cerca de la nave para ver a los visitantes.
4. El hombre no quiso esperar al pie de la nave.
5. La escotilla de la nave se abrió, pero no pasó nada más.
6. Por la escotilla salió una escala que permitía entrar y salir de la nave.
7. El hombre tenía armas para pelear contra los visitantes.

El encuentro

Lentamente, oteando°, comenzó a insinuarse°, al fondo de la escotilla, una figura.

Cuando la figura se acercó a la escala para bajar, la luz del sol le pegó de lleno°. Se hizo entonces evidente su horrorosa, su espantosa° forma.

Por eso, él apenas pudo reprimir° un grito de terror. Con todo, hizo un esfuerzo supremo y esperó, fijo en su sitio, el corazón al galope°.

La figura bajó hasta el pie de la nave, y se detuvo frente a él, a unos pasos de distancia.

Pero él corrió entonces. Corrió, corrió y corrió. Corrió hasta avisar a todos, para que prepararan sus armas: no iban a dar la bienvenida° a un ser con *dos* piernas, *dos* brazos, *dos* ojos, *una* cabeza, *una* boca . . .

Álvaro Menen Desleal

watching/to appear

le . . . lleno: struck him full force/frightening

repress

al galope: beating very hard

welcome

comprensión

Completa las siguientes frases con la información apropiada sobre el final del cuento.

1. La figura se acercó a . . .
2. Su forma era . . .
3. El hombre no pudo . . .
4. El hombre hizo un esfuerzo y . . .
5. La figura bajó hasta . . .
6. El hombre corrió hasta . . .
7. El hombre les dijo a todos que prepararan . . .
8. La figura tenía dos . . .

A. Contesta estas preguntas para que puedas comentar el cuento.

1. ¿Quién es el narrador° del cuento? ¿Un habitante° de nuestro planeta o un habitante de otro planeta?
2. ¿Quién es el personaje° principal? ¿Es *él*, un habitante del otro planeta, sin nombre conocido, o la figura que baja por la escala?
3. ¿Son importantes en este cuento los dos únicos personajes que aparecen o es más importante la idea del cuento? ¿Cómo podemos saberlo? ¿Porque los personajes no tienen nombres? ¿Porque no hablan?
4. ¿Cómo son las descripciones de la nave y de la salida del visitante? ¿Son descripciones breves° o largas?
5. ¿Cuál fue la reacción tuya al conocer el final del cuento? ¿Crees que el cuento tiene algún mensaje°. ¿Cuál?

B. Expresa tu acuerdo o desacuerdo con respecto a las siguientes opiniones sobre el cuento. Explica tu opinión.

Opinión	Respuesta
Este cuento es un cuento de aventuras y misterio.	No estoy de acuerdo en este punto. En este cuento hay muy pocas aventuras y mucho suspenso pero ningún misterio.

1. En este cuento los personajes son anónimos, es decir, no tienen nombres.
2. Este cuento es un cuento realista. Algo así puede pasar en el futuro.
3. El autor de este cuento debió decir desde el principio° que la nave venía de nuestro planeta.
4. El cuento no tendría interés si la figura que bajó de la nave y el hombre que lo esperaba se saludaran.

C. Di qué opinas de las siguientes oraciones del cuento. Di si te gustan o no y explica por qué. Explica qué reacción te producen: miedo, alegría, sorpresa, temor, etc.

■⫽ Oración: *"Nadie había dicho cuándo; pero la visita de habitantes de otros planetas era inminente."*
Opinión: *Esta oración me gusta porque [me produce un poco de miedo].*

1. "Cada uno de nosotros debe ser un embajador dotado del más fino tacto, de la más cortés de las diplomacias."
2. "Se hizo entonces evidente su horrorosa, su espantosa forma."
3. "Corrió hasta avisar a todos, para que prepararan sus armas: no iban a dar la bienvenida a un ser con *dos* piernas, *dos* brazos, *dos* ojos, *una* cabeza, *una* boca . . ."

impresiones y gustos

A. Las actividades siguientes te permitirán expresar tus ideas personales y tus reacciones a situaciones parecidas a las del cuento. ¡Sé imaginativo/a!

1. En las primeras líneas del cuento el autor describe la llegada de la nave interespacial. Prepara una descripción de una nave interespacial.
2. Imagínate que tú eres miembro del Comité Cívico encargado de entrenar a la gente para recibir visitantes espaciales. Di algunos consejos que darías tú a los habitantes del planeta.
3. En el cuento, el Comité Cívico dice que cada persona "debe ser un embajador dotado del más fino tacto, de la más cortés de las diplomacias." Da algunos ejemplos de cómo deben ser los embajadores.
4. Imagínate que estás caminando por un bosque, y, de pronto, ves una nave interespacial. Describe primero cómo te sentirías y después qué harías.
5. Inventa una conclusión para el cuento distinta a la del autor.
6. Imagina otro lugar, otra fecha, otros personajes y prepara una narración parecida a la de *Primer encuentro.*

B. Imagínate cómo será tu mundo dentro de veinte años y expresa lo que ves.

1. Tendré . . . años de edad.
2. Viviré en una casa que . . .
3. Iré al trabajo en . . .
4. Mi trabajo estará en . . .
5. Trabajaré en . . .
6. Mi familia será . . .
7. Las escuelas (no) tendrán . . .
8. La comida costará . . .
9. La ropa será . . .
10. En lugar de hablar por teléfono podremos . . .
11. Podremos ir de vacaciones a . . .
12. En lugar de viajar en aviones, iremos . . .
13. Los automóviles . . .

C. Imagínate el esposo o la esposa ideal. Di cómo quisieras tú que fuera esta persona. Usa las ideas siguientes para organizar tu descripción.

1. aspecto físico
2. lengua que habla
3. ideas y planes que tiene
4. educación
5. qué hace para divertirse
6. personalidad

La leyenda de Quetzalcóatl

Existe en México una leyenda muy antigua sobre uno de los dioses que adoraban los toltecas y los aztecas. Es la leyenda de Quetzalcóatl. Quetzalcóatl es una figura legendaria porque aparece confundida entre la realidad y la ficción. Su nombre significa serpiente emplumada[1]. Posiblemente haya existido[2] un hombre real que hiciera las proezas[3] que se le atribuyen a Quetzalcóatl. Según la leyenda Quetzalcóatl era un dios bueno. Les enseñó a los toltecas y aztecas a cultivar la tierra, a trabajar los metales, a medir el tiempo y a hacer artefactos útiles para la vida. También predicó una religión de amor y resignación. Sin embargo, este héroe primitivo fue vencido por los dioses del mal, quienes lo obligaron a irse del territorio del Anáhuac[4] en una balsa[5] de serpientes. Antes de irse, Quetzalcóatl prometió que volvería algún día desde lejanas tierras orientales para reinar[6] en paz. Los aztecas esperaron . . . esperaron.

Pasó el tiempo y un día, llegaron a las tierras mexicanas, en barcos de velas[7] blancas, unos hombres vestidos de hierro, montados sobre animales nunca vistos y armados con armas que producían truenos[8]. Algunos aztecas creyeron que el dios Quetzalcóatl venía otra vez y recibieron a los extraños visitantes con cortesía, respeto y veneración. Pronto se dieron cuenta que entre ellos no venía el buen Quetzalcóatl, sino conquistadores españoles en busca de oro y riquezas.

1. feathered   2. there may have existed   3. feats   4. Mexico Valley   5. raft   6. reign   7. sails   8. thunderous noises

A continuación aparecen algunos datos sobre la leyenda de Quetzalcóatl. No todos los datos son correctos. Di solamente los correctos usando oraciones completas. Contesta según la leyenda de Quetzalcóatl en la página 332. Lee los datos con cuidado.

1. ¿Quiénes adoraban a Quetzalcóatl?
   a. los mexicanos
   b. los aztecas solamente
   c. los toltecas y los aztecas
   d. los toltecas solamente
2. ¿Quién es Quetzalcóatl?
   a. una figura real e imaginaria al mismo tiempo
   b. un personaje histórico
   c. un dios adorado por los aztecas y los conquistadores
   d. un jefe azteca
3. ¿Qué significa el nombre de Quetzalcóatl?
   a. serpiente
   b. pájaro
   c. quetzal
   d. serpiente emplumada
4. ¿Qué les enseñó a los aztecas y toltecas Quetzalcóatl?
   a. cultivar la tierra
   b. leer y escribir
   c. trabajar el oro y la plata
   d. preparar el calendario
5. ¿Quiénes vencieron a Quetzalcóatl?
   a. los dioses del mal
   b. los dioses buenos
   c. los españoles
   d. los aztecas
6. ¿Cómo se fue Quetzalcóatl del Anáhuac?
   a. en un barco
   b. en un carro
   c. en una balsa de serpientes
   d. en un bote
7. ¿Qué prometió Quetzalcóatl?
   a. que nunca volvería al Anáhuac
   b. que vendrían los españoles
   c. que volvería algún día para reinar en paz
   d. que volvería desde tierras lejanas que estaban al este
8. ¿Qué tenían los hombres que llegaron?
   a. trajes emplumados
   b. caballos
   c. armas de fuego
   d. armaduras de hierro

Los diseños de Nazca

Todavía en este siglo, existen hechos inexplicables[1]. Los investigadores científicos no han podido explicar algunos misterios que cautivan[2] la imaginación de todos. Uno de estos misterios es un sistema complejo de diseños geométricos que existe en el desierto de Nazca en Perú. Las marcas parecen caminos, pero en realidad nada se sabe con certeza[3] sobre los diseños geométricos de estas marcas. Sólo se sabe que fueron hechas por antiguos indios que vivían en la región. Pero, ¿por qué construyeron este sistema de marcas tan complejo? ¿Para qué servían?

Se han expuesto algunas teorías sobre el origen y el uso de estos diseños. Algunos investigadores creen que las antiguas sociedades que habitaban la región usaban esta enorme extensión de terreno[4] para llevar a cabo[5] ceremonias religiosas donde participaban miles de personas. Otros sugieren que las marcas servían para indicar los movimientos del sol, los planetas, las estrellas y la luna. En un pueblo agrícola, ese conocimiento es esencial. Finalmente, hay quienes proponen que estas marcas geométricas de Nazca eran en realidad señales para el aterrizaje[6] de antiguas naves interespaciales. Los que afirman tal cosa se basan en el hecho de que sólo desde el aire se pueden apreciar perfectamente las figuras diseñadas en la superficie del desierto.

1. unexplainable   2. capture   3. certainty   4. land   5. to carry out   6. landing

actividad   Menciona tres teorías sobre el origen de los diseños de Nazca. Según los investigadores, ¿para qué servían los diseños?

impresiones
y gustos
1. Los diseños del desierto de Nazca parecen inexplicables hoy en día. ¿Hay algún hecho que te parezca inexplicable a ti? Descríbelo.
2. Para algunos pueblos primitivos ciertos fenómenos naturales como los tornados, los terremotos, las fases de la luna, el cambio de las estaciones, las inundaciones y hasta las lluvias eran inexplicables. ¿Cómo te sientes cuando uno de estos fenómenos ocurre en el lugar donde vives?

Estudio de palabras

El universo

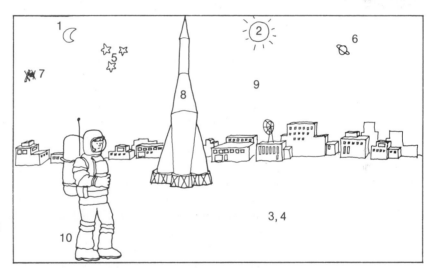

1 la luna
2 el sol
3 la Tierra
4 el mundo
5 la estrella
6 el planeta
7 el satélite
8 la nave interespacial
9 el cielo
10 el/la astronauta

A   Completa las oraciones siguientes sobre cuestiones espaciales.

1. La Tierra es nuestro . . .
2. El sol es una . . .
3. Los astronautas viajan a la luna en una . . .
4. Los países de nuestro planeta pueden comunicarse instantáneamente con . . .
5. La luna, el sol, los planetas y las otras estrellas están en el . . .
6. Los navegantes del espacio se llaman . . .
7. Después de explorar la Tierra, hemos empezado a investigar . . .
8. No se puede viajar hasta el sol porque . . .

capítulo 15   **335**

impresiones
y gustos

1. Si pudieras viajar en una nave interespacial, ¿adónde irías? ¿Por qué? ¿Con quién irías?
2. Describe tu vehículo interespacial. ¿De qué está hecho? ¿Qué objetos tiene para hacer más agradable la vida?
3. ¿Qué llevarías en tu viaje interespacial? ¿Qué tipo de comida llevarías? ¿Qué tipo de ropa? ¿Qué harías para divertirte?
4. ¿Serías un buen embajador/una buena embajadora? ¿Por qué?
5. Imagínate que estás en una nave interespacial. Describe lo que ves y lo que sientes.

Enriquece tu vocabulario

Many Spanish words ending in the suffixes **-dad, -cia, -ía, -ura,** or **-ario** have English equivalents that end in *-ty, -cy, -y, -ure,* and *-ary.* Note that all nouns ending in **-dad** are feminine.

A Lee en voz alta las palabras siguientes. Indica que sabes cada palabra diciendo una oración con cada una.

-dad	-cia	-ía	-ura	-ario
fraternidad	democracia	energía	figura	ordinario
universidad	evidencia	armonía	literatura	contrario
sociedad	violencia	economía	agricultura	adversario

B Lee las frases siguientes que contienen palabras que terminan en *-dad, -cia -ía, -ura* y *-ario.*

1. Las ceremonias tuvieron lugar en la Universidad de San José.
2. La violencia de ese tornado es increíble.
3. Esta ciudad tiene una economía muy estable.
4. Una figura extraña bajó de la nave interespacial. No venía como adversario sino como embajador de paz y fraternidad.
5. La biología es una ciencia muy interesante.
6. Esta ciudad tiene una buena universidad.
7. Tenemos que estudiar la energía solar.
8. La cultura de esta civilización es muy antigua.

C Prepara una oración original e interesante en la cual uses tres cognados de la lista.

D Lee las palabras siguientes que aparecen en *Primer encuentro.* Di cuántas palabras pudiste reconocer sin usar el diccionario.

simplemente	inocente	cívico	reflejo
inminente	hostil	dirección	movimiento
total	planeta	relación	gesto
futuro	gas	diplomacia	armas
interespacial	visita	kilómetro	tacto
fino	habitante	figura	descender
necesario	comité	visitante	mover

Tiene pata y no anda,
tiene alas y no vuela,
tiene ojos y no ve
tiene boca y no come.

Gramática

Grammar Review (Stage 4)

A Describe a las personas, animales o cosas siguientes. Usa el verbo *ser* o *estar*, según el significado.

■⫶ el perro / abandonado   *El perro está abandonado.*

1. el jugador / activo / en este partido
2. la niña / lista / para ir a la fiesta
3. el automóvil / rápido
4. las casas / grandes
5. el jefe / calvo
6. la carne / cruda
7. la noche / oscura / cuando no hay luna

B El inspector Lozada está interrogando a tres sospechosas. Describe a cada una.

■⫶ *La sospechosa número uno tiene . . . y es . . .*

Sospechosa 1   Sospechosa 2   Sospechosa 3

C Contéstale a Anita y confirma que tus compañeros no van a ciertos lugares.

■⫶ las montañas / Ricardo   Anita: *¿Va Ricardo a las montañas?*
Tú: *Dudo que Ricardo vaya a las montañas.*

1. la playa / José y Anita
2. el museo / Pepe
3. la universidad / Lucía
4. el hospital / Delia
5. el cine / Antonio y Raúl
6. la cafetería / Miguel
7. el teatro / Teresa y Carmen
8. la tienda / Nuria y Juan

D   Explica en qué actividades te gusta o no te gusta participar.

■⫸   cocinar arroz con pollo   *Me gusta mucho cocinar arroz con pollo.*
(No me gusta cocinar arroz con pollo.)

1. analizar problemas de matemáticas
2. votar en las elecciones de la escuela
3. cantar música folklórica
4. manejar un automóvil
5. sacar fotos
6. estudiar toda la noche
7. preparar la cena
8. jugar al ajedrez

E   Pregúntale a un amigo/una amiga si le gustan o no las siguientes cosas.

■⫸   la música clásica   Tú: *¿Te gusta la música clásica?*
Amigo/a: *Claro que me gusta la música*
clásica. (No, no me gusta la
música clásica.)

1. los partidos de fútbol
2. los conciertos de música popular
3. las películas de misterio
4. los programas de detectives
5. los programas de deportes
6. los festivales culturales
7. la exposición de arte
8. la fiesta de despedida

F   Explícale a María que tus amigos ya han visto ciertas cosas.

■⫸   el eclipse del sol   María: *¿Ya han visto tus amigos el eclipse del*
sol?
Tú: *Sí, ya lo han visto.*

1. el planeta rojo
2. las naves interespaciales
3. la figura desconocida
4. los astronautas
5. las fotos de la Tierra
6. los diseños de Nazca

G   Confirma que los amigos de Raquel van a darle los siguientes regalos en una fiesta de despedida.

■⫸   una pulsera   Tú: *¿Piensas comprarle la pulsera?*
Amigo/a: *Sí, pienso comprársela.*

1. los discos
2. la calculadora
3. el gato
4. la cámara
5. el collar
6. la blusa
7. la radio
8. el juego de ajedrez

H   La semana pasada los Álvarez fueron de vacaciones. Mira los dibujos siguientes y contesta las preguntas sobre sus vacaciones.

1. ¿A dónde fueron los Álvarez?
2. ¿En qué fueron?
3. ¿Cuántos hijos tienen los señores Álvarez?
4. ¿Qué llevaron a las montañas?
5. ¿Qué prepararon?
6. ¿Dónde durmieron?
7. ¿Se divirtieron todos? ¿Cómo se divirtieron?

I   Indica lo que tendrán las personas mencionadas. Usa una expresión con *tener.*

▪▥   Mis hermanos beben mucha agua.   *Tendrán sed.*

1. Pepe y José comen mucho.
2. Tú tiemblas cuando ves una película de horror.
3. Tú y Raúl van a la piscina porque hay 37 grados.
4. Teresa y Luisa han ganado la lotería.
5. Tus padres se pusieron el abrigo y el suéter.

J   Expresa lo que hacían tus amigos/amigas cuando los llamaste ayer.

▪▥   José / leer una novela   *José leía una novela cuando lo llamé.*

1. tú / estudiar
2. mi prima / comer
3. Anita y Pepe / practicar el piano
4. Tomás / mirar un programa de deportes
5. Delia y Lucía / limpiar el cuarto
6. Nuria y Fernando / ir al cine
7. mi madre / leer el periódico
8. Ana / correr por el parque

K   Pregúntale a un amigo/una amiga si recuerda a los siguientes compañeros de clase.

■▥   Bernardo / muy alto   Tú: *¿Recuerdas a Bernardo?*
                                Amigo/a: *Sí, era muy alto.*

1. Isabel / muy inteligente
2. Pepe / muy antipático
3. Francisco y Raúl / muy aficionados al béisbol
4. Teresa / muy perezosa
5. Antonio / siempre jugar al tenis
6. Marta / siempre pelear con sus hermanos

L   Explícale a Teresa a quién vas a dar ciertos regalos.

■▥   el cassette   Teresa: *¿A quién vas a dar el cassette?*
                      Tú: *Se lo doy a [mi hermano].*
                          (Voy a dárselo a mi hermano.)

1. la mochila   5. la novela
2. el juego de ajedrez   6. el mural
3. los boletos   7. el traje
4. el disco   8. la guitarra

Ruinas de Chichén Itzá, México

M Explícale a un amigo/una amiga cómo se hace tu plato favorito. Usa por lo menos cinco de los verbos siguientes en tu explicación.

■ⅲ cortar *Corta el pollo en pedazos pequeños.*

1. cortar
2. lavar
3. poner
4. agregar
5. freír

N Menciona lo que harán tus amigos/amigas después de graduarse de la universidad.

■ⅲ tú / viajar a Europa *Tú viajarás a Europa.*

1. Manuel / estudiar en España
2. Anita / conseguir un trabajo importante
3. José / ser médico
4. Teresa / ser abogada
5. Raúl y Susana / vivir en San Juan

O Da los siguientes mandatos *(commands)* a tu hermano/hermana menor.

■ⅲ calmarte / niño(a) *Cálmate, niño(a).*

1. comer toda la carne
2. preparar la lección
3. poner la radio
4. acostarte ahora

P Diles a las siguientes personas que no hagan ciertas cosas.

■ⅲ Teresa sale sola de noche. *Teresa, no salgas sola de noche.*

1. José siempre dice mentiras.
2. Paco pone muy alta la televisión.
3. Raúl y Delia comen demasiado.
4. José siempre habla demasiado.
5. Teresa siempre les presta dinero a sus amigos.
6. Marta siempre pierde el dinero.
7. Miguel se acuesta tarde los lunes.

Q Completa las oraciones siguientes, usando *por* o *para* según el significado.

1. Mis compañeros entraron ⎯⎯ la puerta principal de la biblioteca.
2. Ellos estudiaron ⎯⎯ tres horas.
3. Después, fueron al café y allí no pagaron mucho ⎯⎯ la merienda.
4. Antes de ir a casa, compraron un regalo ⎯⎯ Lucía.
5. Ella sale ⎯⎯ Guadalajara el mes que viene.

La antigua ciudad inca, Machu Picchu, está a unos 80 kilómetros al noroeste de Cuzco en Perú y a una altura de 2.400 metros. Las ruinas de esta ciudad no fueron descubiertas ni exploradas hasta el año 1911. Ese año, el explorador norteamericano, Hiram Bingham iba al frente[1] de una expedición por el interior de Perú cuando descubrió accidentalmente las ruinas de esta ciudad fortaleza[2].

No se conoce exactamente el origen de Machu Picchu ni la historia de sus habitantes. Se supone que la ciudad fue construida por los incas alrededor del año 1500 D.C.[3] o poco antes.

Cuando los españoles conquistaron el imperio inca, no llegaron hasta Machu Picchu y por eso no era conocida la ciudad.

Los habitantes que vivían en Machu Picchu se alimentaban del cultivo que hacían en las terrazas construidas en las faldas de las montañas. Para garantizar[4] estos cultivos los incas construyeron un sistema de regardura[5] que, aún hoy en día, es una maravilla de ingeniería.

1. was the leader   2. fortressed city
3. A.D.   4. guarantee   5. irrigation

343

Grammar Review (Stage 5)

A Mira los siguientes dibujos y expresa que esperas que (no) ocurran ciertas cosas. Hay más de una manera de describir cada dibujo.

■⫿ *Espero (Ojalá) que no haga mal tiempo.*

B Da los siguientes consejos a un compañero/una compañera que va a tomar el examen de manejar. Usa expresiones como *es necesario* y *es importante*.

■⫿ estudiar el manual *Es importante que estudies el manual.*

1. leer todo el manual
2. aprender los reglamentos de tráfico
3. manejar con cuidado
4. hablarle cortésmente al policía
5. pensar antes de escribir el examen
6. no tener miedo
7. no estar nervioso/a

C Expresa las cualidades que buscas en tu futuro esposo/futura esposa.

■⫿ ser simpático(a) *Busco un esposo/una esposa que sea simpático(a).*

1. tener suficiente dinero
2. ser inteligente
3. tener una familia grande
4. siempre estar contento/a
5. poder cocinar y limpiar
6. querer tener hijos

D Contesta las siguientes preguntas.

■ ¿Están cerradas las tiendas? *Sí, ya han cerrado las tiendas.*

1. ¿Está abierta la compañía?
2. ¿Está terminada la pintura mural?
3. ¿Está cerrado el museo?
4. ¿Está hecha la cena?
5. ¿Están preparadas las lecciones?

Grammar Review (Stage 6)

A Haz oraciones completas en las cuales expreses tus deseos futuros.

■ tener más dinero *Cuando tenga más dinero,* [*voy a comprar una casa*].

1. tener veinte años
2. vivir en mi propio apartamento
3. ir a la universidad
4. trabajar
5. graduarme
6. ir a México

B Cambia las oraciones siguientes para expresar qué ocurrería bajo cada condición.

■ Si visitas el museo, verás muchas obras. *Si visitaras el museo, verías muchas obras.*

1. Si compras un cesto, puedes colgarlo en el comedor.
2. Si le hablas bien al vendedor, puedes conseguir un buen precio.
3. Si vas al Polyforum, comprenderás mejor la obra de Siqueiros.
4. Si estudias el arte mexicano, conocerás el alma mexicana.

C Describe a un compañero/una compañera de clase, usando cláusulas con *como si.* Usa la imaginación.

■ hablar [*Raquel*] *habla como si* [*fuera la profesora*].

1. vestirse
2. jugar al fútbol
3. estudiar
4. manejar el automóvil
5. correr
6. tocar el piano
7. cocinar
8. quedarse en casa
9. gastar mucho dinero

Vocabulario

SUSTANTIVOS

el astronauta, la astronauta astronaut
el cielo sky, heavens
la conclusión conclusion
el desacuerdo disagreement
el embajador, la embajadora ambassador
el encuentro encounter
el esfuerzo effort
la estrella star
el, la habitante inhabitant
la luna moon
el mensaje message
el miembro member
el mundo world
el narrador, la narradora narrator
la nave interespacial space ship
el personaje character
el planeta planet
el principio beginning
el punto point
el satélite satellite
el sitio place
el temor fear
la Tierra Earth
el visitante, la visitante visitor

VERBOS

depender (ie) (de) to depend (on)
descender (ie) to descend
entrenar to train
inventar to invent
parpadear to blink

OTRAS PALABRAS

desconocido, -a unknown
diferente different
inminente imminent
preocupado, -a concerned, worried
realista realistic

EXPRESIONES

al pie de at the foot of
frente a facing, opposite
un rato awhile

A **El mundo literario.** Independently, you may wish to read more short stories and poems in Spanish. If your school or public library has a section on Spanish literature, some of the works of Ana María Matute, E. Anderson Imbert, Ramón Sender, Pablo Neruda, Octavio Paz, José Luis González, or Gabriela Mistral may interest you. These authors can introduce you to new facets of the Spanish-speaking world and its literature. You may wish to use a Spanish-English dictionary to assist you in your reading. In Spanish or English, report to the class what the reading selection is about, who the author is, and why you like or dislike the story or poem.

B **El regateo.** With a partner, select several products you would like to sell at a classroom bazaar. Use appropriate props. Persuade your customers to purchase one of your products. Tell them why an item is a good bargain, what its qualities are, and how much it costs. When a customer offers a lower price, bargain with her or him until you reach a mutually satisfactory price.

C **Documental histórico.** In a group with two or three other classmates, select an ancient Indian culture, the Aztecs, Mixtecs, Toltecs, Incas, Mayas, or Taínos. Use reference books to learn what territory these ancient Indian societies inhabited, what their principal customs were, and what historical records they left. Share these and other interesting facts with your class. Present your information to the class in an interview, lecture, question-and-answer, or documentary format. Use photographs, illustrations, and maps in your presentation.

D **Festival cultural.** As an end-of-year class celebration, help to organize a **festival cultural.** Musical classmates may wish to play or sing Spanish songs, dancers can perform to Spanish recordings, and other students may wish to recite poems. Large pieces of paper can be used for mural painting. Typical Spanish food could also be served at the celebration. You may wish to prepare programs in Spanish.

E **Carnaval.** Carnival is celebrated in many Spanish-speaking countries. Naturally, customs differ from area to area. Choose a country such as Argentina, Bolivia, the Dominican Republic, Colombia, or Cuba, and find out how Carnival is celebrated there. Share with your classmates information on the typical costumes, favorite foods, and traditions of Carnival in that particular country. If possible, locate photos or travel brochures that show a Carnival celebration.

F **Baile de disfraces.** In your Spanish Club or as part of a class project, you may wish to organize a **baile de disfraces** or **carnaval.** Work in groups of four or five students. One group should prepare written invitations. (See page 106 for a sample invitation.) Another group could compile a list of interesting costumes, and another could prepare a menu, while other classmates select festive Spanish music to accompany the celebration and parade. Award a prize for the best costume.

G **Béisbol.** After school or on the weekend, organize a baseball game. In Spanish, invite players to join the game. Call the plays in Spanish. In class, describe what happened in the game, who played, and who won. Tell what time the game began and ended. Explain why you enjoyed yourself.

H **Deportes.** Find out the name of at least one well-known Hispanic sports figure. In your album or scrapbook, list her or his name, age, sport, and country of origin. If possible, include a photo of and news clipping about this sports figure in your album or scrapbook. You may also want to present a brief sports report on your favorite team or individual athlete. Comment on the results of recent games or matches, the current standing (or the prospects for the coming season), key players, and injuries. If you enjoy more than one sport, you may wish to report on more than one of the teams you follow. If you aren't a sports fan, explain why. Tell what hobby or recreational activity you do enjoy.

Reference
section

Appendix A
Spanish first names

The following list includes many common Spanish names. The popularity of some names varies from country to country.

girls

Adela
Alejandra
Alicia
Amelia
Ana (Anita)
Ana María
Ángela
Bárbara
Beatriz
Carlota
Carmen
Cecilia
Clara
Claudia
Concepción (Concha, Conchita)
Consuelo
Cristina
Diana
Dolores (Lola)
Elena
Elisa
Emilia
Esperanza
Francisca (Paquita)
Gloria
Graciela
Inés
Irene
Isabel
Juana
Julia
Laura
Leonor

Lucía
Luisa
Luz
Manuela
Margarita
María
María del Carmen (Maricarmen)
María Isabel (Maribel, Marisa)
María Teresa (Maité)
Mariana
Marta
Mercedes
Mónica
Nuria
Paloma
Patricia
Paula
Pilar (Pili)
Raquel
Rosa
Rosario
Sara
Silvia
Soledad
Susana
Teresa (Tere)
Verónica
Victoria
Virginia
Yolanda

boys

Adolfo
Alberto (Beto)
Alejandro
Alfonso
Alfredo
Álvaro
Andrés
Ángel
Antonio (Tonio, Toño)
Arturo
Bernardo
Carlos
Claudio
Cristóbal
Daniel
David
Diego
Eduardo
Emilio
Enrique (Quique)
Ernesto
Esteban
Federico
Felipe
Fernando
Francisco (Paco)
Gabriel
Gonzalo
Gregorio
Guillermo
Ignacio (Nacho)
Jaime
Javier

Jesús
Joaquín
Jorge
José (Pepe)
José Antonio
José Luis
José María
Juan (Juanito)
Juan Manuel
Julián
Julio
Luis
Manuel (Manolo)
Marcos
Mario
Martín
Mateo
Miguel (Miguelito)
Miguel Ángel
Nicolás
Pablo
Pedro
Rafael (Rafa)
Ramón
Raúl
Ricardo
Roberto
Salvador
Santiago
Sebastián
Tomás
Vicente
Víctor

Appendix B
Supplementary word sets

Some of the English words in the following lists have other Spanish equivalents since terms may vary from country to country.

MEMBERS OF THE FAMILY

la bisabuela   great grandmother
el bisabuelo   great grandfather
la cuñada   sister-in-law
el cuñado   brother-in-law
la hermanastra   stepsister
el hermanastro   stepbrother
la madrastra   stepmother
la nieta   granddaughter
el nieto   grandson
la nuera   daughter-in-law
el padrastro   stepfather
la sobrina   niece
el sobrino   nephew
la suegra   mother-in-law
el suegro   father-in-law
el yerno   son-in-law

PARTS OF A HOUSE

la buhardilla   attic
la despensa   pantry, kitchen storage
el sótano   basement

CLASSROOM OBJECTS

el altavoz   intercom, loudspeaker
el armario   closet; cupboard
el bloc, block   writing pad
el borrador   eraser (blackboard)
la carpeta   folder
la cartelera   bulletin board
la cartera, el portafolio   briefcase; bookbag
la engrapadora   stapler
el escritorio   desk
el estante   book shelf
la goma de borrar   eraser
el sacapuntas   pencil sharpener
la pluma   fountain pen
la presilla   paper clip

el pupitre   school desk
la regla   ruler
la tiza   chalk

SCHOOL SUBJECTS

el alemán   German
el arte   art
el cálculo   calculus
la economía   economics
la educación física   physical education
la física   physics
la geografía   geography
la literatura   literature
las matemáticas   mathematics
la mecanografía   typing
la psicología   psychology
la química   chemistry
la sociología   sociology
la taquigrafía   shorthand
la trigonometría   trigonometry

BUILDINGS AND PLACES

el aeropuerto   airport
el auditorio   auditorium
la biblioteca   library
el campo de golf   golf course
la cancha de tenis   tennis court
la estación de policía, la comisaría   police station
el estadio   stadium
el gimnasio   gymnasium
el hospital   hospital
la lavandería   laundromat, laundry
la librería   bookstore
el mercado   marketplace
la papelería   stationery shop
la piscina   swimming pool
el supermercado   supermarket
el teatro   theater

MUSICAL INSTRUMENTS

la bandurria instrument similar to guitar
la batería percussion section
la flauta flute
la gaita bagpipes
el arpa (f.) harp
el órgano organ
la pandereta tambourine
el saxófono (saxofón) saxophone
el trombón trombone
la trompeta trumpet
la viola viola
el violón bass viol
el violoncelo cello

CLOTHING

la bata bathrobe
el bolso (la bolsa) handbag, purse
las botas boots
la bufanda scarf (neck, woolen)
el camisón nightgown
la cartera billfold; brief case
los calcetines socks
la gorra, el gorro cap
los guantes gloves
el impermeable raincoat
los lentes de contacto, las lentillas contact lenses
las medias socks, stockings
el/la piyama, pijama pajamas
las sandalias sandals
el sombrero hat
las zapatillas slippers
los zapatos de tenis sneakers

ADJECTIVES OF NATIONALITY

argentino, -a Argentine
belicense from Belize
boliviano, -a Bolivian
colombiano, -a Colombian
costarricense Costa Rican
cubano, -a Cuban
chileno, -a Chilean
dominicano, -a Dominican
ecuatoriano, -a Ecuadoran
español, -a Spanish
estadounidense from the United States

guatemalteco, -a Guatemalan
hondureño, -a Honduran
mexicano, -a Mexican
nicaragüense Nicaraguan
panameño, -a Panamanian
paraguayo, -a Paraguayan
peruano, -a Peruvian
puertorriqueño, -a Puerto Rican
salvadoreño, -a Salvadorian
uruguayo, -a Uruguayan
venezolano, -a Venezuelan

PARTS OF THE BODY

la cadera hip
la ceja eyebrow
el codo elbow
el cuello neck
el dedo (de la mano) finger
el dedo (del pie) toe
la frente forehead
el hombro shoulder
el labio lip
la lengua tongue
la mejilla cheek
la muñeca wrist
el tobillo ankle

WILD ANIMALS

la culebra, la serpiente snake
el elefante elephant
el gorila gorilla
el hipopótamo hippopotamus
la jirafa giraffe
el león lion
el mono monkey
el oso bear
el tigre tiger
el zorro fox

INSECTS

la abeja bee
la hormiga ant
la mariposa butterfly
la mosca fly
el mosquito mosquito

Grammatical summaries

Definite articles

	MASCULINE	FEMININE
Singular	el	la
Plural	los	las

Agreement of adjectives

	FOUR-FORM ADJECTIVES	TWO-FORM ADJECTIVES
Masc. sing.	chico contento	chico alegre
Fem. sing.	chica contenta	chica alegre
Masc. plural	chicos contentos	chicos alegres
Fem. plural	chicas contentas	chicas alegres

Possessive adjectives

SINGULAR	PLURAL	
mi	mis	my
tu	tus	your
nuestro, nuestra	nuestros, nuestras	our
vuestro, vuestra	vuestros, vuestras	your (plural, familiar)
su	sus	his, her, its, your, their

Demonstrative adjectives

	ESTE this, these	ESE that, those	AQUEL that, those
Masc. sing.	este	ese	aquel
Fem. sing.	esta	esa	aquella
Masc. plural	estos	esos	aquellos
Fem. plural	estas	esas	aquellas

Pronouns

SUBJECT	DIRECT-OBJECT	INDIRECT-OBJECT	REFLEXIVE	OBJ. OF PREP.
yo	me	me	me	mí (conmigo)
tú	te	te	te	ti (contigo)
él, ella, usted	lo, la	le (se)	se	él, ella, usted
nosotros, -as	nos	nos	nos	nosotros, -as
vosotros, -as	os	os	os	vosotros, -as
ellos, ellas, ustedes	los, las	les (se)	se	ellos, ellas, ustedes

Verbs

regular verbs in **-ar, -er, -ir**

		TOMAR	COMER	ABRIR
Present	yo	tomo	como	abro
Indicative	tú	tomas	comes	abres
	él, ella, Ud.	toma	come	abre
	nosotros, -as	tomamos	comemos	abrimos
	vosotros, -as	tomáis	coméis	abrís
	ellos, ellas, Uds.	toman	comen	abren
Preterit	yo	tomé	comí	abrí
	tú	tomaste	comiste	abriste
	él, ella, Ud.	tomó	comió	abrió
	nosotros, -as	tomamos	comimos	abrimos
	vosotros, -as	tomasteis	comisteis	abristeis
	ellos, ellas, Uds.	tomaron	comieron	abrieron
Imperfect	yo	tomaba	comía	abría
Indicative	tú	tomabas	comías	abrías
	él, ella, Ud.	tomaba	comía	abría
	nosotros, -as	tomábamos	comíamos	abríamos
	vosotros, -as	tomabais	comíais	abríais
	ellos, ellas, Uds.	tomaban	comían	abrían

		TOMAR	COMER	ABRIR
Future	yo	tomaré	comeré	abriré
	tú	tomarás	comerás	abrirás
	él, ella, Ud.	tomará	comerá	abrirá
	nosotros, -as	tomaremos	comeremos	abriremos
	vosotros, -as	tomaréis	comeréis	abriréis
	ellos, ellas, Uds.	tomarán	comerán	abrirán
Conditional	yo	tomaría	comería	abriría
	tú	tomarías	comerías	abrirías
	él, ella, Ud.	tomaría	comería	abriría
	nosotros, -as	tomaríamos	comeríamos	abriríamos
	vosotros, -as	tomaríais	comeríais	abriríais
	ellos, ellas, Uds.	tomarían	comerían	abrirían
Present Perfect	yo	he tomado	he comido	he abierto
	tú	has tomado	has comido	has abierto
	él, ella, Ud.	ha tomado	ha comido	ha abierto
	nosotros, -as	hemos tomado	hemos comido	hemos abierto
	vosotros, -as	habéis tomado	habéis comido	habéis abierto
	ellos, ellas, Uds.	han tomado	han comido	han abierto
Present Subjunctive	yo	tome	coma	abra
	tú	tomes	comas	abras
	él, ella, Ud.	tome	coma	abra
	nosotros, -as	tomemos	comamos	abramos
	vosotros, -as	toméis	comáis	abráis
	ellos, ellas, Uds.	tomen	coman	abran
Imperfect Subjunctive	yo	tomara	comiera	abriera
	tú	tomaras	comieras	abrieras
	él, ella, Ud.	tomara	comiera	abriera
	nosotros, -as	tomáramos	comiéramos	abriéramos
	vosotros, -as	tomarais	comierais	abrierais
	ellos, ellas, Uds.	tomaran	comieran	abrieran
Imperative	tú-affirmative	toma	come	abre
	tú-negative	(no) tomes	(no) comas	(no) abras
	usted	tome	coma	abra
	ustedes	tomen	coman	abran
Present Participle		tomando	comiendo	abriendo

stem-changing verbs

		-ar verbs: e > ie pensar	-ar verbs: o > ue contar
Present Indicative	yo tú él, ella, Ud. nosotros, -as vosotros, -as ellos, ellas, Uds.	pienso piensas piensa pensamos pensáis piensan	cuento cuentas cuenta contamos contáis cuentan
Preterit	yo (etc.)	pensé	conté
Imperfect	yo (etc.)	pensaba	contaba
Future	yo (etc.)	pensaré	contaré
Conditional	yo (etc.)	pensaría	contaría
Present Perfect	yo (etc.)	he pensado	he contado
Present Subjunctive	yo tú él, ella, Ud. nosotros, -as vosotros, -as ellos, ellas, Uds.	piense pienses piense pensemos penséis piensen	cuente cuentes cuente contemos contéis cuenten
Imperfect Subjunctive	yo (etc.)	pensara	contara
Imperative	tú-affirmative tú-negative usted ustedes	piensa (no) pienses piense piensen	cuenta (no) cuentes cuente cuenten
Present Participle		pensando	contando

		-er verbs: e > ie perder	-er verbs: o > ue volver
Present Indicative	yo tú él, ella, Ud. nosotros, -as vosotros, -as ellos, ellas, Uds.	pierdo pierdes pierde perdemos perdéis pierden	vuelvo vuelves vuelve volvemos volvéis vuelven
Preterit	yo (etc.)	perdí	volví
Imperfect	yo (etc.)	perdía	volvía
Future	yo (etc.)	perderé	volveré
Conditional	yo (etc.)	perdería	volvería
Present Perfect	yo (etc.)	he perdido	he vuelto
Present Subjunctive	yo tú él, ella, Ud. nosotros, -as vosotros, -as ellos, ellas, Uds.	pierda pierdas pierda perdamos perdáis pierdan	vuelva vuelvas vuelva volvamos volváis vuelvan
Imperfect Subjunctive	yo (etc.)	perdiera	volviera
Imperative	tú-affirmative tú-negative usted ustedes	pierde no pierdas pierda pierdan	vuelve no vuelvas vuelva vuelvan
Present Participle		perdiendo	volviendo

		-ir verbs: e > i pedir	-ir verbs: e > ie or i sentir	-ir verbs: o > ue or u dormir
Present Indicative	yo	pido	siento	duermo
	tú	pides	sientes	duermes
	él, ella, Ud.	pide	siente	duerme
	nosotros, -as	pedimos	sentimos	dormimos
	vosotros, -as	pedís	sentís	dormís
	ellos, ellas, Uds.	piden	sienten	duermen
Preterit	yo	pedí	sentí	dormí
	tú	pediste	sentiste	dormiste
	él, ella, Ud.	pidió	sintió	durmió
	nosotros, -as	pedimos	sentimos	dormimos
	vosotros, -as	pedisteis	sentisteis	dormisteis
	ellos, ellas, Uds.	pidieron	sintieron	durmieron
Imperfect	yo (etc.)	pedía	sentía	dormía
Future	yo (etc.)	pediré	sentiré	dormiré
Conditional	yo (etc.)	pediría	sentiría	dormiría
Present Perfect	yo (etc.)	he pedido	he sentido	he dormido
Present Subjunctive	yo	pida	sienta	duerma
	tú	pidas	sientas	duermas
	él, ella, Ud.	pida	sienta	duerma
	nosotros, -as	pidamos	sintamos	durmamos
	vosotros, -as	pidáis	sintáis	durmáis
	ellos, ellas, Uds.	pidan	sientan	duerman
Imperfect Subjunctive	yo (etc.)	pidiera	sintiera	durmiera
Imperative	tú-affirmative	pide	siente	duerme
	tú-negative	no pidas	no sientas	no duermas
	usted	pida	sienta	duerma
	ustedes	pidan	sientan	duerman
Present Participle		pidiendo	sintiendo	durmiendo

verbs with spelling changes

		Verbs in **-car:** c > **qu** before **e**	Verbs in **-gar:** g > **gu** before **e**	Verbs in **-zar:** z > **c** before **e**
		buscar	**llegar**	**empezar**
Preterit	yo	busqué	llegué	empecé
	tú	buscaste	llegaste	empezaste
	él, ella, Ud.	buscó	llegó	empezó
	nosotros, -as	buscamos	llegamos	empezamos
	vosotros, -as	buscasteis	llegasteis	empezasteis
	ellos, ellas, Uds.	buscaron	llegaron	empezaron
Present Subjunctive	yo	busque	llegue	empiece
	tú	busques	llegues	empieces
	él, ella, Ud.	busque	llegue	empiece
	nosotros, -as	busquemos	lleguemos	empecemos
	vosotros, -as	busquéis	lleguéis	empecéis
	ellos, ellas, Uds.	busquen	lleguen	empiecen
Imperative	tú-affirmative	busca	llega	empieza
	tú-negative	no busques	no llegues	no empieces
	usted	busque	llegue	empiece
	ustedes	busquen	lleguen	empiecen
Present Participle		buscando	llegando	empezando

		Verbs in **-ger** and **-gir:** g > **j** before **a** and **o**	Verbs in **-guir:** gu > **g** before **a** and **o**
		escoger	**seguir**
Present Indicative	yo	escojo	sigo
	tú	escoges	sigues
	él, ella, Ud.	escoge	sigue
	nosotros, -as	escogemos	seguimos
	vosotros, -as	escogéis	seguís
	ellos, ellas, Uds.	escogen	siguen
Preterit	yo	escogí	seguí
	tú	escogiste	seguiste
	él, ella, Ud.	escogió	siguió
	nosotros, -as	escogimos	seguimos
	vosotros, -as	escogisteis	seguisteis
	ellos, ellas, Uds.	escogieron	siguieron
Imperative	tú-affirmative	escoge	sigue
	tú-negative	no escojas	no sigas
	usted	escoja	siga
	ustedes	escojan	sigan
Present Participle		escogiendo	siguiendo

		Verbs in vowel + -cer: c > zc before a and o	Verbs in consonant + -cer: c > z before a and o
		conocer	**convencer**
Present Indicative	yo	conozco	convenzo
	tú	conoces	convences
	él, ella, Ud.	conoce	convence
	nosotros, -as	conocemos	convencemos
	vosotros, -as	conocéis	convencéis
	ellos, ellas, Uds.	conocen	convencen
Present Subjunctive	yo	conozca	convenza
	tú	conozcas	convenzas
	él, ella, Ud.	conozca	convenza
	nosotros, -as	conozcamos	convenzamos
	vosotros, -as	conozcáis	convenzáis
	ellos, ellas, Uds.	conozcan	convenzan
Imperative	tú-affirmative	conoce	convence
	tú-negative	no conozcas	no convenzas
	usted	conozca	convenza
	ustedes	conozcan	convenzan

		Verbs in -eer: unstressed i > y
		leer
Preterit	yo	leí
	tú	leíste
	él, ella, Ud.	leyó
	nosotros, -as	leímos
	vosotros, -as	leísteis
	ellos, ellas, Uds.	leyeron
Imperative	tú-affirmative	lee
	tú-negative	no leas
	usted	lea
	ustedes	lean
Present Participle		leyendo

reflexive verbs

		LEVANTARSE
Present Indicative	yo	me levanto
	tú	te levantas
	él, ella, Ud.	se levanta
	nosotros, -as	nos levantamos
	vosotros, -as	os levantáis
	ellos, ellas, Uds.	se levantan
Preterit	yo (etc.)	me levanté
Imperfect	yo (etc.)	me levantaba
Future	yo (etc.)	me levantaré
Conditional	yo (etc.)	me levantaría
Present Perfect	yo (etc.)	me he levantado
Present Subjunctive	yo (etc.)	me levante
Imperfect Subjunctive	yo (etc.)	me levantara
Imperative	tú-affirmative	levántate
	tú-negative	no te levantes
	usted	levántese, no se levante
	ustedes	levántense, no se levanten
Present Participle		levantándose

irregular verbs

		DAR	DECIR	ESTAR	HACER
Present Indicative	yo	doy	digo	estoy	hago
	tú	das	dices	estás	haces
	él, ella, Ud.	da	dice	está	hace
	nosotros, -as	damos	decimos	estamos	hacemos
	vosotros, -as	dais	decís	estáis	hacéis
	ellos, ellas, Uds.	dan	dicen	están	hacen
Preterit	yo	di	dije	estuve	hice
	tú	diste	dijiste	estuviste	hiciste
	él, ella, Ud.	dio	dijo	estuvo	hizo
	nosotros, -as	dimos	dijimos	estuvimos	hicimos
	vosotros, -as	disteis	dijisteis	estuvisteis	hicisteis
	ellos, ellas, Uds.	dieron	dijeron	estuvieron	hicieron
Imperfect	yo (etc.)	daba	decía	estaba	hacía
Future	yo (etc.)	daré	diré	estaré	haré
Conditional	yo (etc.)	daría	diría	estaría	haría
Present Perfect	yo (etc.)	he dado	he dicho	he estado	he hecho
Present Subjunctive	yo	dé	diga	esté	haga
	tú	des	digas	estés	hagas
	él, ella, Ud.	dé	diga	esté	haga
	nosotros, -as	demos	digamos	estemos	hagamos
	vosotros, -as	deis	digáis	estéis	hagáis
	ellos, ellas, Uds.	den	digan	estén	hagan
Imperfect Subjunctive	yo (etc.)	diera	dijera	estuviera	hiciera
Imperative	tú-affirmative	da	di	está	haz
	tú-negative	no des	no digas	no estés	no hagas
	usted	dé	diga	esté	haga
	ustedes	den	digan	estén	hagan
Present Participle		dando	diciendo	estando	haciendo

		IR	OÍR	PODER
Present Indicative	yo	voy	oigo	puedo
	tú	vas	oyes	puedes
	él, ella, Ud.	va	oye	puede
	nosotros, -as	vamos	oímos	podemos
	vosotros, -as	vais	oís	podéis
	ellos, ellas, Uds.	van	oyen	pueden
Preterit	yo	fui	oí	pude
	tú	fuiste	oíste	pudiste
	él, ella, Ud.	fue	oyó	pudo
	nosotros, -as	fuimos	oímos	pudimos
	vosotros, -as	fuisteis	oísteis	pudisteis
	ellos, ellas, Uds.	fueron	oyeron	pudieron
Imperfect	yo (etc.)	iba	oía	podía
Future	yo (etc.)	iré	oiré	podré
Conditional	yo (etc.)	iría	oiría	podría
Present Participle	yo (etc.)	he ido	he oído	he podido
Present Subjunctive	yo (etc.)	vaya	oiga	pueda
Imperfect Subjunctive	yo (etc.)	fuera	oyera	pudiera
Imperative	tú-affirmative	ve	oye	—
	tú-negative	no vayas	no oigas	—
	usted	vaya	oiga	—
	ustedes	vayan	oigan	—
Present Participle		yendo	oyendo	pudiendo

		PONER	QUERER	SABER	SALIR
Present Indicative	yo	pongo	quiero	sé	salgo
	tú	pones	quieres	sabes	sales
	él, ella, Ud.	pone	quiere	sabe	sale
	nosotros, -as	ponemos	queremos	sabemos	salimos
	vosotros, -as	ponéis	queréis	sabéis	salís
	ellos, ellas, Uds.	ponen	quieren	saben	salen
Preterit	yo	puse	quise	supe	salí
	tú	pusiste	quisiste	supiste	saliste
	él, ella, Ud.	puso	quiso	supo	salió
	nosotros, -as	pusimos	quisimos	supimos	salimos
	vosotros, -as	pusisteis	quisisteis	supisteis	salisteis
	ellos, ellas, Uds.	pusieron	quisieron	supieron	salieron
Imperfect	yo (etc.)	ponía	quería	sabía	salía
Future	yo (etc.)	pondré	querré	sabré	saldré
Conditional	yo (etc.)	pondría	querría	sabría	saldría
Present Perfect	yo (etc.)	he puesto	he querido	he sabido	he salido
Present Subjunctive	yo (etc.)	ponga	quiera	sepa	salga
Imperfect Subjunctive	yo (etc.)	pusiera	quisiera	supiera	saliera
Imperative	tú-affirmative	pon	quiere	sabe	sal
	tú-negative	no pongas	no quieras	no sepas	no salgas
	usted	ponga	quiera	sepa	salga
	ustedes	pongan	quieran	sepan	salgan
Present Participle		poniendo	queriendo	sabiendo	saliendo

		SER	TENER	VENIR	VER
Present Indicative	yo	soy	tengo	vengo	veo
	tú	eres	tienes	vienes	ves
	él, ella, Ud.	es	tiene	viene	ve
	nosotros, -as	somos	tenemos	venimos	vemos
	vosotros, -as	sois	tenéis	venís	veis
	ellos, ellas, Uds.	son	tienen	vienen	ven
Preterit	yo	fui	tuve	vine	vi
	tú	fuiste	tuviste	viniste	viste
	él, ella, Ud.	fue	tuvo	vino	vio
	nosotros, -as	fuimos	tuvimos	vinimos	vimos
	vosotros, -as	fuisteis	tuvisteis	vinisteis	visteis
	ellos, ellas, Uds.	fueron	tuvieron	vinieron	vieron
Imperfect	yo (etc.)	era	tenía	venía	veía
Future	yo (etc.)	seré	tendré	vendré	veré
Conditional	yo (etc.)	sería	tendría	vendría	vería
Present Perfect	yo (etc.)	he sido	he tenido	he venido	he visto
Present Subjunctive	yo (etc.)	sea	tenga	venga	vea
Imperfect Subjunctive	yo (etc.)	fuera	tuviera	viniera	viera
Imperative	tú-affirmative	sé	ten	ven	ve
	tú-negative	no seas	no tengas	no vengas	no veas
	usted	sea	tenga	venga	vea
	ustedes	sean	tengan	vengan	vean
Present Participle		siendo	teniendo	viniendo	viendo

Spanish-English vocabulary

The Spanish-English vocabulary contains the basic words and expressions listed in the chapter vocabularies, plus words that occur elsewhere, such as in headings and captions, excluding many cognates. The symbol ~ represents the key word for an entry. Chapter numbers following the definitions are given for words that are listed in the end-of-chapter vocabularies. The Spanish-English vocabulary also includes active and passive words presented in the first level.

a   at, to; **al**   at the, to the
a mediados de [junio]   in the middle of [June], *11*
abandonado, -a   abandoned, *6*
abandonar   to abandon
el abogado, la abogada lawyer
el abrazo   embrace, hug
el abrelatas   can opener, *4*
el abrigo   coat
abril   April
abrir   to open
la abuela   grandmother
el abuelo   grandfather; **los ~s**   grandparents
aburrido, -a   boring, bored
acabar: ~ de *(+ inf.)*   to have just
el accidente   accident
la acción   action
el aceite   oil; **~ de oliva** olive oil, *4*
aceptar   to accept
acerca (de)   about
acercarse   to approach, draw near
acomodado, -a   well-to-do
el acomodador, la acomodadora   usher
acompañar   to accompany
aconsejar   to advise, *4*
acostarse (ue)   to go to bed
acostumbrarse   to accustom oneself (to), get used to
activo, -a   active, *7*
el actor   actor
la actriz   actress

actual   present-day, *13*
el acuerdo   agreement; **estar de ~ (con)**   to agree (with), *9*
adaptarse   to become accustomed
adelantar   to pass (another vehicle), *8*
además   besides
adiós   good-by
el administrador, la administradora   administrator, *10*
admirar   to admire, *13*
¿adónde?   where?
el aeromodelismo   construction of airplane models, *10*
el aeropuerto   airport
el afecto   affection
el aficionado, la aficionada fan; **~ al béisbol**   baseball fan, *1*
afortunadamente   fortunately
África   Africa
afuera   outside, *2*
la agencia   agency
el/la agente   police officer; agent
agosto   August
el agotamiento   exhaustion
agradable   pleasant, enjoyable
agradecer   to thank, *9;* to thank for, *5*
agregar   to add, *4*
el agua *(f.)*   water
el águila *(f.)*   eagle
ahí   there
ahora   now

ahorrar   to save
los ahorros   savings, *9*
el aire   air; **al ~ libre**   outdoors
el ajedrez   chess, *10*
el ala *(f.)*   wing
el alcance: al ~   within reach
la alcoba   bedroom
alegrarse (de)   to be happy, *8*
alegre   cheerful, happy
la alegría   happiness, pleasure
la alfombra   carpet, rug
el álgebra *(f.)*   algebra
algo   something
el algodón   cotton, *13*
alguien   someone
alguno, -a   some, any
alimentar   to feed, *6*
alimenticio, -a   nourishing, nutritious
el alimento   food
el alivio   relief
el alma *(f.)*   soul, *14*
el almacén   shop, store, department store
el almuerzo   lunch; **tomar el ~**   to have lunch
¡aló!   hello *(telephone)*
el alpinismo   mountain climbing, *12*
alrededor   around
alto   stop
alto, -a   tall, high
el alumno, la alumna   student
allí   there
amable   kind
amado, -a   beloved

amarillo, -a yellow

el ambiente environment, 7;
  el medio ~ environment

ambos, -as both, 10

la ambulancia ambulance

América America; ~ Cen-
  tral Central America; ~
  del Sur South America

el amigo, la amiga friend; ~
  por correspondencia pen
  pal

la amistad friendship

amplio, -a ample, spacious

analizar to analyze, 10

anaranjado, -a orange

ancho, -a wide

Andalucía Andalusia

andar to go; to walk; ¿cómo
  andas? how goes it?

angustiado, -a distressed,
  grieved

el anillo ring, 3

animado, -a anxious, excited,
  9

el animal animal, 7

anoche last night

anónimo anonymous

la anotación score, 12

ansioso, -a anxious, nervous, 2

anteayer day before yesterday, 11

anterior previous

antes before; ~ (de) que before, 11

antiguo, -a old

antipático, -a unpleasant

la antropología anthropology,
  13

anual annual, 7

anunciar to announce

el anuncio advertisement, announcement, 7; ~ clasificado classified ad, 10

el año year; ~ pasado last
  year, 11; ¿cuántos ~s
  tienes? how old are you?
  cumplir ... ~s to be, turn
  ... years old

apagar to turn off, 5

apagarse to go out (light,
  fire)

el apagón blackout

aparecer to appear

el apartado de correos P.O.
  box, 10

apenas scarcely, hardly

aprender to learn

aprobar (ue) to pass (an
  exam), 8

apropiado, -a appropriate,
  correct

aprovechar to take advantage
  of

apurado, -a hurried, in a
  hurry, 1

aquel, aquella that (over
  there)

aquí here

aragonés, -a from Aragon

el árbol tree

la arena sand

arreglar to fix; to fix up, 13

arriba above, up

el arroyo stream, 14

el arroz rice, 4; ~ con pollo
  chicken with rice

arruinar to ruin, spoil

el arte art, 10

la artesanía handicrafts

el artículo article; merchan-
  dise (pl.)

artístico, -a artistic, 10

asado, -a roasted

el ascensor elevator, 13

asegurar to assure

así so, thus, 3

así así so-so

asiático, -a Asian

el asiento seat

asistir to attend

la asociación association

el/la astronauta astronaut, 15

el asunto matter

atacar to attack

el ataque attack

atentamente respectfully, sin-
  cerely

aterrorizar to terrify

aterrorizarse to become
  frightened, 3

la atracción attraction; las
  ~es amusements

el atraco holdup

atrás behind, at the back

atropellar to run over, run
  into, trample

el aullido howl, roar

aumentar to increase, 7

aunque although

el autobús bus

el automóvil automobile, 7

el autor author

avanzar to advance

el ave (f.) bird

la avenida avenue

la aventura adventure

el avión airplane

avisar to warn; to advise, 8

el aviso advertisement

¡ay! expresses pain, alarm, surprise, 4

¡ay, hija! oh, my dear!, 1

ayer yesterday

la ayuda help, 2

el/la ayudante assistant

ayudar (a) to help

el azafrán saffron

azteca Aztec

azul blue

el bachillerato bachelor's degree

bailar to dance

el baile dance

bajar to descend; to lower,
  turn down; ~el volumen
  to turn down the volume, 5

bajo below

bajo, -a short, low

bananero, -a banana (adj.), 7

el banco bank

la banda band (music), 9

bañarse to take a bath; to go
  swimming

barato, -a cheap

la barba beard, 3

la barbaridad   outrage; ¡qué
~!   amazing!, 2
el barco   ship
el barrio   district
el barro   clay, 13
el básquetbol   basketball
bastante   quite; enough
bastar   to be enough
la batalla   battle
el batazo   hit, 12
el bate   bat, 12
el bateador   batter, 12
beber   to drink
la bebida   drink
el béisbol   baseball
el benefactor, la benefactora   benefactor
besar   to kiss
la biblioteca   library
la bicicleta   bicycle
bien   well
la bienvenida   welcome
bienvenido, -a   welcome
el bigote   mustache, 3
bilingüe   bilingual
el billete   bill (money); ticket
la biología   biology
el bistec   beefsteak
blanco, -a   white
los blue jeans   blue jeans
la blusa   blouse
la boca   mouth
el boleto   ticket
el bolígrafo   ball-point pen
el bolsillo   pocket
la bomba   bomb; ~ H   H
bomb
el bombero   fireman
bonito, -a   pretty
bordado, -a   embroidered, 11
el bosque   forest, woods, 7
la bota   boot, 11
el bote   rowboat
el boxeo   boxing, 12
bravo, -a   brave;
¡~!   bravo!
el brazo   arm
breve   brief
el brillante   diamond, 3
la broma   joke

la brújula   compass, 9
bruscamente   suddenly, brus-
quely
el buceo   scuba diving, 12
¡buen viaje!   have a nice trip!,
2
¡buena suerte!   good luck!, 5
bueno, -a   good; buen provecho   enjoy your food (meal)
buscar   to look for; to get

el caballero   man, gentleman
el caballo   horse; montar a
~   to ride horseback
la cabeza   head; tener dolor
de ~   to have a headache
cada   each, every
la cadena   necklace, 3
caer(se)   to fall (down); ¿se te
cayó [el collar]?   did your
[necklace] fall?, 3
el café   coffee; café
la cafetera   coffee pot, 4
la cafetería   cafeteria
la caja   cash register; box
el cajero, la cajera   cashier, 10
el calcetín   sock, 2
la calculadora   calculator
calcular   to calculate
el calendario   calendar, 1
caliente   hot, warm
calmarse   to calm down
el calor   heat, warmth; hacer
~   to be hot (weather),
warm; tener ~   to be hot
calvo, -a   bald, 3
callarse   to be quiet, keep
quiet
la calle   street
la cama   bed
la cámara   camera
la camarera   waitress
el camarero   waiter
cambiar   to change
el cambio   change
caminar   to walk
la caminata   hike
el camino   road, way
el camión   truck

la camisa   shirt
la camiseta   T-shirt
la campaña   campaign, 7
el campeón   champion
el campeonato   championship,
12
el camping: ir de ~   to go
camping
el campo   country; field
la canción   song, 5
el candidato, la candidata
candidate, 7
cansado, -a   tired
cansarse   to get tired
cantar   to sing, 10
la cantidad   quantity, 9
el cañizal   cane break, cane
thicket
la capacidad   ability, capacity, 10
el capítulo   chapter
la captura   capture, catch
capturar   to capture
la cara   face
¡caramba!   expresses surprise,
anger, annoyance
la caravana   caravan
el cariño   affection, 6
el carnaval   carnival, 11
la carne   meat
caro, -a   expensive
la carrera   race
la carretera   highway, 8
el carro   car; ~ deportivo
sports car
la carta   letter, menu
el cartel   poster
la casa   house, home; a
~   home; en ~   at home
casi   almost
el cassette   cassette
la cazuela   pot, 4
la cebolla   onion, 4
celebrar   to celebrate
la cena   dinner
cenar   to eat dinner
el centro   center; downtown
cerca (de)   near
cercano, -a   near, 8
cerrado, -a   closed

la cesta wastebasket; basket
el cesto basket, *13*
la cicatriz scar, *3*
el ciclismo cycling, *1*
ciclístico, -a related to bicycles
el cielo sky, heavens, *15*
la ciencia science, *10*
el científico, la científica scientist
cierto, -a certain; right, *6*
la cima summit, top
el cine cinema, movie theater
cinematográfico, -a cinema-graphic
el cinturón belt
la circulación traffic
la ciudad city
el ciudadano, la ciudadana citizen, *7*
cívico, -a civic, *7*
el clarinete clarinet
claro of course
claro, -a light; bright; clear, *13;* **¡~ que sí!** of course, *2*
la clase class; classroom
el clavo nail, spike, *9*
el clima climate
la cocina kitchen
cocinar to cook, *2*
el cocinero, la cocinera cook, *4*
el coche car
coger to take
la colección collection, *5*
coleccionar to collect
el/la coleccionista collector, *1*
el colegio school
colgar (ue) to hang, *13*
colonial colonial
el color color
el collar necklace, *3;* collar
el comedor dining room
comentar to comment; to review, *14*
el comentario commentary
comer to eat
el comercio trade, business
el comestible food, *7*
la comida meal; food

el comité committee
como like
¿cómo? how?; what?; **¿~andas?** how's it going?, *2;* **¿~ es?** what is he/she like?
cómodo, -a comfortable, pleasant
el compañero, la compañera classmate; partner, friend
la compañía company
comparar to compare, *14*
compartir to share, *13*
completo, -a complete
componer to compose, *10*
la compra: ir de ~s to go shopping; **hacer ~s** to shop
el comprador, la compradora buyer, *10*
comprar to buy
comprender to understand
la comprensión comprehension
la computadora computer, *10*
con with; **~ permiso** excuse me; may I?; **~ mucho gusto** gladly, *5*
con tal (de) que provided that, *11*
el concierto concert
la conclusión conclusion, *15*
la condición condition
el conejo rabbit, *6*
la conferencia conference
confesar to confess
el conflicto conflict, dispute
la confusión confusion
el congreso congress; convention, *7*
conocer to know, be acquainted with; to meet
conocido, -a known
el conocimiento knowledge, *10*
conseguir (i-i) to obtain, *8*
el consejo advice, *6*
la conservación conservation, *7*
considerar to consider
constar de to consist of
el consumidor consumer, *7*

el consumo consumption, *7*
el contador, la contadora accountant, *10*
contagioso, -a contagious
la contaminación pollution, *7*
contar (ue) to tell; to count
contento, -a happy, content
contestar to answer
el continente continent
continuar to continue
contra against, *6;* **estar en ~ (de)** to disagree (with), *7*
contrario, -a opposite; opposing
la contribución contribution, *9*
el control control, *7*
controlar to control
convencer to convince, *10*
conveniente suitable, *9*
convenir to be suitable
el convento convent
la copa cup, trophy
la corbata necktie, *2*
el coro chorus
el corral corral
el corredor racer
corregir to correct
el correo post office
correr to run
la correspondencia correspondence
la corrida bullfight
cortar to cut, *4*
corto, -a short
la cosa thing
coser to sew, *10*
la costa coast
costar (ue) to cost
la costumbre custom; **como de ~** as usual
el coto wild game preserve
creador, -a creative
crear to create, *7*
creer to believe
crudo, -a raw, *4;* **me quedó ~** it was raw, *4*
cruzar to cross
el cuaderno notebook
la cuadra block (city)

cuadrado, -a   square, *13*
el cuadro   picture, *10*
cual   which, *14*
¿cuál?   what?, which (one)?
cualquiera   any, *8*
cuando   when
¿cuándo?   when?
¿cuánto, -a?   how much?;
   ¿cuántos, -as?   how many?
¡cuanto...!   how (much)!, *9*
el cuarto   quarter (hour);
   room; ~ de baño   bathroom
Cuba   Cuba
cubano, -a   Cuban
el cubierto   place setting at
   table
cubrir   to cover, *11*
la cuchara   tablespoon, *4*
la cucharadita   teaspoonful, *4*
la cucharita   teaspoon, *4*
el cuchillo   knife, *4*
el cuello   neck, *3*
la cuenta   account; bill, *9*;
   darse ~ (de)   to realize
el cuento   short story, *10*
la cuerda   rope, cord, *9*
el cuero   leather
el cuerpo   body
la cuestión   matter (for discussion)
la cueva   cave
el cuidado   care, *6*;
   ¡~!   careful!, watch out!;
   tener ~   to be careful
la cuidadora   babysitter
cuidadosamente   carefully, *7*
cuidar   to care for, *6*
la culebra   snake, *6*
la culpa   fault; tener la
   ~   to be at fault
cultivar   to cultivate
el cultivo   farming, cultivation
el cumpleaños   birthday; feliz
   ~   happy birthday
cumplir   to accomplish, *8*; ~
   años   to be, turn ... years
   old; ¡que cumplas muchos
   más!   may you have many
   more!

el currículum (vitae)   résumé,
   curriculum vitae, *10*
el curso   course (school)

el champiñón   mushroom
chao   good-by
la chaqueta   jacket
charlar   to talk, chat
el cheque   check; los ~s de
   viajero   traveler's checks, *3*
la chica   girl
el chico   boy
el chiste   joke
chocar   to crash, collide
el chófer   driver

la danza   dance, *9*
el/la danzante   dancer, *1*
dañino, -a   harmful, *7*
dar   to give; to show; ~
   miedo   to frighten, *3*; ~se
   cuenta (de)   to realize
el dato   fact; data
de   from, of; ~ acuerdo
   okay, all right; ~ nuevo
   again; ~ repente   suddenly,
   3; del   from the, of the
debajo de   under
deber   to be obligated to,
   ought
decidir   to decide
decir   to say
declamar   to recite, *14*
el dedo   finger; toe
el defecto   defect
defender (ie)   to defend
la defensa   defense, *12*
dejar   to let; to leave
delante de   in front of
delgado, -a   thin, *1*
delicioso, -a   delicious
demandar   to demand
demasiado   too (much) (*adv.*)
demasiado, -a   too much, too
   many
democrático, -a   democratic,
   13

el/la dentista   dentist
dentro de [dos semanas]   in
   [two weeks], *11*
depender (de)   to depend
   (on), *15*
el/la dependiente   clerk
el deporte   sport
deportivo, -a   (pertaining to)
   sports
la derecha   right; a la ~
   (de)   to the right (of)
el derecho   law, *10*
derrotar   to defeat, *12*
el desacuerdo   disagreement,
   15
el desastre   disaster, *4*
desayunar(se)   to have breakfast
descansar   to rest
descender   to descend, *15*
desconocido, -a   unknown, *15*
describir   to describe
la descripción   description
descubrir   to discover
desde   since, from
desear   to desire, wish
desfilar   to parade, march, *11*
el desfile   parade, march
despacio   slowly
la despedida   farewell
despedirse (i-i)   to say good-
   by
despejado, -a   clear (weather);
   está ~   it's clear, *2*
despertar (ie)   to wake
despertarse (ie)   to wake up
después (de)   after
destruir   to destroy
el detalle   detail, *3*
el/la detective   detective
detener (la marcha)   to stop
   (the acceleration), *8*
detestar   to hate, detest, *13*
detrás (de)   behind
devolver   to return, give back
el día   day; buenos
   ~s   good morning
diario, -a   daily, *10*
dibujar   to draw, *10*

diciembre December

el diente tooth, 3; ~ **de ajo** clove of garlic

diferente different, 15

difícil difficult

la dificultad difficulty

la dimensión dimension, 13

el dinero money

¡Dios mío! oh my goodness!, oh my!

la dirección address

el director/la directora conductor (music); director

dirigido, -a directed

dirigir to direct, 10

el disco record

la discoteca discotheque

discriminar to discriminate, 7

la disculpa: pedir ~s to apologize

discutir to discuss

el diseño design

el disfraz disguise, costume, 11

disgustado, -a annoyed, displeased, 12

disponible available, 8

distinto, -a different

distribuir to distribute

la diversión diversion

diverso, -a different, 9

divertirse (ie-i) to have a good time, enjoy oneself; **¡qué te diviertas!** have a good time!, 5

doblar to turn, 8

el doble double, 12

el dólar dollar

doler (ue) to hurt, ache

el dolor pain

el domicilio address, 2; home

el domingo Sunday

don Spanish title (for man) used with first name

donar to donate

¿dónde? where?

doña Spanish title (for woman) used with first name

dorado, -a golden

dormir (ue-u) to sleep

dormirse (ue-u) to fall asleep

la duración duration

durante during

duro, -a hard, 4

la ecología ecology

ecológico, -a ecological

económico, -a economical

echar to pour, 4; to cast out, 14; ~ **de menos** to miss (a person), 5

la edad age

editorial editorial, 6

la educación education

educar to educate

el ejemplo example; **por ~** for example

el ejercicio exercise

él he; him (obj. prep.); **ellos** they; them (obj. prep.)

la elección election

el elector voter, 7

la electricidad electricity, 10

elegante elegant

elegir to choose, 9

ella she; her (obj. prep.); **ellas** they; them (obj. prep.)

la embajada embassy, 3

el embajador, la embajadora ambassador, 15

el embotellamiento traffic jam

la emisión emission, 7

la emoción emotion

empezar (ie) to begin

el empleado, la empleada employee, 2

el empleo job

la empresa company, 9

en in; ~ **medio de** in the middle of, 13; ~ **punto** sharp (with time)

encabezar to lead

encantado, -a I'm pleased to meet you

encantador, -a charming, enchanting, 9

encantar(le) a uno to like a lot

encargarse (de) to take charge (of), 6

encender to light, 3

el encierro confinement; driving bulls into pen before fight

encima de above, over

encontrar (ue) to find

encontrarse (ue) to be; to find oneself

el encuentro encounter, 15

la encuesta poll; inquiry

el enemigo/la enemiga enemy

la energía energy, 7

enero January

el enfermero, la enfermera nurse

enfermo, -a sick

enfrente de in front of

engañar to trick, 11

enhorabuena congratulations, 5

enojado, -a angry

enorme enormous

la ensalada salad

el ensayo essay

la enseñanza teaching, instruction, 9

enterarse (de) to find out (about), 11

entonces then

la entrada entrance; admission, ticket; inning, 12

entrar to enter

entre between, among

el entremés appetizer

entrenar to train, 15

el entrevistador, la entrevistadora interviewer, 10

enviar to send

la época epoch, era; season, 10

el equipo equipment; team, 1; ~ **contrario** opposing team, 12

la equitación horseback riding, 1

equivocado, -a mistaken

equivocarse   to be mistaken
es que   the fact of the matter is, *1*
la escala   ladder
la escalera   staircase, stairs
la escena   scene
escoger   to choose
escolar   school *(adj.), 9*
esconder   to hide
esconderse   to hide (oneself)
escribir   to write; ~ a máquina   to typewrite
escrito, -a   written, *8*
el escritor/la escritora   writer
el escritorio   desk
escuchar   to listen to
la escuela   school
la escultura   sculpture
ese, esa   that
ése, ésa   that one
el esfuerzo   effort, *15*
la esgrima   fencing, *12*
eso   that; a ~ de [las tres]   at around [three o'clock], *1*
la espalda   back
España   Spain
el español   Spanish (language)
español, -a   Spanish
especial   special
la especie   species
el espectáculo   spectacle
el espectador, la espectadora   spectator
la espeleología   cave exploration, *12*
esperar   to wait (for)
el espíritu   spirit
la esposa   wife, *3*
el esposo   husband, *3*
el esquí   skiing; ski
el esquí acuático   water skiing, *12*
esquiar   to ski
la esquina   corner (street)
la estación   station; season
el estacionamiento   parking
el estadio   stadium
el estado libre asociado   commonwealth state

los Estados Unidos (EE.UU.)   the United States
estar   to be; ~ a favor de   to be in favor of, *7*; ~ de acuerdo (con)   to agree (with), *9*; ~ en contra (de)   to disagree (with), *7*
el este   east
este, esta   this; estos, estas   these
éste   this one
el estilo   style
estimado, -a   dear
esto   this, *5*
el estómago   stomach; tener dolor de ~   to have a stomachache
el estraik   strike (baseball), *12*
estrecho, -a   narrow; tight
la estrella   star, *15*
la estrofa   stanza, *14*
el/la estudiante   student
estudiantil   student *(adj.), 6*
estudiar   to study
el estudio   study
estudioso, -a   studious
la estufa   stove, *4*
estupendo, -a   wonderful
la etapa   stage
Europa   Europe
evitar   to avoid
exactamente   exactly, *3*
el examen   exam
examinar   to examine, *8*
examinarse   to take an exam
excelente   excellent
la excepción   exception
excepto   except, *7*
la excursión   excursion
existir   to exist
el éxito   success
la expansión   expansion
la expectativa   expectation
explicar   to explain
la exposición   exposition, *13*
expresar   to express
expuesto, -a   exhibited, *14*
la extensión   extension, expanse

extranjero, -a   foreign, *1*
extrañar   to surprise; to seem strange, *12*
extraño, -a   strange, *3*

fabuloso, -a   fabulous
fácil   easy
facilitar   to facilitate
la facultad de humanidades   school of liberal arts, *7*
la falda   skirt
la falta   fault, defect; mistake; sin ~   without fail
faltar(le) a uno   to be in need
la fama   fame
la familia   family
famoso, -a   famous
fantástico, -a   fantastic, great, *5*
el farol delantero   headlight, *8*
el farol trasero   tail light, *8*
la fauna   fauna (animal life)
el favor   favor; a tu ~   in your favor; estar a ~ de   to be in favor of, *7*; por ~   please
favorito, -a   favorite
febrero   February
la fecha   date; ~ de nacimiento   birth date
federal   federal
felicidades   congratulations, *5*
felicitar   to congratulate
feo, -a   ugly
la fiebre   fever
la fiesta   party, festivity; holiday; ~ de despedida   farewell party, *5*
fijo, -a   fixed *15*
la fila   row
el filete   fillet
la filmación   filming
filmar   to film
el fin   end; al ~ de   at the end of, *5*
el final   end
final   final, last
la finca   farm, ranch

fino, -a fine

la flor flower

la flora flora (plant life)

folklórico, -a folk, folkloric, *14*

el fondo background; **al ~** in the background, *13;* **los ~s** funds, *9*

la forma shape, form; **en ~ de** in the shape of, *8;* **de esta ~** in this way

formidable formidable

el fósil fossil, *7*

la foto(grafía) photo, picture; **sacar ~s** to take pictures

la fotografía photography, *10*

la fractura fracture

el francés French (language)

francés, francesa French

la frase sentence

frecuente frequent, *13*

freír (i-i) to fry, *4*

el freno brake, *8*

frente a facing; opposite, *15*

fresco, -a cool, fresh; **hacer ~** to be cool (weather)

el frío cold; **hacer ~** to be cold (weather); **tener ~** to be cold

la fruta fruit

el fuego fire

fuerte strong

las fuerzas forces (military)

la función function

el fútbol soccer; **~ americano** football

futuro, -a future, *6*

las gafas eyeglasses, *2*

el ganador, la ganadora winner

ganar to earn; to win

la ganga bargain

el garaje garage

garantizar to guarantee, *7*

el gato cat

la geología geology

generalmente generally

la generosidad generosity, *9*

generoso, -a generous, *9*

la gente people

la geología geology

el gesto gesture

la gimnasia gymnastics, *12*

el globo globe

glorificar to glorify

el gobierno government, *7*

el gol goal, *12*

el golf golf, *1*

golpear to hit, strike

la grabadora tape recorder

gracias thank you

gracioso, -a funny, amusing

el grado grade; degree (temperature)

el graduado, la graduada graduate, *9*

graduarse to graduate

el gráfico graph, *10*

la gramática grammar

gran great

grande large, great; big

grandioso, -a grandiose, grand, *13*

grave serious

gris gray

gritar to shout

el grito scream, yell, shout

el grupo group, *10*

el guante glove

guapo, -a good-looking, handsome, beautiful

el/la guardabosque forest ranger, *10*

la guerra war, *13*

la guía guidebook, *13*

la guitarra guitar

gustar: ~le (a uno) to like

el gusto pleasure; taste; **mucho ~** I'm pleased to meet you; **con mucho ~** with pleasure; **al ~** to taste, *4*

la habilidad ability, *10*

la habitación room

el habitante inhabitant, *15*

el hábito habit

hablar to talk; to speak; **¿hablas en serio?** are you serious?, *1*

hacer to do; to make; **~ compras** to shop; **~ trampa** to cheat (game); **~ cerámica** to make pottery, *10;* **~ falta** to need, *8*

hacia toward

el hacha ax, *9*

hambre *(f.)* hunger; **me muero de ~** I'm starving; **tener ~** to be hungry

la hamaca *(f.)* hammock, *9*

la hamburguesa hamburger

hasta until; **~ luego** see you later; **~ mañana** see you tomorrow

hay there is, there are; **~ que** it's necessary to, you must

hecho, -a a mano handmade, *13*

la hectárea hectare *(2.7 acres)*

el helado ice cream

el herido, la herida injured person

la hermana sister

el hermano brother

hermoso, -a beautiful, handsome

el héroe hero

hervir to boil

hidroeléctrico, -a hydroelectric, *7*

la hierba grass, *12*

el hierro iron, *13*

la hija daughter; **¡ay, ~!** oh my dear!

el hijo son; **los ~s** children

hispano, -a Spanish, Hispanic, *1*

la historia history

hola hello, hi

el hombre man; **¡~!,** oh my goodness!

honrar to honor

la hora hour, time; **¿a qué ~?** at what time?; **¿qué ~ es?** what time is it?

el horario schedule, *10*
la hornilla burner, *4*
horno oven, *4*
el horóscopo horoscope
horrible horrible
el horror horror; **¡qué ~!** how terrible!
el hospital hospital
el hotel hotel
hoy today; **~ en día** these days, nowadays, *11*; **~ mismo** this very day, *11*
hubo there was, there were
la huelga strike, *7*
el huevo egg
la humanidad humanity
humano,-a human
el humor humor, *6*
el huracán hurricane

ida y vuelta round trip, *2*
la idea idea
idéntico, -a identical, *13*
la identificación identification, *6*
el idioma language
el/la idiota idiot
la iglesia church
igual similar, same; equal; **para estar ~es** to compromise, *13*
imaginar(se) to imagine
imperial imperial
el imperio empire, dominion
imponer to impose
la importancia importance; **no tiene ~** it's not important
importante important
importar: no importa it doesn't matter
el impuesto tax, *7*
el incendio fire
incluir to include
incluso including, *10*
increíble incredible; **¡esto es ~!** this is incredible!
la independencia independence

independiente independent
independizar to make independent
indicar to indicate
individual individual
la industria industry, *7*
industrial industrial
industrializado, -a industrialized
infantil infantile
la información information
informar to inform
la ingeniería engineering, *10*
el ingeniero, la ingeniera engineer
el inglés English (language)
el ingrediente ingredient
la injusticia injustice, *6*
inmediatamente immediately
inminente imminent, *15*
innecesariamente unnecessarily
inolvidable unforgettable, *9*
insistir to insist
insoportable unbearable, *6*
el inspector/la inspectora inspector
instruir to instruct
el instrumento instrument
inteligente intelligent
intenso, -a intense
el intercambio de correspondencia correspondence
el interés interest
el interesado, la interesada interested person, *10*
interesante interesting
interferir (ie-i) to interfere
el/la intérprete interpreter
interrumpir to interrupt
intolerable intolerable, *6*
la inundación flood
invasor,-a invading
inventar to invent, *15*
la inversión investment, *7*
el investigador, la investigadora investigator
el invierno winter
la invitación invitation
el invitado, la invitada guest, *3*

invitar to invite
ir to go; **~se** to go, leave
la isla island
la izquierda left; **a la ~ (de)** to the left (of)

el jamón ham
el japonés Japanese
el jardín garden
el jardinero gardener; **~ central** center fielder, *12*; **~ derecho** right fielder, *12*; **~ izquierdo** left fielder, *12*
el jefe, la jefa boss, head, *10*
el jonrón home run, *12*; **meter un ~** to hit a home run, *12*
el/la joven young person
joven *(adj.)* young
la joya jewel
la joyería jewelry store
el juego game
el jueves Thursday
el juez judge
la jugada play
el jugador, la jugadora player, *1*
jugar (ue) (a) to play (a sport or game)
el jugo juice
julio July
junio June
la junta staff
junto, -a together
jurar to swear, promise (oath)
justo, -a fair, *6*
la juventud youth

el kilo kilogram
el kilómetro kilometer

la her, you, it; **las** them, you
laboral labor *(adj.)*
el lado side; **al ~ de** beside, next to
el ladrillo brick, *13*

el ladrón, la ladrona   thief, robber, *3*

el lago   lake

la lámpara   lamp

la lana   wool, *5*

lanzar   to pitch; to throw, *12*

el lápiz   pencil

largo, -a   long; **a lo largo (de)**   throughout, *9*

latino, -a   Latin, *5*

el lavadero   laundry area

el lavaplatos   dishwasher, *4*

lavar   to wash

lavarse   to wash oneself

le   (to) him, her, it, you; **les**   (to) them, you

el lector, la lectora   reader, *6*

la lectura   reading

la leche   milk

la lechuga   lettuce

leer   to read

la legislatura   legislature

el Lejano Oriente   Far East

lejos de   far from

la lengua   tongue, *7*

los lentes   eyeglasses

lento, -a   slow

levantar   to raise

levantarse   to get up; to stand up

la ley   law, *7*

la leyenda   legend

la liberación   liberation

la libertad   liberty, *7*

la libra   pound

libre   free, *13*

el libro   book

la licencia de manejar   driver's license, *8*

el/la líder   leader, *10*

limitar   to limit, *7*

el limpiaparabrisas   windshield wiper, *8*

limpiar   to clean

la limpieza   cleaning, *10*

limpio, -a   clean

la línea   route; line

la linterna   flashlight; lantern

el lío   mess, predicament

listo, -a   ready

lo   him, it, you; **~ de siempre**   the usual, *3*; **los**   them, you

loco, -a   crazy

el locutor/la locutora   radio announcer

lógico, -a   logical, *8*

el loro   parrot, *6*

la lotería   lottery, *9*

la lucha   wrestling, *12*

luego   later; **hasta ~**   see you later

el lugar   place

la luna   moon, *15*

el lunes   Monday

la luz   light

llamado, -a   named, *4*

llamar   to call; **~ por teléfono**   to telephone

llamarse   to be called, named

la llegada   arrival

llegar   to arrive, come

lleno, -a   full, *2*

llevar   to bring, to carry; to wear

llevarse; ~ un susto   to be frightened

llorar   to cry

llover (ue)   to rain

la madera   wood, *13*

la madre   mother

el maestro, la maestra   teacher, *7*

magistralmente   superbly, brilliantly

magnífico,-a   magnificent, excellent, great

el maíz   corn

mal   badly

la maleta   suitcase, *2*

malo, -a   bad

mandar   to send

manejar   to drive, *8*

la manera   way, *12*

la manga   sleeve

la mano   hand; **¡~s a la obra!**   let's get to work!, *6*

la mansión   home, dwelling

el mantel   tablecloth

mantener   to maintain, keep, *6*

la manzana   apple

mañana   morning; **de la ~**   A.M.; **por la ~**   in the morning

mañana   tomorrow

el mapa   map

la máquina   machine

el mar   sea, *2*

el mar Caribe   Caribbean Sea

la maravilla   wonder, marvel, *9*

maravilloso, -a   marvelous

marcado, -a   marked

marcar   to mark

la marcha   march, *13*

mareado, -a   dizzy, faint

el marisco   shellfish

marrón   brown

el martes   Tuesday

marzo   March

más   more; **~ o menos**   more or less; **~ ... que**   more ... than

matar   to kill, *11*

las matemáticas   mathematics

la materia   subject; material

máximo, -a   maximum, *8*

mayo   May

mayor   older, oldest; greater, larger

la mayoría   majority, *10*

la mayúscula   capital letter

me   (to) me; myself

el/la mecánico   mechanic

la media: [las dos] y ~   half past [two]

la medianoche   midnight

la medicina   medicine

el/la médico   doctor

la medida   step, measure

el medio   means, method; middle; intermediate; **~ de transporte**   means of transportation

el mediodía   noon; midday
medir (i-i)   to measure
el mediterráneo   Mediterranean
mejor   better
la melodía   melody
la memoria   memory; de ~ by heart
mencionar   to mention, 6
menor   younger, youngest
menos   less; minus; ~ ... que   less ... than; a ~ de   less than, 8
el mensaje   message, 15
el mensajero, la mensajera   messenger
la mentira   lie
el mercado   market
merendar (ie)   to picnic
el mes   month; al ~   per month, 6
la mesa   table
la mesita   small table
la meta   finish line
el metro   subway
mexicano, -a   Mexican
México   Mexico
mi   my; mis   my
mí   me (obj. prep.); conmigo   with me
el miedo   fear; tener ~   to be afraid
el miembro   member, 15
mientras   while, during
el miércoles   Wednesday
la migración   migration
migratorio, -a   migratory
mil: ¡mil gracias!   thanks a million!, 9
mínimo, -a   minimum, 10
la minoría   minority, 7
la minúscula   small letter
mirar   to look at, watch
la misa   mass
la misión   mission
mismo, -a   same, 3
el misterio   mystery, 3
la mochila   knapsack, 9
la moda   style, fashion
moderno, -a   modern, 4

la modista   seamstress, 10
mojarse   to get wet
la molestia   bother, 2
el momento   moment; un ~   just a minute
la moneda   coin
la monja   nun
el mono   monkey, 6
el montuno   male carnival costume
montar: ~ a caballo   to ride horseback
la montaña   mountain
montañoso, -a   mountainous
moreno, -a   dark, brunet(te)
morir   to die; me muero de miedo   I'm scared to death, 8
la mosca   fly
el mostrador   counter, 2
mostrar (ue)   to show
la moto(cicleta)   motorcycle
el movimiento   movement, 8
mucho, -a   much, a lot; ~ gusto   I'm pleased to meet you; muchos, -as   many
la muerte   death, 13
la muestra   sample
la mujer   woman; ¡~!   my goodness!
la multa   traffic ticket, fine
mundial   worldwide
el mundo   world, 14
el museo   museum
la música   music
muy   very

nacer   to be born
la nación   nation, 7
nacional   national
nada   nothing; de ~   you're welcome
nadar   to swim
nadie   no one
la naranja   orange
la nariz   nose
el narrador, la narradora   narrator, 15
la natación   swimming

natural   natural
la navaja   knife, 9
la nave interespacial   spaceship, 15
la Navidad   Christmas
necesario, -a   necessary
necesitar   to need
negar (ie)   to deny, 13
el negocio   business, 9
negro, -a   black
nervioso, -a   nervous, 2
la nevada   snowstorm
nevar (ie)   to snow; nieva   it's snowing
la nevera   refrigerator, 4
ni ... ni   neither ... nor
la nieta   granddaughter, grandchild
el nieto   grandson, grandchild
la nieve   snow
ninguno, -a   no, not one
el niño, la niña   child
no   no, not; ¿~?   isn't that right?
la noche   night; de la ~   at night
el nombre   name
normal   normal
normalmente   normally, usually, 9
el norte   North
norteamericano, -a   North American
nos   (to) us; ourselves
nosotros, nosotras   we; us (obj. prep.)
la nota   grade, mark
la notación   score
notar   to note, notice
la noticia   a piece of news; las ~s   news
el noticiero   newscast, 14
la novela   novel
la novia   girlfriend, 11
noviembre   November
el novio   boyfriend, 11
la nube   cloud
nublado, -a   cloudy; estar nublado   to be cloudy
nuestro, -a   our

el Nuevo Mundo   New World
nuevo, -a   new; **de nuevo** again
el número   number; issue
nunca   never

o   or
obligado, -a   required, *8*
obligatorio, -a   obligatory, required
la obra   work (of art)
el obrero, la obrera   worker
la observación   observation
observar   to observe, *11*
obtener   to obtain
el océano   ocean, *2*
octubre   October
la ocupación   occupation
ocupado, -a   busy
ocurrir   to occur, happen
odiar   to hate
oficial   official
la oficina   office
ofrecer   to offer, *9*
el oído   ear
oír   to hear
el ojo   eye
oler   to smell, *7;* **huele**   it smells, *4*
olvidar   to forget, *6*
la opinión   opinion
el/la oponente   opponent, *12*
oponerse   to oppose, *7*
la oportunidad   opportunity
la opresión   oppression, *13*
optimista   optimistic, *13*
la orden   command, order
la oreja   ear
organizar   to organize, *9*
el origen   origin
la orilla   bank (river, lake)
el oro   gold
la orquesta   orchestra
la ortografía   spelling
os   (to) you *(pl.);* yourselves
oscuro, -a   dark, *13;* **a oscuras** in the dark
el oso   bear

el otoño   autumn
otro, -a   other; **otra vez** again

la paciencia   patience
el padre   father; **los ~s**   parents
la paella   *Valencian rice dish with seafood*
pagar   to pay (for)
la página   page
el país   country
el paisaje   landscape
el pájaro   bird, *6*
la palabra   word
el pan   bread
el pantalón *or* **los pantalones** pants, slacks
la papa   potato
el papá   father; **los ~s**   parents
el papel   paper
el paquete   package
el par   pair
para   for; **~ que** in order to; **~ servirle**   at your service
el parabrisas   windshield, *8*
el paracaidismo   parachuting, *12*
el parachoques   bumper, *8*
parar   to stop
parecer   to appear, seem
parecerse   to resemble, be like
parecido, -a   similar
la pared   wall, *13*
el pariente   relative
parpadear   to blink, *15*
el parque   park
la parte   part, *6;* **¿de ~ de quién?**   who's calling?
participar   to participate
el partido   game, match; party (political)
pasado, -a   past; **el mes pasado**   last month, *6;* **pasado mañana**   the day after tomorrow, *11*
el pasaje aéreo   airline ticket

el pasajero, la pasajera   passenger
pasar   to spend (time); to pass; to travel; to happen; **~lo bien**   to have a good time, *2*
el pasatiempo   pastime
pasear   to go for a walk (drive, ride); **~ en canoa** canoeing, *12*
el paseo   walk; trip
el pasillo   hallway
el paso   passing, *11;* step
la patata   potato
el patín de ruedas   roller skating, *12*
el patinaje sobre el hielo   ice skating, *12*
el patio   courtyard
la patria   homeland
la pausa   pause
la paz   peace, *13*
el peatón   pedestrian
las pecas   freckles, *3*
el pedazo   piece, *4*
pedir (i-i)   to ask for; to order; **~ prestado**   to borrow
peinarse   to comb one's hair
la pelea   quarrel, fight
la película   movie; **~ de terror**   horror movie
el peligro   danger
peligroso, -a   dangerous
el pelo   hair; **¡me tomas el ~!**   you're pulling my leg!, you're joking!
la peluca   wig, *3*
la pena   pain; sorrow; **me da ~**   it troubles me, *6*
el pendiente   earring, *3*
peninsular   peninsular
pensar (ie)   to think; to intend; to plan
pequeño, -a   little, small
perder (ie)   to lose
perdido, -a   lost
perdonar   to forgive; **perdón** excuse me, pardon me
perezoso, -a   lazy

¡perfecto! fine!, *6*
el periódico newspaper
el permiso permission
permitir to permit, allow
pero but
el perro dog
la persona person
el personaje character (in a story), *15*
personal personal
la personalidad personality, *14*
pertenecer to belong (to)
pesar to weigh
la pesca de altura deep sea fishing, *12*
el pescado fish
el pescador fisherman
pescar to fish
la peseta *monetary unit in Spain*
el peso weight; *monetary unit in many Latin American countries*
el petróleo crude oil
el pez fish, *6*
el piano piano
picado, -a minced, finely chopped
picante hot (spicy), *4*
el pícher pitcher, *12*
el pie foot; **a ~** on foot; **al ~ de** at the foot of (base of), *15*
la piel skin, fur, *7*
la pierna leg
el piloto pilot
el pimentón paprika, *4*
la pimienta black pepper, *4*
el ping-pong ping pong, *12*
pintar to paint
el pintor, la pintora painter
la pintura mural mural, *13*
el pirata pirate
la piscina swimming pool
el piso floor, story (building)
la pista ski slope
pista y campo track and field, *1*
la pizarra chalkboard
la pizca dash, pinch, *4*
la placa de matrícula license plate, *8*

el plan plan
el planeta planet, *15*
el plástico plastic, *13*
el platillo saucer, *4*
el plato plate, *1*
la playa beach
la plaza position, employment, *7;* square, plaza
la plaza de toros bull ring
el/la plomero plumber, *10*
la población population
¡pobrecito, -a! poor thing!
la pobreza poverty, *13*
poco: por ~ (+ *present tense)* almost, nearly; **un ~ (de)** a little
poco, -a little, few, some
poder (ue) to be able, can
poderoso, -a strong, powerful
la poesía poetry, *10*
el/la poeta poet
el policía police officer
la policía police force
político, -a political
el polvo dust
la pollera female carnival costume
el pollo chicken
poner to put; **~ [la radio]** to turn on [the radio], *5*
ponerse to put on; **~ansioso, -a** to get nervous
popular popular; of the people
por for; in exchange for; around, through; **~ lo menos** at least, *14;* **~ ejemplo** for example; **~ favor** please; **~ supuesto** of course
¿por qué? why?
porque because
portátil portable
el portugués, la portuguesa Portuguese
la posibilidad possibility
posible possible; **no es ~** it's not possible, *1*
el postre dessert

la práctica practice
practicar to practice
práctico, -a practical, *8*
el precio price
precioso, -a pretty, *13*
precolombino, -a pre-Colombian
preferir (ie-i) to prefer
la pregunta question
preguntar to ask
la prensa press (newspaper)
preocupado, -a concerned, worried, *15*
preocuparse to worry
preparar to prepare
prepararse to get ready
presentar to present, *14*
presentarse to appear; to present oneself, *10*
presente present
la presidencia presidency
el/la presidente president
prestar to lend; to borrow
preventivo, -a preventive, *8*
la primavera spring
primero, -a first
primitivo, -a primitive
el primo, la prima cousin
la princesa princess, *11*
el principio beginning, *15;* **a ~s de [mayo]** at the beginning of [May], *11*
la prisa hurry; **tener ~** to be in a hurry
privado, -a private, *1*
probar (ue) to try, test
probarse (ue) to try on
el problema problem; **¡qué ~ !** what a problem!
producir to produce
el producto product
la profesión profession
profesional professional, *14*
el profesor, la profesora teacher
el programa program; television program; show; **~ cómico** comedy, *14*
la programación programming, *10*

el programador, la programadora computer programmer, *10*

prohibido, -a prohibited, *8*

prometer to promise

pronto soon; ¡~! quick!, hurry up! **de** ~ suddenly; **hasta** ~ see you soon

la propaganda comercial advertising

propio, -a own, *10*

la protección protection, *7*

protector, -a protective

proteger to protect, *7*

protegido, -a protected

próximo, -a next

la publicación publication

publicar to publish

público, -a public

el pueblo town; people

la puerta door

puertorriqueño, -a Puerto Rican

pues well; then

el puesto position, *10*

la pulsera bracelet; ~ **[de oro]** [gold] bracelet, *3*

el punto point, *15;* **en** ~ sharp, right on time

puro, -a pure, clean, fresh; sheer

que that, which; who

¡qué! how!, what!

¿qué? what?; **¿~ tal?** how are you?

quedar to remain, be left; **te queda bien** it looks attractive on you, *11*

quedarse to remain, stay

quemado, -a burned, *4*

quemar to burn

querer (ie) to want

querido, -a dear

la quesadilla cheese-filled pie, *5*

el queso cheese

¿quién? who?; **¿de ~?** whose?

la química chemistry, *10*

químico, -a chemical, *7*

la quinceañera fifteen-year-old girl

quitar to remove, *7*

quitarse to take off (clothing)

quizás perhaps

la radio radio

la radio portátil portable radio, *5*

el ramo bouquet

la rana frog, *6*

rápidamente quickly, rapidly

¡rápido! quickly!, hurry!

rápido, -a fast, rapid

la raqueta (de tenis) (tennis) racket

raro, -a strange, odd, *12*

el rato short time; **un** ~ a little while, *15*

el ratón mouse, *6*

la raya part (in hair), *3*

la raza race

la razón reason; **no tener** ~ to be wrong; **tener** ~ to be right

realista realistic, *15*

realizar to accomplish, fulfill

la rebaja discount; **en** ~ on sale

el recadero, la recadera errand boy or girl, *10*

la receta recipe, *4*

recibido, -a received, *4*

recibir to receive

recién recent, *9*

el recital recital, concert, *14*

reconocer to recognize, *11*

recordar (ue) to remember

rectangular rectangular, *13*

el recuerdo: ~**s a [tu familia]** regards to [your family]

el recurso resource, *7*

redondo, -a round, *3*

la referencia reference

el reflejo reflection

el refresco refreshment, soft drink

regalar to give a gift, *3*

el regalo gift, present

la región region, *14*

regional regional

la reglamentación rules, *8*

el reglamento de tránsito traffic laws, *8*

la regulación regulation

regular normal, regular, *3;* so-so

la reina queen, *11*

el reloj wrist watch

reparar to repair, fix

el reparto delivery, distribution, *10*

repasar to review, *8*

el repaso review

repente: de ~ suddenly, *3*

repetir (i-i) to repeat

reposar to sit, rest

la representación representation

representar to represent

representativo, -a representative

República Dominicana Dominican Republic

requerir (ie-i) to require, *10*

el requisito requirement

el resfriado cold, chill

resfriado, -a: estar ~ to have a cold

resolver (ue) to resolve, solve

respetuosamente respectfully

responder to reply, answer

responsable responsible

la responsabilidad responsibility

la respuesta response, answer, *10*

el restaurante restaurant

restaurar to restore

resto the rest, remainder, *3*

el resultado result

el resumen summary

la reunión social gathering, meeting

reunirse to meet, *5;* to get together, *6*

la revista magazine

la revolución revolution, *13*

revolucionario, -a   revolution-
ary
revolver   to stir, 4
rico, -a   delicious; rich
ridículo, -a   ridiculous
el río   river, 2
la riqueza   richness, 11
el ritmo   rhythm, 11
rizado, -a   curly, 3
robar   to steal, loot, 3
el robo   robbery, theft
la rodilla   knee
rojo, -a   red
romper   to break
romperse   to break
la ropa   clothing
rubio, -a   blond(e)
el ruido   noise
rural   rural
la ruta   route

el sábado   Saturday
saber   to know; to taste
sabroso, -a   tasty
sacar   to remove; to apply for,
8; ~ fotos   to take photos,
10
el saco   sack; ~ de dor-
mir   sleeping bag, 9
la sal   salt, 4
la sala   living room
salado, -a   salty, 4
el salario   salary
la salida   exit, 2
salir   to leave
salir bien   to do well, 6
la salsa   sauce, dressing
el salto   high jump, 12
el sandwich   sandwich
sanitario: servicios ~s   rest
rooms
el santo, la santa   saint
santo, -a   blessed
el sarape   serape
la sartén   frying pan, 4
el sastre   tailor, 10
el satélite   satellite, 15
se   himself, herself, itself,

yourself, yourselves, them-
selves (refl. pron.)
la sección   section, 6
el secreto   secret
la sed   thirst; tener ~   to be
thirsty
seguir (i-i)   to continue; to
follow
según   according to
seguramente   surely, 6
seguro, -a   sure
la selección   selection
seleccionar   to select, 7
el sello   stamp, 1
el semáforo   traffic light
la semana   week; el fin de
~   weekend; ~ pasada
last week, 11; ~ que viene
next week, 5
sencillo, -a   plain, simple, natural, 14
sensacional   sensational, 12
sentarse (ie)   to sit down
el sentido   sense
sentimental   sentimental, 14
sentir (ie-i)   to be sorry;
¡cómo lo siento!   how sorry
I am!   lo siento   I'm sorry
sentirse (ie-i)   to feel
la señal caminera   traffic sign,
8
señalado, -a   designated, indicated
el señor (abbr. Sr.)   Mr., Sir;
man
la señora (abbr. Sra.)   Mrs.,
Madam; woman
la señorita (abbr. Srta.)   Miss;
young woman
separar   to separate
septiembre   September
ser   to be
el ser humano   human being,
6
la serie   series, 12
serio, -a   serious
el servicio   service
la servilleta   napkin, 4
servir (i-i)   to serve
si   if

sí   yes
siempre   always; lo de
~   the same as usual, 4
el siglo   century
significar   to mean
siguiente   following, successive
silbar   to whistle
el silencio   silence
la silla   chair
el sillón   armchair
simbólico, -a   symbolic
simpático, -a   nice, pleasant
sin   without; ~ embargo
nevertheless, nonetheless, 14
sino   but
sinuoso, -a   winding
el síntoma   symptom
el sistema   system
el sitio   place, 15
sobre   about, concerning
social   social
la sociedad   society, 13
¡socorro!   help!
el sol   sun, 15; hacer ~   to
be sunny
solamente   only
el soldado   soldier
solicitar   to ask for; to request,
1; to apply for
la solicitud   application
solo, -a   alone
sólo   only
sonar (ue)   to ring
la sopa   soup
soplar   to blow
la sorpresa   surprise
el sospechoso, la sospechosa
suspect, 3
su   his, her, its, your, their;
sus   his, her, your, their
subir   to ascend, climb; ~ el
volumen   to turn up the
volume, 5
sudamericano, -a   South
American
el sueldo   salary, 10
el suelo   floor; ground
suelto, -a   loose
el sueño   sleep; dream; tener
~   to be sleepy

la suerte luck; **tener ~** to be lucky

el suéter sweater

suficiente sufficient, enough

sufrir to suffer

sugerir (ie-i) to suggest

la superficie surface

superior superior, *14*

el supermercado supermarket, *10*

suponer to suppose; to assume

supremo, -a supreme, great

el sur south

suspendido, -a failed, *8*

el suspenso suspense

el sustantivo noun

el susto fright, scare, *3;* **llevarse un ~** to be frightened

suyo, -a yours, hers, his, theirs, *9*

tal such

el talento talent

el tamal tamale, *Mexican food, wrapped in corn husks and steamed*

también also; **yo ~** me too

el tambor drum

tan so; **~ . . . como** as . . . as

tanto so much; **~ tiempo sin verte** it's been a long time since I've seen you, *1*

el tapete rug, *13*

la taquilla box office

el taquillero, la taquillera ticket agent

la tardanza delay; **sin ~** without delay

la tarde afternoon; **buenas ~s** good afternoon; **de la ~** P.M.; **por la ~** in the afternoon

tarde late

la tarea homework, *2*

la tarjeta card; **~ postal** post card

la taza cup, *4*

te (to) you; yourself

teatral theater (pertaining to theater)

el teatro theater

el televidente TV viewer

el teléfono telephone

la telenovela soap opera, *14*

televisar to televise

la televisión television

el tema topic, theme, *7*

temblar to tremble; to be afraid, *12*

el temblor tremor; **~ de tierra** earthquake

temer to fear

el temor fear, *15*

la temperatura temperature

temprano early

el tenedor fork, *4*

tener to have; **¿qué tienes?** what's the matter?; **no ~ razón** to be wrong; **~ lugar** to take place, *3;* **~ razón** to be right

el tenis tennis

el/la tenista tennis player, *12*

la teología theology

terminar to finish

la terraza terrace

el terremoto earthquake

terrible terrible

el territorio territory

el testigo witness

ti you *(obj. prep.);* **contigo** with you

la tía aunt

el tiempo weather; time; **a ~** in time; **del ~** in season; **hace [buen] ~** the weather's [nice]; **tanto ~ sin verte** it's been a long time since I've seen you, *1*

la tienda store; tent, *9*

la tierra land, soil; homeland; earth, *15*

el tigre tiger

la tinta ink

el tío uncle

el tipo type

el título title, *14*

la toalla towel

el tocadiscos record player

el tocador dresser

tocar to play (instrument)

todavía still; yet

todo all; **eso es ~** that's all; **~ el mundo** everybody; **~s** everybody

tomar to take; to eat or drink; **~ el almuerzo** to have lunch

el tomate tomato

la tontería nonsense, *7*

¡tonto, -a! silly, foolish (person)

la tormenta storm

el tornado tornado

el torneo tournament, match, *12*

el toro bull

el torpedero shortstop, *12*

la tortilla omelette *(Sp.);* flat corn cake *(Mex.)*

la tostada toast

trabajar to work; **~ jardines** to garden, *10*

el trabajo work

traer to bring; to carry, *5*

el tráfico traffic

el traje suit; **~ de baño** bathing suit

la trampa trap; trick; **hacer ~** to cheat (game)

tranquilo, -a calm, quiet

transmitir to transmit; to broadcast, *11*

el transporte transportation

tratar to try

tremendo, -a tremendous, *12*

el tren train; **~ de juguete** model train, *10*

triangular triangular, *13*

el trigal wheat field

triste sad, *5*

el trofeo trophy

la trompeta trumpet

tu your; **tus** your

tú you

la tuba tuba

la tuna   *university or school musical group*
el/la turista   tourist

último, -a   last
un, una   a/an; unos, unas   some
único, -a   only
el uniforme   uniform, 7
la unión   union
unir(se)   to unite, join
universal   universal
la universidad   university, 7
usar   to use; se usan   are used, 8
el uso   use, usage
usted, ustedes   you; you *(obj. prep.)*

la vaca   cow, 6
las vacaciones   vacation
vacío, -a   empty
valer   to be worth
valioso, -a   valuable, 3
el valor   cost; courage
el valle   valley
vamos   come on, 5; ¡~! come now!; come on!, let's go!

el vaquero   cowboy, 11
variado, -a   varied
la variedad   variety, 13; las ~es   variety show, 14
varios, -as   various, several
el vaso   glass, 4
el vecino, la vecina   neighbor
la vegetación   vegetation
el vehículo   vehicle, 7, 8
la vela   sailing, 12
la velocidad   speed, 8; ~ máxima   speed limit
vencer   to beat; to conquer, 12
el vendedor, la vendedora   salesperson, 10
vender   to sell
venir   to come; ven acá   come here; me vendrá bien   it will suit me, it will fit me
la ventana   window
ver   to see; a ~   let's see; let's hope
el verano   summer
la verdad   truth; ¿~?   isn't it so?, right?
verdadero, -a   real, true, 2
verde   green
la verdura   vegetable

la vergüenza   shame, embarrassment
el verso   verse, 14
el vestido   dress; clothing
vestirse (i-i)   to get dressed
el/la veterinario   veterinarian, 6
la vez   time; a veces   sometimes; de ~ en cuando   every now and then, 6; en ~ de   instead of, in place of; otra ~   again
la vía   lane, 8
la víctima   victim, 3
el vidrio   glass, 13
el/la visitante   visitor, 15
la vista   view; vision (eyesight)
el volante   steering wheel, 8
el voluntario/la voluntaria   volunteer
el/la votante   voter
votar   to vote, 7
el vuelo   flight, 2; ~ sin motor   gliding, 12

ya   now, 3
la yarda *(measure)*   yard, 12

zoológico, -a   zoological

a/an un, una
abandoned abandonado, -a
ability la habilidad, la capacidad
able: to be ~ poder (ue)
accomplish cumplir, lograr
account la cuenta
accountant el contador, la contadora
active activo, -a
add agregar
address la dirección
administrator el administrador, la administradora
admire admirar
advice el consejo
advise aconsejar
affection el cariño
afraid: to be ~ tener miedo
after después de; **~wards** después
afternoon la tarde; **good ~** buenas tardes; **in the ~** por la tarde
again otra vez; de nuevo
against contra; **to be ~** estar en contra de
agree (with) estar de acuerdo (con)
airplane el avión; **building ~ models** el aeromodelismo
all todo, -a
already ya
also también
always siempre
amazing! ¡qué barbaridad!
ambassador el embajador, la embajadora
analyze analizar
announcement el anuncio
annoyed disgustado, -a
answer la respuesta; **to ~** contestar
anxious ansioso, -a
any cualquier, -a

appear parecer; aparecer; presentarse
approach acercarse
arrive llegar
art el arte
article el artículo
artistic artístico, -a
ask preguntar
assignment la tarea
assure asegurar
astronaut el/la astronauta
at a; en
athlete el/la atleta
aunt la tía
automobile automóvil, coche, carro
available disponible
awhile un rato

bad malo, -a
bald calvo, -a
bank el banco
bargain la ganga; **to ~** regatear
basket el cesto, la cesta
bat el bate
batter el bateador
be ser; estar
beach la playa
beard la barba
beat vencer
because porque
become llegar a ser; hacerse
bed la cama; **to go to ~** acostarse (ue)
bedroom el cuarto, la alcoba
before antes de
begin empezar (ie), comenzar (ie)
beginning el principio; **at the ~ of [May]** a principios de [mayo]
believe creer
bicycling el ciclismo

big grande
bill el billete *(money)*; la cuenta *(price)*
bird el pájaro
birthday el cumpleaños; **happy ~** feliz cumpleaños
black negro, -a
blue azul
boot la bota
bore aburrir
boss el jefe, la jefa
both ambos, ambas
bother molestar; **what a ~ !** ¡qué molestia!
boy el muchacho, el chico
boyfriend el novio
boxing el boxeo
bracelet la pulsera
brake el freno *(car)*
break romper
breakfast el desayuno; **to eat ~** desayunar(se)
brick el ladrillo
bright claro, -a
bring traer
brother el hermano
brown marrón, castaño, -a, pardo, -a
building el edificio
bumper el parachoques
burn quemar
burned quemado, -a
burner la hornilla
business el comercio, el negocio
busy ocupado, -a
but pero; sino
buy comprar

calendar el calendario
call llamar; llamar por teléfono *(on the phone)*
calm down calmarse
campaign la campaña

can poder (ue)

can opener el abrelatas

candidate el candidato, la candidata

canoeing el pasear en canoa

car el coche, el carro, el auto

care el cuidado; **to ~ for** cuidar

careful: to be ~ tener cuidado

carnival la carnaval

carry llevar

cashier el cajero, la cajera

cat el gato

cave la cueva; **~ exploration** la espeleología

certain cierto, -a

championship el campeonato

character el personaje

charming encantador, -a

cheese-filled pie la quesadilla

chemical producto químico

chemistry la química

chess el ajedrez

child el niño, la niña

choose escoger

church la iglesia

citizen el ciudadano, la ciudadana

city la ciudad

civic cívico, -a

class la clase

classified advertisement el anuncio clasificado

clay el barro

cleaning la limpieza

clear claro; **it's ~** está despejado (weather)

clerk el/la dependiente

clock el reloj

close cerrar

clothing la ropa

cloud la nube; **to be ~y** estar nublado

coat el abrigo

coffeepot la cafetera

cold frío; **to be (feel) ~** tener frío; **to have a ~** estar resfriado, -a

collection la colección

collector el/la coleccionista

come venir; **~ on** vamos; **~ here** ven acá

comedy el programa cómico (television)

comment comentar

company la empresa

compare comparar

compass la brújula

compose componer

computer la computadora

concert el recital, el concierto

congratulations enhorabuena; felicidades

conservation la conservación

consumer el consumidor

consumption el consumo

convention el congreso

convince convencer

cook el cocinero, la cocinera; **to ~** cocinar

corner la esquina (street); el rincón (interior)

cost costar (ue)

costume el disfraz

cotton el algodón

counter el mostrador

country el país (nation); campo; **~side** el paisaje

cousin el primo, la prima

cover cubrir(se)

cow la vaca

cowboy el vaquero

create crear

cry llorar

cup la taza

curly rizado, -a

customer el/la cliente

cut cortar

daily diario, -a

dance el baile; la danza; **to ~** bailar

dancer el/la danzante

dark oscuro, -a

date la fecha (calendar); la cita (appointment)

daughter la hija

day el día; **~ before yester-**

day anteayer; **these ~s** hoy en día; **this very ~** hoy mismo; **~ after tomorrow** pasado mañana; **present ~** actual

death la muerte

defeat derrotar, vencer

delivery el reparto; **~ boy or girl** el recadero, la recadera

deny negar (ie)

depend (on) depender (de)

descend descender

detail el detalle

diamond el brillante

die morir (ue-u)

dimension la dimensión

dining room el comedor

dinner la comida (midday); la cena

direct dirigir

disagreement el desacuerdo

disaster el desastre

discovery el descubrimiento

discriminate discriminar

dishwasher el lavaplatos

dizzy mareado, -a

do hacer; **to ~ well** salir bien (school; exam)

dog el perro

door la puerta

downtown el centro

drama el programa dramático (television)

draw dibujar

dream el sueño; **to ~** soñar (ue)

drink la bebida; **soft ~** el refresco; **to ~** beber; tomar

drive manejar, conducir

driver el chofer

each cada

early temprano

earrings los pendientes

earn ganar

earth la tierra

easy fácil

eat comer, tomar

effort el esfuerzo

egg   el huevo
electricity   la electricidad
elegant   elegante
elevator   el ascensor
embassy   la embajada
employee   el empleado, la empleada
end   el fin; **to ~**   terminar, acabar; **at the ~ of**   al fin de
energy   la energía
enjoy   divertirse (ie-i) *(oneself)*
enough   bastante
enter   entrar
environment   el ambiente
errand boy   el recadero
errand girl   la recadera
everybody   todo el mundo; todos
everything   todo
exactly   exactamente
examine   examinar
excited   animado, -a
exhibition   la exposición
exit   la salida
expensive   caro, -a
eyeglasses   las gafas

face   la cara
fact   el hecho; **the ~ of the matter is**   es que
factory   la fábrica
fail   salir mal *(subject; exam)*
failed   suspendido, -a
fair   justo, -a
fall   caer; caerse
fan   el aficionado, la aficionada; **baseball ~**   aficionado, -a al baseball
fantastic   fantástico, -a
farewell party   la fiesta de despedida
farming   la agricultura
father   el padre, el papá
favor: to be in ~ of   estar a favor de
fear   el temor
feed   alimentar
feel   sentir (ie-i); sentirse (ie-i)

fencing   la esgrima
few   pocos, -as
fielder   el jardinero *(baseball)*
fight   la pelea; **to ~**   pelear, luchar
find   encontrar (ue); **to ~ out (about)**   enterarse (de)
fine!   ¡perfecto!
finish   terminar, acabar
fish   el pez *(live);* el pescado *(food);* **to ~**   pescar
fishing   la pesca; **deep sea ~**   la pesca de altura
fit: it ~s you well   te queda bien
fix (up)   arreglar
flight   el vuelo
floor   el piso *(story);* el suelo *(room)*
flower   la flor
folkloric   folklórico, -a
food   la comida, el alimento, el comestible
foot   el pie; **on ~**   a pie; **at the ~ of**   al pie de
foreign   extranjero, -a
forest   el bosque; **~ ranger**   el/la guardabosque
forget   olvidar
fork   el tenedor
freckles   las pecas
free   libre; gratis
freedom   la libertad
frequent   frecuente
friend   el amigo, la amiga
fright   el susto
frighten   dar miedo
frog   la rana
fry   freír
frying pan   la sartén
full   lleno, -a
fun: to be ~   ser divertido, -a; **to have ~**   divertirse (ie-i)
future   futuro, -a

game   el partido *(sports, contest);* el juego
garden   el jardín; **to ~**   trabajar en jardines

get   obtener, conseguir (i-i); **to ~ up**   levantarse
gift   el regalo
girl   la muchacha, la chica
girlfriend   la novia
give   dar; **to ~ a gift**   regalar
gladly   con mucho gusto
glass   el vaso *(drinking);* el vidrio; **~es**   las gafas
gliding   el vuelo sin motor
go   ir; **to ~ down**   bajar; **to ~ shopping**   ir de compras; **to ~ up**   subir
gold   el oro
good   bueno, -a
good-looking   guapo, -a
government   el gobierno
grade   la nota *(mark);* **to get [good] ~s**   sacar [buenas] notas
graduate   el graduado, la graduada
grandfather   el abuelo
grandmother   la abuela
grass   la hierba
gray   gris
green   verde
ground   la tierra; el suelo
group   el grupo
guarantee   garantizar
guest   el huésped, la huéspeda; el invitado, la invitada
guidebook   la guía
guitar   la guitarra
gymnasium   el gimnasio
gymnastics   la gimnasia

hair   el pelo
hand   la mano
handmade   hecho, -a a mano
handsome   guapo
hang   colgar (ue)
happen   ocurrir, pasar, tener lugar
happy   alegre, contento, -a
hard   difícil; duro, -a
harmful   dañino, -a

hate detestar
have tener
head la cabeza
headlight el farol delantero
hear oír
heart el corazón
help la ayuda; ~! ¡socorro!; **to** ~ ayudar
here aquí, acá
high alto, -a; ~ **jump** el salto alto
highway la carretera
Hispanic hispano, -a
hit el batazo *(baseball);* **to** ~ **a home run** meter un jonrón
holiday el día festivo, la fiesta
home (house) la casa; **at** ~ en casa
home run el jonrón
homework la tarea
hope esperar
horse el caballo; ~**back riding** la equitación
hot caliente; **to be (feel)** ~ tener calor; picante *(taste)*
how cómo; ~ **many?** ¿cuántos, -as?; ~ **much?** ¿cuánto, -a?
human being el ser humano
humor el humor
hungry: to be ~ tener hambre
hurry: to be in a ~ tener prisa; **hurried (in a** ~**)** apurado, -a
husband el esposo; el marido

ice el hielo
ice cream el helado
if si
imagine! ¡fíjate!
in en; ~ **[two weeks]** dentro de [dos semanas]
include incluir
increase aumentar
industry la industria
inexpensive barato, -a
injustice la injusticia

inning la entrada
instead of en vez de
interested interesado, -a
interviewer el entrevistador, la entrevistadora
intolerable intolerable
investment la inversión
invent inventar
invite invitar
iron el hierro

jacket la chaqueta
job el trabajo, el empleo
joke el chiste
juice el jugo, el zumo
jump: high ~ el salto alto; **to** ~ saltar
jungle la selva

keep guardar; mantener
key la llave
kill matar
kiss el beso; **to** ~ besar
kitchen la cocina
knapsack la mochila
knife el cuchillo, la navaja
know conocer *(someone);* saber *(a fact or how)*
knowledge el conocimiento

land la tierra
lane la vía
language el idioma, la lengua
last último, -a; ~ **year** el año pasado; ~ **month** el mes pasado; ~ **week** la semana pasada
late tarde
laugh reír (i-i)
law la ley; el derecho
leader el líder
learn aprender
least (lo) menos; **at** ~ por lo menos
leave salir; dejar
left la izquierda
leg la pierna

legend la leyenda
lend prestar
less menos; ~ **than** a menos de
letter la carta *(mail);* la letra *(alphabet)*
library la biblioteca
license la licencia de manejar *(driver's)*
life la vida
lift levantar
light la luz; **to** ~ encender
like gustarle; **I** ~ me gusta(n)
limit limitar
listen (to) escuchar
little pequeño, -a
live vivir
living room la sala
logical lógico, -a
long largo, -a
look: to ~ **(at)** mirar; **to** ~ **for** buscar; **to** ~ **like** parecerse a
lose perder (ie)
lot, lots mucho, -a; muchos, -as
lottery la lotería
love el amor; **to** ~ amar, querer (ie)
luck la suerte; **to be** ~**y** tener suerte; **good** ~ buena suerte
lunch el almuerzo; **to eat** ~ almorzar (ue); tomar el almuerzo

magazine la revista
majority la mayoría
make hacer
man el hombre, el señor
many muchos, -as; **may you have** ~ **more!** ¡que cumplas muchos más!
march la marcha; **to** ~ desfilar
maximum máximo, -a
maybe tal vez, quizás
meal la comida

mean   querer (ie) decir

meet   encontrarse (ue); conocer *(preterit)*; reunirse

member   el miembro

mention   mencionar

message   el mensaje

middle: in the ~ of (a space) en medio de; **in the ~ of [June]**   a mediados de [junio]

midnight   (la) medianoche

milk   la leche

minimum   mínimo, -a

minority   la minoría

miss (a person)   echar de menos

mistake   el error, la falta; **to be mistaken**   equivocarse; no tener razón

model: ~ train   el tren de juguete; **building ~ airplanes**   el aeromodelismo

modern   moderno, -a

money   el dinero

month   el mes

moon   la luna

morning   la mañana; **in the ~**   por la mañana

mother   la madre, la mamá

mountain   la montaña; **~ climbing**   el alpinismo

mouse   el ratón

mouth   la boca

movie   la película; **~s**   el cine

mural   la pintura mural

music   la música

musical   el programa musical

must   deber, tener que *(+ inf.)*

mustache   el bigote

mystery   el misterio; **~ show**   el programa de misterio *(television)*

nail   el clavo

name   el nombre

napkin   la servilleta

narrator   el narrador, la narradora

near   cerca (de); cercano, -a

neck   el cuello

necklace   el collar; la cadena

necktie   la corbata

need   necesitar; hacer falta

neighbor   el vecino, la vecina

neighborhood   el barrio, la vecindad

nervous   nervioso, -a, ansioso, -a; **I become ~**   me pongo ansioso, -a

never   nunca

new   nuevo, -a

news   las noticias, el noticiero

newspaper   el periódico, el diario

next: ~ [week]   [la semana] que viene

night   la noche; **good ~**   buenas noches; **last ~**   anoche

nonetheless   sin embargo

nonsense   la tontería

noon   (el) mediodía

normal   regular

notebook   el cuaderno

nothing   nada

now   ahora; ya; **every ~ and then**   de vez en cuando

nowadays   hoy en día

nurse   el enfermero, la enfermera

obey   obedecer

observe   observar

obtain   conseguir

ocean   el océano

of course   claro que sí; claro, por supuesto

offer   ofrecer

oh, my dear!   ¡ay, hija!

oil   el petróleo; el aceite; **olive ~**   el aceite de oliva

okay   de acuerdo

old   viejo, -a

older   mayor

onion   la cebolla

open   abrir

opponent   el oponente

oppose   oponerse

oppression   la opresión

optimistic   optimista

orange   la naranja *(fruit)*; anaranjado, -a *(color)*

organize   organizar

ought   deber *(+ inf.)*

outside   al aire libre; afuera

oven   el horno

owe   deber

own   propio, -a

paprika   el pimentón

parachuting   el paracaidismo

parade   el desfile

parents   los padres

parrot   el loro

part   la parte; la raya *(in hair)*

party   la fiesta

pass   aprobar (ue) *(exam, subject)*; adelantar *(another vehicle)*

passing   el paso

pay   pagar

peace   la paz

pearl   la perla

pen   la pluma; **ballpoint ~**   el bolígrafo

pencil   el lápiz

people   la gente, el pueblo

pepper (black)   la pimienta

personality   la personalidad

photograph   la foto; **to take ~s**   sacar fotos

photography   la fotografía

picture   el cuadro

piece   el pedazo

pitch   lanzar

pitcher   el pícher

place   el lugar, el sitio; **to ~**   poner

plan (to)   pensar (ie) *(+ inf.)*

planet   el planeta

plastic   el plástico

plate   el plato

to play   jugar a (ue) *(game, sport)*; tocar *(instrument)*

player el jugador, la jugadora
please por favor
plumber el/la plomero
poetry la poesía
point el punto
pollution la contaminación
pool la piscina
poor pobre; ~ **thing!** ¡pobrecito, -a!
position (employment) la plaza, el puesto
possible posible; **it's not ~** no es posible
post card la tarjeta postal
post office box el apartado de correos
pot la cazuela, la olla
pottery cerámica; **to make ~** hacer cerámica
pour echar
poverty la pobreza
practical práctico, -a
present presentar
present-day actual
pretty bonito, -a, precioso, -a
price el precio
princess la princesa
private privado, -a
programmer el programador, la programadora
programming la programación
prohibited prohibido, -a
promise prometer
protection la protección
purse la bolsa
put poner; **to ~ on** ponerse

quantity la cantidad
question la pregunta
quiet: to be ~ callarse, estar quieto, -a
quite bastante

rabbit el conejo
radio el/la radio; **portable ~** la radio portátil

rain la lluvia; **to ~** llover (ue)
raw crudo, -a
read leer
reader el lector, la lectora
reading la lectura
receive recibir
recent recién
recipe la receta
recite recitar, declamar
recognize reconocer
record el disco; **~ player** el tocadiscos
red rojo, -a
refrigerator la nevera
region la región
relative el pariente
remain quedar, quedarse
remember recordar (ue)
remove quitar; sacar
request solicitar
require requerir (ie-i)
resource el recurso
rest el resto
résumé el currículum (vitae)
return volver (ue)
review repasar
rice el arroz
rich rico, -a
richness la riqueza
right el derecho (*privilege*); la derecha; **to the ~** a la derecha; **to be ~** tener razón
ring el anillo
rhythm el ritmo
river el río
road el camino, la calle
room el cuarto, la habitación
rope la cuerda
round redondo, -a; **~ trip** ida y vuelta
rug el tapete
rule la reglamentación
run correr

sad triste
sailing la vela

salary el sueldo
salesperson el vendedor, la vendedora
salt la sal
salty salado, -a
same mismo, -a
satellite el satélite
saucer el platillo
save ahorrar
savings los ahorros
say decir
scar la cicatriz
scared: to be ~ tener miedo
schedule el horario
scholarship la beca
school la escuela, el colegio; escolar (*adj.*)
science la ciencia
score la anotación
scuba diving el buceo
sea el mar
seamstress la modista
season la época
section la sección
see ver
select seleccionar
sell vender
send mandar, enviar
serious serio, -a; **are you ~?** ¿hablas en serio?
sew coser
shape la forma; **in the ~ of** en forma de
share compartir
shoe el zapato
short bajo, -a; **~stop** el torpedero; **~ story** el cuento
shout el grito; **to ~** gritar
show mostrar (ue), enseñar
sick enfermo, -a
silver la plata
simple sencillo, -a
sing cantar
singer el/la cantante
singing group el coro, el conjunto
sister la hermana
sit down sentarse (ie)

skating: ice ~ el patinaje sobre el hielo; **roller ~** el patín de ruedas

skin la piel

sky el cielo

sleep dormir (ue-u); **to go to ~** dormirse (ue-u)

sleeping bag el saco de dormir

sleepy: to be ~ tener sueño

smell oler; **it ~s** huele

snake la culebra

snow la nieve; **to ~** nevar (ie)

so así

soap el jabón; **~ opera** la telenovela

society la sociedad

sock el calcetín

some unos, -as

something algo

son el hijo

song la canción

soon pronto

soul el alma

space ship la nave interespacial

Spanish-speaking de habla española (hispana)

speak hablar

speed la velocidad

sport el deporte; deportivo, -a *(adj.);* **~s show** el programa deportivo

spring la primavera

square cuadrado, -a

stamp el sello

star la estrella

stay quedarse

steal robar

steering wheel el volante

still todavía

stir revolver (ue)

stomach el estómago

stop parar; dejar de *(+ inf.);* detener (la marcha) *(the acceleration)*

store la tienda, el almacén

story el cuento, la historia

stove la estufa

strange extraño, -a, raro, -a

stream el arroyo

strike la huelga *(labor);* el estraik *(baseball)*

strong fuerte

struggle luchar

study estudiar

suddenly de repente

suitable conveniente

suitcase la maleta

summer el verano

sun el sol; **it's sunny** hace sol

superior superior

supermarket el supermercado

surely seguramente

surprise la sorpresa; **it doesn't ~ me** no me extraña

suspect el sospechoso, la sospechosa

swim nadar

tablecloth el mantel

tablespoon la cuchara

taillight el farol trasero

tailor el sastre

take tomar; **to ~ pictures** sacar fotos; **to ~ place** tener lugar; **to ~ charge (of)** encargarse (de)

tall alto, -a

taste gusto; **to ~** probar; **to ~** *(as desired)* al gusto

tax el impuesto

teach enseñar

teacher el maestro, la maestra

teaching la enseñanza

team el equipo; **opposing ~** el equipo contrario

tear la lágrima

teaspoon la cucharita

tell decir *(someone something);* contar (ue) *(story);* **~ me** dime *(fam.);* dígame *(formal)*

tennis el tenis; **~ player** el/la tenista

tent la tienda

terrify aterrorizarse

thank: to ~ (for) agradecer; **~ you** gracias; **~s a million!** ¡mil gracias!

there allí, allá; **~ is/are** hay

thief el ladrón, la ladrona

thin delgado, -a

thing la cosa

think pensar (ie)

thirsty: to be ~ tener sed

this esto

throat la garganta

tie la corbata; **to ~** atar

time el tiempo; **it's been a long ~ since I've seen you** tanto tiempo sin verte; **have a good ~!** ¡que te diviertas!; **to have a good ~** pasarlo bien

tired cansado, -a

title el título

today hoy

tomorrow mañana

tongue la lengua

tonight esta noche

tooth el diente

topic el tema

tournament el torneo

town el pueblo, la aldea

track and field pista y campo

traffic el tráfico; **~ laws** el reglamento de tránsito; **~ sign** la señal caminera

train el tren; **model ~** tren de juguete; **to ~** entrenar

travel viajar

traveler el viajero, la viajera; **~'s check** el cheque de viajero

tray la bandeja

tree el árbol

tremble temblar

tremendous tremendo, -a

trick engañar

trio el trío

trip   el viaje; **have a nice ~!** ¡buen viaje!; **round ~**   ida y vuelta

trouble: it ~s me   me molesta, me fastidia

true   verdad, cierto, -a; verdadero, -a

try   tratar de; probar; **to ~ on**   probarse

turn   doblar; **to ~ down the volume**   bajar el volumen; **to ~ off**   apagar; **to ~ on**   poner; **to ~ up the volume**   subir el volumen

ugly   feo, -a

unbearable   insoportable

uncle   el tío

understand   entender (ie), comprender

unforgettable   inolvidable

uniform   el uniforme

university   la universidad

unknown   desconocido, -a

until   hasta

use   usar; **are ~d**   se usan

usual: the ~   lo de siempre

usually   normalmente

valuable   valioso, -a

variety   la variedad; **~ show**   las variedades

various   varios, -as

vehicle   el vehículo

verse   el verso

very   muy

veterinarian   el veterinario

victim   la víctima

visit   visitar

visitor   el/la visitante

vote   votar

voter   el elector

wait   esperar; **to ~ for**   esperar a

waiter   el camarero

waitress   la camarera

walk   caminar, pasear

wall   la pared

want   querer (ie), desear

war   la guerra

warn   avisar

wash   lavar; **to ~ oneself**   lavarse

watch, clock   el reloj

water   el agua *(f.)* **~ skiing**   el esquí acuático

way   la manera

weak   débil

wear   llevar

weather   el tiempo; **the ~'s [nice]**   hace [buen] tiempo; **what's the ~ like?**   ¿qué tiempo hace?

week   la semana; **~end**   el fin de semana

welcome   bienvenido, -a; **you're ~**   de nada

well   bien; **to do ~**   salir bien

what?   ¿qué?; ¿cuál?

when?   ¿cuándo?

where?   ¿dónde?

which   la cual, el cual, que; **~?**   ¿cuál?

white   blanco, -a

who?   ¿quién?

whose?   ¿de quién?

why?   ¿por qué?

wife   la esposa, la mujer

wig   la peluca

win   ganar

windshield   el parabrisas; **~ wiper**   el limpiaparabrisas

winter   el invierno

woman   la mujer, la señora

wonder   la maravilla

wonderful!   ¡qué estupendo!

wood   la madera

wool   la lana

word   la palabra

work   trabajar; **let's get to ~!**   ¡manos a la obra!

world   el mundo

worried   preocupado, -a

wrestling   la lucha

write   escribir

written   escrito, -a

wrong: to be ~   no tener razón, estar equivocado, -a

year   el año

yellow   amarillo, -a

yesterday   ayer

young   joven; **~ person**   el/la joven

Index

a
  for emphasis/clarification 39,
    42, 133
  with indirect-object pronouns
    39, 42
accent marks 69, 73, 110, 281
adjectives
  agreement 19
  comparisons 162, 284
  demonstrative 38
  descriptive 14
  past participle 319
  position 205
  possessive 44, 285
  shortened forms 205
  el/la más joven, etc. 264
  with **ser** and **estar** 286
adverbial clauses
  with **cuando** 262
  with subjunctive 260, 262
adverbs
  comparison 162, 164
affirmative commands
  familiar 113, 114
  formal 90
age 20
animals 125
appliances, kitchen 88
-ar verbs
  present indicative 16
  preterit 35
  imperfect indicative 68
  future 110
  conditional 281
  present perfect 206
  present subjunctive 159
  imperfect subjunctive 299
articles
  definite 19
  neuter article **lo** 211
automobile terminology 178

body, parts of 155

camping 201
clothing 31
cognates 259, 280, 298, 317, 336
commands
  affirmative **tú** 113, 114
  negative **tú** 129
  usted-commands 90
  irregular verbs 114
  negative commands 90, 129
  position of object pronouns
    92, 113, 131
  spelling-changing verbs 91
  stem-changing verbs 90, 127
como si-clauses 320
comparisons
  equality 162, 284
  inequality 163, 284
conditional
  regular **-ar** verbs 281
  regular **-er** verbs 281
  regular **-ir** verbs 281
  irregular stems 282
  probability 318
congratulatory expressions 107
conseguir
  present subjunctive 181
courtesy expressions 305

dar
  present subjunctive 185
  imperfect subjunctive 304
dates 12
days of the week 10
decir
  future 128
  present perfect 210
  present subjunctive 203
definite articles 19
demonstrative adjectives 38
descriptive adjectives 14
diphthongs 226
direct-object pronouns 37
  with commands 92, 113, 131

with infinitives 37
direction and location 297

ecology 154
el de, el que 165
entertainment 316
-er verbs
  present indicative 16
  preterit 35
  imperfect indicative 69
  future 110
  conditional 281
  present perfect 206
  present subjunctive 180
  imperfect subjunctive 302
estar
  present indicative 21
  preterit 93
  imperfect 69
  present subjunctive 263
  imperfect subjunctive 304
  uses 22
  vs. **ser** 21, 286
expressing requests courteously
  304

facial characteristics 65
five senses 155
future
  regular **-ar** verbs 110
  regular **-er** verbs 110
  regular **-ir** verbs 110
  irregular stems 127
  regular use 110
  for probability 318
  ir a + inf. for future 18, 111
  expressed by present 111

gender agreement 19
geographical terms 33

gustar 42
   gustar-like verbs 133
   with indirect-object pronouns
      39, 42, 133

haber
   present indicative 206
   future 127
   conditional 282
hacer
   future 128
   conditional 282
   present perfect 210
   present subjunctive 203
   imperfect subjunctive 304
   hace ... que to express
      duration of time 45
hobbies 226
household objects 88

imperfect indicative
   regular **-ar** verbs 68
   regular **-er** verbs 69
   regular **-ir** verbs 69
   irregular verbs 72
   uses 68, 70
   vs. preterit 68, 94
imperfect subjunctive
   regular **-ar** verbs 299
   regular **-er** verbs 302
   regular **-ir** verbs 302
   irregular verbs 304
   in **si**-clauses 303
impersonal **se** 233
indirect-object pronouns
   with clarifying **a**-phrase 39,
      42
   with **gustar** 39, 42
   with **gustar-**like verbs 133
interrogative **¿qué?** and
      ¿cuál(es)? 186
ir
   present indicative 18
   preterit 44
   imperfect indicative 72
   present perfect 210
   present subjunctive 185

imperfect subjunctive 304
ir a + infinitive 18, 111
-ir verbs
   present indicative 16
   preterit 35
   imperfect indicative 69
   future 110
   conditional 281
   present perfect 206
   present subjunctive 180
   imperfect subjunctive 302

jewelry 66
jobs 225

linking 16
lo
   + adjective 211

materials 297

nature 33
negative commands
   familiar 129
   formal 90
nominalization
   el de, la de 165
nouns
   gender and number
      agreement 19

object pronouns
   direct 37, 73
   indirect 39, 73
   position in commands 92,
      113, 131
occupations 225
ojalá (que) 161
orthographic **h** 16

para
   meanings 113
   vs. **por** 112

past participles
   regular 206
   irregular 210
   in present perfect tense 206
   used as adjectives 210, 319
pero vs. **sino** 75
personal characteristics 14, 65
pets 125
poner(se)
   future 128
   conditional 282
   present perfect 210
   present subjunctive 203
   imperfect subjunctive 304
physical characteristics 65
por
   meanings 112
   vs. **para** 112
position of object pronouns 37,
      39, 42, 73, 133
   in commands 92, 113, 131
possessive adjectives 44
possessive pronouns 285
present indicative
   regular **-ar** verbs 16
   regular **-er** verbs 16
   regular **-ir** verbs 16
   irregular verbs 18, 19, 21
present perfect
   regular **-ar** verbs 206
   regular **-er** verbs 206
   regular **-ir** verbs 206
   irregular past participles 210
present subjunctive
   regular **-ar** verbs 159
   regular **-er** verbs 180
   regular **-ir** verbs 180
   irregular verbs 185, 203, 263
preterit
   regular **-ar** 35
   regular **-er** 35
   regular **-ir** 35
   irregular verbs 44, 93
   vs. imperfect 94
pronouns
   direct-object 37, 73
   double-object 73
   el de, el que 165
   indirect-object 39, 73

indirect-object with **gustar** 39, 42, 133
interrogative pronouns
  ¿cuál(es)? vs. **¿qué?** 186
possessive 285
se for **le** or **les** 73
pronunciation
  diphthongs 226
  linking 16
  silent **h** 16
  vowels 15
  [b] vs. [ƀ] 34
  [d] vs. [đ] 66
  [g] vs. [ǵ] 88
  [y] 109
  [p], [t], [k] 126
  [r] vs. [rr] 156
  [ñ] 179
  [s] 202

radio terminology 108
reflexive constructions
  impersonal se 233
  reflexive for passive 233
  reciprocal 265

se for **le** and **les** 73
sensory verbs 155
ser
  present indicative 21
  preterit 44
  imperfect indicative 72
  present perfect 210
  present subjunctive 185, 263
  imperfect subjunctive 304
  uses 21
  with **de** 21

vs. **estar** 21
vs. **estar** with adjectives 286
shapes 297
si-clauses 303
sino vs. **pero** 75
skills, abilities, talents 225
spelling-changing verbs 91, 181
sports 12, 278
stem-changing verbs 90, 230
subjunctive
  imperfect subjunctive 299, 302, 304
  present subjunctive 159, 180, 185, 203, 263
  after expressions of influence 159
  after expressions of emotion 182
  after expressions of hope 161
  after expressions of probability, doubt or uncertainty 232
  after impersonal expressions 183
  in adjective clauses 228
  in adverbial clauses 260, 262
  ojalá que with subjunctive 161
  in **como si**-clauses 320
  in **si**-clauses 303
  in indirect commands 305
  to express politeness 305
  vs. indicative 232, 303
  stem-changing **-ir** verbs 181, 230
suffixes 259, 298, 317, 336

table setting 87

television terminology 108
tener
  present indicative 19
  preterit 93
  future 128
  conditional 282
  present subjunctive 203
  imperfect subjunctive 304
  in idiomatic expressions 19
tener que + infinitive 19
theater 316
time expressions 258

universe 335

venir
  imperfect indicative 72
  future 128
  conditional 282
  present subjunctive 203
  imperfect subjunctive 304
verbs
  irregular: *see individual verb headings*
  reflexive 233, 265
  regular **-ar** 16, 35, 68, 110, 159, 206, 281, 299
  regular **-er** 16, 35, 69, 110, 180, 206, 281, 302
  regular **-ir** 16, 35, 69, 110, 180, 206, 281, 302
  spelling-changing 91, 181
  stem-changing 90, 230
  vowels 15

weather expressions 161

Art Credits